Niet alles is liefde

11,71

Rachel Gibson

Niet alles is liefde

Karakter Uitgevers B.V.

Oorspronkelijke titel: I'm In No Mood For Love
© 2006 by Rachel Gibson
Published by arrangement with Sterling Lord Literistic, Inc.
Vertaling: Corry van Bree
© 2009 Karakter Uitgevers B.V., Uithoorn
Omslag: Pinkstripedesign.com
Opmaak: ZetSpiegel, Best

ISBN 978 90 6112 800 7
NUR 340

Ik wil de romanlezers die me trouw hebben gesteund sinds de
publicatie van mijn allereerste boek graag innig bedanken.
Deze is voor jullie allemaal.

Een

De eerste keer dat Clare Wingate zichzelf terugvond in een vreemd bed was ze eenentwintig jaar en het slachtoffer van een vervelend geëindigde relatie en te veel Jell-O-cocktails. De liefde van haar leven had haar gedumpt voor een blonde kunststudente met een indrukwekkende voorgevel, en Clare had de avond doorgebracht in Humpin' Hannah's, waar ze zich aan de bar vasthield en haar gebroken hart koesterde.

De volgende ochtend werd ze wakker in een bed dat naar patchoeliolie rook en staarde ze naar een poster van Bob Marley, terwijl het gesnurk van de man naast haar het gebonk in haar hoofd overstemde. Ze wist niet waar ze was of wat de naam van de snurkende man was. En ze was niet lang genoeg gebleven om het te vragen.

In plaats daarvan had ze haar kleren gepakt en was ze ervandoor gegaan. Terwijl ze in het wrede ochtendlicht naar huis reed, zei ze tegen zichzelf dat er ergere dingen in het leven waren dan losse seksuele ontmoetingen. Erge dingen zoals van school gestuurd worden of vastzitten in een brandend gebouw. Ja, dat was erg. Toch was een onenightstand niets voor haar. Ze walgde ervan en ze was van streek. Maar tegen de tijd dat ze haar appartement bereikte, had ze de hele situatie afgedaan als een leerzame ervaring. Iets wat veel jonge vrouwen deden. Iets om van te leren, en iets wat goed was om te weten voor de toekomst. Iets waarvan ze zichzelf plechtig beloofde dat het nooit meer zou gebeuren.

Clare was niet het type om naar een borrelglas en een warm lichaam te grijpen om zich beter te voelen. Nee, ze had geleerd om haar impulsen te bedwingen en haar gevoelens te verstoppen achter een perfecte façade van warme glimlachjes, vriendelijke woorden en onberispelijke manieren. Wingates dronken niet te veel, praatten niet te hard en droegen geen witte schoenen vóór Memorial Day. Nooit. Ze toonden hun emoties niet en ze doken absoluut niet met vreemden in bed.

Clare had misschien geleerd om zelfbeheersing te tonen, maar ze was een geboren romanticus. In het diepst van haar hart geloofde ze in liefde op het eerste gezicht en onmiddellijke aantrekkingskracht, en ze had de slechte gewoonte om in relaties te duiken zonder na te denken. Ze leek voorbestemd voor herhaald liefdesverdriet, pijnlijke scheidingen en een incidentele dronken onenightstand.

Gelukkig had ze, toen ze achter in de twintig was, zich eigen gemaakt om de zelfbeheersing die haar was geleerd toe te passen. Als beloning had het lot haar gezegend en op haar eenendertigste had ze Lonny ontmoet. De liefde van haar leven. Ze had hem ontmoet bij een Degas-expositie, en hij had haar overrompeld. Hij was knap en romantisch en heel anders dan de hartenbrekers die ze in het verleden had ontmoet. Hij dacht aan verjaardagen en speciale gelegenheden, en hij was een kei in bloemschikken. Clares moeder hield van hem omdat hij wist hoe hij een tomatenschep moest gebruiken. Clare hield van hem omdat hij haar werk begreep en haar met rust liet als ze een deadline had.

Nadat ze een jaar lang afspraakjes hadden gemaakt, trok Lonny bij Clare in en het jaar erna brachten ze door in perfecte harmonie. Hij hield van haar antieke meubelen, ze hielden allebei van pasteltekeningen en ze hadden een passie voor weefselstructuren. Ze hadden nooit ruzie of zelfs meningsverschillen. Ze beleefde geen emotionele drama's met Lonny, en toen hij haar vroeg of ze met hem wilde trouwen, zei ze ja.

Lonny was de perfecte man. Nou ja... afgezien van zijn lage libido. Soms had hij een halfjaar lang geen behoefte aan seks, maar ze hield zichzelf voor dat niet alle mannen oversekst waren.

Dat had ze tenminste gedacht, totdat ze op de dag dat haar vriendin Lucy trouwde onverwacht thuiskwam en Lonny op heterdaad betrapte met de servicemonteur van Sears. Het had haar een paar verbijsterde momenten gekost om te beseffen wat er op de vloer van haar inloopkast gebeurde. Ze had daar gestaan, met de parels van haar overgrootmoeder om haar hals, en was te geschokt om zich te bewegen, terwijl de man die de dag ervoor haar Maytag-wasmachine had gerepareerd, haar verloofde bereed als een cowboy. Het leek allemaal niet echt totdat Lonny opkeek en zijn geschokte bruine ogen de hare ontmoetten.

'Ik dacht dat je ziek was,' zei ze onnozel, en daarna pakte ze zonder nog een woord te zeggen de zoom van haar bruidsmeisjesjurk van zijde en tule en rende het huis uit. De rit naar de kerk verliep in een waas en ze bracht de rest van de dag door in een roze poederdonzen jurk, glimlachend alsof haar leven niet was ontspoord en van een rots af zeilde.

Terwijl Lucy haar trouwbelofte uitsprak, voelde Clare haar hart stukje bij beetje breken. Ze stond glimlachend voor in de kerk terwijl ze vanbinnen instortte tot ze hol en leeg was en niets meer voelde, behalve de pijn die haar borstkas samendrukte. Tijdens de huwelijksreceptie duwde ze haar mondhoeken omhoog en toostte op het geluk van haar vriendin. Ze wist dat het haar plicht was om een toost uit te brengen, en dat deed ze. Ze was liever gestorven dan dat ze Lucy's dag verpestte met haar problemen. Ze moest er alleen voor zorgen dat ze niet dronken werd. Ze vertelde zichzelf dat één klein glaasje champagne geen kwaad kon. Ze sloeg immers geen glazen pure whisky achterover.

Helaas had ze niet naar zichzelf geluisterd.

Voordat Clare haar ogen opendeed op de ochtend na Lucy's bruiloft, bekroop haar een gevoel van déjà vu. Haar hoofd bonkte en ze gluurde door gezwollen oogleden naar het ochtendlicht dat door een brede kier in de zware gordijnen naar binnen stroomde en op de goudbruine sprei viel die zwaar op haar lag. Paniek snoerde haar keel dicht en ze kwam snel overeind, terwijl het geluid van haar hartslag in haar oren bonkte. De sprei gleed van haar naakte borsten en viel op haar schoot.

In de lichte schaduwen van de kamer zag ze het extra grote bed, een bureau en muurlampen. In de televisiekast aan de overkant werd het zondagochtendnieuwsprogramma op de televisie uitgezonden; het geluid stond zo zacht dat het nauwelijks te horen was. Het kussen naast haar was leeg, maar het zware zilveren polshorloge op het nachtkastje en het geluid van stromend water achter de gesloten badkamerdeur vertelden haar dat ze niet alleen was.

Ze duwde de sprei opzij en sprong uit bed. Tot haar ontzetting droeg ze niets van de dag ervoor, behalve een vleugje Escada en een roze string. Ze greep de roze bustier die bij haar voeten lag en zocht haar jurk. Hij hing over een kleine bank, samen met een verschoten Levi's.

Er was geen twijfel mogelijk, ze had het weer gedaan, en net als die andere paar keren in de afgelopen jaren kon ze zich de belangrijke details niet herinneren vanaf een bepaald moment in de avond.

Ze herinnerde zich Lucy's huwelijk in St. John's Cathedral en de receptie daarna in het Double Tree Hotel. Ze herinnerde zich dat ze geen champagne meer had voor de eerste serie toosten, waardoor ze haar glas verschillende keren moest bijvullen. Ze herinnerde zich dat ze haar champagneglas had ingeruild voor een glas dat was gevuld met gin-tonic.

Daarna was alles een beetje wazig geworden. In een door drank veroorzaakte mist herinnerde ze zich dat ze op de receptie had gedanst, en ze had een vage vernederende herinnering dat ze *Fat Bottomed Girls* had gezongen. Ergens. Ze had flitsen van haar vriendinnen, Maddie en Adele, die een kamer in het hotel voor haar regelden zodat ze haar roes kon uitslapen voordat ze naar huis ging om de confrontatie met Lonny aan te gaan. De minibar. Had ze beneden in de bar gezeten? Misschien. Daarna was er niets meer.

Clare sloeg de bustier rond haar middel en maakte de haakjes tussen haar borsten vast terwijl ze door de kamer naar de bank liep. Halverwege struikelde ze over een roze satijnen pump. De enige glasheldere herinnering in haar hoofd was die van Lonny en de servicemonteur.

Haar hart kromp ineen, maar ze had geen tijd om te blijven stilstaan bij de pijn en de totale verbijstering over wat ze had gezien. Ze zou straks afrekenen met Lonny, maar eerst moest ze uit deze hotelkamer zien te komen.

Met de bustier halverwege tussen haar borsten vastgehaakt, reikte ze naar haar roze poederdonzen bruidsmeisjesjurk. Ze gooide hem over haar hoofd en vocht met de meters tule, draaide en trok, vocht en duwde, tot deze rond haar middel zat. Buiten adem schoof ze haar armen door de spaghettibandjes en reikte naar achteren om de rits en de kleine knoopjes aan de achterkant van de jurk vast te maken.

Het geluid van stromend water verstomde en Clares aandacht schoot naar de gesloten badkamerdeur. Ze greep haar avondtasje van de bank en rende in een wolk tule door de kamer. Ze hield de voorkant van haar jurk met één hand omhoog en pakte haar pumps met de andere. Er waren ergere dingen dan wakker worden in een onbekende hotelkamer, zei ze tegen zichzelf. Als ze thuis was, zou ze iets bedenken wat erger was.

'Ga je nu al weg, Claresta?' vroeg een rauwe mannenstem maar een meter achter haar.

Clare kwam abrupt tot stilstand tegen de gesloten deur. Alleen haar moeder noemde haar Claresta. Ze draaide haar hoofd om en haar tasje en een pump vielen met een gedempte bonk op de vloer. Het bandje van haar jurk gleed van haar schouder terwijl haar blik werd getrokken naar een witte handdoek die rond de onderste rij van een buik met een hard sixpack was geslagen. Een druppel water gleed langs de donkerblonde streep haren op zijn gebruinde maag, en Clare keek omhoog naar de duidelijk aanwezige borstspieren die waren bedekt met strakke bruine huid en korte natte krullen. Een tweede handdoek hing rond zijn nek, en haar blik gleed verder langs zijn keel en de met stoppels bedekte kin naar een mond die vertrok in een ondeugende glimlach. Ze slikte en keek daarna in diepgroene ogen die waren omringd met dikke wimpers. Ze kende die ogen.

Hij duwde een schouder tegen de badkamerdeurpost en vouwde zijn armen voor zijn brede borstkas over elkaar. 'Goedemorgen.'

Zijn stem was anders dan de laatste keer dat ze hem had gehoord. Lager, veranderd van een jongen in een man. Ze had zijn glimlach meer dan twintig jaar niet gezien, maar die herkende ze ook. Het was dezelfde glimlach die hij had gehad toen hij haar overhaalde om oorlogje of doktertje of *truth or dare* te spelen. Elk spelletje was er gewoonlijk mee geëindigd dat ze iets verloor. Haar geld. Haar waardigheid. Haar kleren. En soms alle drie.

Niet dat hij erg zijn best had moeten doen. Ze had zich altijd laten manipuleren door die glimlach, en door hem. Maar ze was niet langer een eenzaam klein meisje dat gevoelig was voor jongens met gladde praatjes en een ondeugende glimlach die elke zomer haar leven in stormden en haar kleine hart lieten smelten. 'Sebastian Vaughan.'

Zijn glimlach veroorzaakte rimpeltjes in zijn ooghoeken. 'Je bent gegroeid sinds ik je de laatste keer naakt heb gezien.'

Terwijl ze met haar hand de voorkant van haar jurk greep, draaide ze zich om en duwde haar rug tegen de deur. Het koele hout raakte haar huid tussen de open rits. Ze duwde een streng donkerbruin haar achter haar oor en probeerde te glimlachen. Ze moest diep in haar binnenste graven naar het deel van haar waar haar goede manieren waren ingeprent. Naar het deel dat cadeautjes meenam naar dinertjes en bedankbriefjes schreef zodra ze thuiskwam. Het deel dat een vriendelijk woord – of op zijn minst een vriendelijke gedachte – had voor iedereen. 'Hoe is het met je?'

'Goed.'

'Fantastisch.' Ze likte aan haar droge lippen. 'Ik neem aan dat je bij je vader op bezoek bent?' Eindelijk.

Hij zette zich af tegen de deurpost en pakte een kant van de handdoek rond zijn nek vast. 'Dat hebben we vannacht besproken,' zei hij terwijl hij de zijkant van zijn hoofd afdroogde. Als jongen was zijn haar blond als de zon geweest. Nu was het donkerder.

Blijkbaar hadden ze nogal wat dingen besproken die ze zich niet herinnerde. Dingen waaraan ze niet eens wilde denken. 'Ik heb gehoord dat je moeder is overleden. Gecondoleerd met je verlies.'

'Daar hebben we het ook over gehad.' Hij liet zijn hand naar zijn heup vallen.

O. 'Waarom ben je in de stad?' Het laatste wat ze van Sebastian had gehoord, was dat hij bij de marine in Irak of Afghanistan of god weet waar was ingekwartierd. De laatste keer dat ze hem had gezien, was hij elf of twaalf jaar geweest.

'Dito.' Hij fronste zijn wenkbrauwen en keek haar onderzoekend aan. 'Je herinnert je niets meer van gisteravond, hè?'

Ze haalde een blote schouder op.

'Ik wist dat je ladderzat was, maar ik wist niet dat je zo ver heen was dat je je helemaal niets meer zou herinneren.'

Het was net iets voor hem om daarop te wijzen. Toen hij zijn buikspieren ontwikkelde, had hij zijn goede manieren duidelijk niet mee ontwikkeld. 'Ik heb die term nooit helemaal begrepen, maar ik weet zeker dat ik niet "ladderzat" was.'

'Je bent altijd te letterlijk geweest. Ik bedoel dat je straalbezopen was. En inderdaad, dat was je.'

Haar glimlach ging over in een frons die ze niet eens probeerde tegen te houden. 'Ik had mijn redenen.'

'Die heb je me verteld.'

Ze hoopte dat ze niet alles had verteld.

'Draai je om.'

'Wat?'

Hij maakte een draaiend gebaar met zijn vinger. 'Draai je om, zodat ik je jurk kan dichtritsen.'

'Waarom?'

'Twee redenen. Als mijn vader erachter komt dat ik je hier weg heb laten gaan met een halfopen jurk vermoordt hij me. En als we met elkaar praten wil ik me liever niet af hoeven te vragen of de rest van je jurk ook naar beneden valt.'

Ze staarde een paar seconden naar hem. Wilde ze dat hij haar hielp? Het zou waarschijnlijk beter zijn als ze niet uit deze kamer stormde met haar jurk open. Aan de andere kant wilde

ze helemaal niet blijven om met Sebastian Vaughan te praten.
'Voor het geval je het niet hebt gemerkt, ik draag alleen een handdoek. Over een seconde of twee wordt het heel duidelijk dat ik erop hoop je naakt te zien.' Hij glimlachte en liet een perfecte rij rechte witte tanden zien. 'Opnieuw.'

Haar wangen begonnen te branden toen ze besefte wat hij bedoelde, en ze draaide zich naar de deur in een geruis van satijn en tule. Het lag op het puntje van haar tong om hem te vragen wat ze de afgelopen nacht precies hadden gedaan, maar ze wilde de details niet horen. Ze vroeg zich ook af wat ze hem had verteld over Lonny, maar ze vermoedde dat ze dat ook niet wilde weten. 'Ik denk dat ik meer heb gedronken dan ik van plan was.'

'Je had het recht om dronken te worden. De aanblik van een verloofde die als een paard op handen en knieën zit, zou iedereen aan het drinken krijgen.' Zijn vingertoppen streelden haar ruggengraat toen hij de rits vastpakte. Hij grinnikte en zei: 'De Maytag-monteur heeft het er maar druk mee!'

'Het is niet grappig.'

'Misschien niet.' Hij duwde haar haar opzij en ritste haar jurk langzaam dicht. 'Maar je zou het niet zo zwaar op moeten vatten.'

Ze leunde met haar voorhoofd tegen de houten deur. Dit kon niet gebeuren.

'Het is tenslotte jouw fout niet, Clare,' voegde hij eraan toe, alsof dat een troost was. 'Je hebt gewoon niet het juiste gereedschap.'

Ja, er waren ergere dingen dan wakker worden in een hotelkamer met een vreemde. Een van die dingen was de liefde van je leven met een man betrappen. Het andere ritste haar jurk dicht. Ze snoof en beet op haar onderlip om niet te gaan huilen.

Hij liet haar haar los en maakte de twee haakjes boven de rits dicht. 'Je gaat toch niet huilen?'

Ze schudde haar hoofd. Ze toonde in het openbaar geen emoties; dat probeerde ze in elk geval. Later, als ze Lonny had geconfronteerd en alleen was, zou ze instorten. Maar als ze ooit een excuus had gehad om te huilen, dan was dit het, dacht ze. Ze was haar verloofde kwijt en was met Sebastian Vaughan naar bed geweest. Tenzij ze een vleesetende bacterie opliep dacht ze niet dat haar leven erger kon worden dan het op dit moment was.

'Ik kan niet geloven dat ik met je heb geslapen,' kreunde ze. Als haar hoofd niet al had gebonkt, had ze met haar voorhoofd tegen de deur geslagen.

Hij liet zijn handen langs zijn zij vallen. 'We hebben niet veel geslapen.'

'Ik was dronken, ik zou nooit seks met je hebben gehad als ik niet dronken was geweest.' Ze keek over haar schouder naar hem. 'Je hebt misbruik van me gemaakt.'

Zijn ogen vernauwden. 'Is dat wat je denkt?'

'Dat is toch duidelijk.'

'Je hebt niet geklaagd.' Hij haalde zijn schouders op en liep naar de bank.

'Ik kan het me niet herinneren!'

'Dat is nog eens een echte schande. Je hebt me verteld dat het de beste seks was die je in je hele leven hebt gehad.' Hij glimlachte en liet de handdoek vallen. 'Je kon er geen genoeg van krijgen.'

Hij was de gewoonte om zich naakt aan haar te laten zien duidelijk nog niet kwijtgeraakt, en ze richtte haar blik op de vogeltekening op de muur achter zijn hoofd.

Hij draaide zijn rug naar haar toe en pakte zijn jeans. 'Op een bepaald moment was je zo luidruchtig dat ik dacht dat de hotelbewaking de deur zou intrappen.'

Ze was nog nooit luidruchtig geweest tijdens seks. Nooit. Maar ze wist dat ze niet in een positie was om hem tegen te spreken. Al was ze tekeergegaan als een pornoactrice, dan zou ze het zich nog niet herinneren.

'Ik heb een paar agressieve vrouwen meegemaakt...' Hij schudde zijn hoofd. 'Wie had ooit gedacht dat de kleine Claresta als volwassen vrouw zo wild zou zijn in bed?'

Ze was nooit wild in bed geweest. Natuurlijk, ze schreef over hete, dampende seks, maar ze was haar zelfbeheersing nog nooit zo verloren dat ze dat zelf had meegemaakt. Ze had het een paar keer geprobeerd, maar ze was te geremd om te schreeuwen en te kreunen en...

Ze verloor de strijd en haar blik gleed langs zijn gladde rug en de lichte ronding van zijn ruggengraat naar beneden terwijl hij zijn Levi's over zijn naakte billen trok. 'Ik moet hier weg,' mompelde ze en ze bukte zich om haar tasje van de vloer op te rapen.

'Wil je een lift naar huis?' vroeg hij terwijl hij zijn gulp dichtknoopte.

Huis. Haar hart verkrampte en haar hoofd bonkte toen ze overeind kwam. Wat haar thuis te wachten stond was een nog grotere nachtmerrie dan de boze droom die hier in de kamer tegenover haar stond. Die met de keiharde buikspieren en het lekkere kontje. 'Nee, dank je. Je hebt genoeg geholpen.'

Hij draaide zich om en zijn handen bleven bij zijn gulp hangen. 'Weet je het zeker? We hoeven pas om twaalf uur uit te checken.' Eén mondhoek krulde omhoog en de ondeugende glimlach was terug. 'Wil je wat herinneringen meenemen die je níét vergeet?'

Clare deed de deur achter zich open. 'Vergeet het maar,' zei ze en ze liep de kamer uit. Ze was een meter of drie weg toen hij haar nariep.

'Hé, Assepoester.'

Ze keek over haar schouder en zag dat hij haar roze pump oppakte en naar haar toe gooide. 'Vergeet je muiltje niet.'

Ze ving de pump met één hand op en haastte zich naar de hal zonder nog om te kijken. Ze rende de trap af en vloog door de foyer, bang dat ze een van de huwelijksgasten van buiten de stad in het hotel zou tegenkomen. Hoe moest ze haar aanwezigheid uitleggen aan Lucy's achteroom en -tante uit Wichita?

De hoteldeuren gleden open en terwijl de wrede ochtendzon in haar ogen stak, liep Clare blootsvoets over het parkeerterrein en dankte God dat haar Lexus LS op de plek stond waar ze hem gisteren had achtergelaten. Ze pakte haar jurk bij elkaar, schoof in de auto en startte de motor. Terwijl ze in z'n achteruit schakelde, ving ze een glimp op van haar gezicht in de achteruitkijkspiegel en hijgde bij de aanblik van de zwarte mascara onder de bloeddoorlopen ogen, het wilde haar en de bleke huid. Ze zag eruit alsof ze dood was. Alsof ze een heroïnehoertje was. Terwijl Sebastian eruit had gezien alsof hij thuishoorde op een reclamebord om Levi's te verkopen.

Terwijl Clare achteruit de parkeerplek af reed, zocht ze in de console naar haar zonnebril. Als ze Sebastian in dit leven weer onder ogen kwam, zou dat te vroeg zijn, dacht ze. Ze nam aan dat zijn aanbod om haar thuis te brengen vriendelijk was, maar dan in typische Sebastian-stijl; hij had het verpest door haar onvergetelijke herinneringen aan te bieden. Terwijl ze begon te rijden, beschermde ze haar ogen met haar gouden Versace.

Ze vermoedde dat hij bij zijn vader logeerde, net als hij als jongen altijd had gedaan wanneer zijn moeder hem voor de zomer van Seattle naar Idaho stuurde. En omdat ze niet van plan was om binnenkort bij haar moeder op visite te gaan, wist ze dat het risico niet groot was dat ze Sebastian zou terugzien.

Ze draaide het parkeerterrein af en reed door Chinden Boulevard naar Americana.

Sebastians vader, Leonard Vaughan, werkte al bijna dertig jaar voor haar familie. Zolang Clare zich kon herinneren, had Leo in het verbouwde koetshuis gewoond op haar moeders landgoed aan Warm Springs Avenue. Het hoofdgebouw was gebouwd in 1890 en stond geregistreerd bij de Idaho Historical Society. Het koetshuis stond achteraan op het landgoed, half verborgen door oude wilgenbomen en bloeiende rode kornoelje.

Clare kon zich niet voor de geest halen of Sebastians moeder ooit met Leo in het koetshuis had gewoond, maar ze dacht het niet. Het leek erop dat Leo daar altijd alleen had gewoond; hij hield toezicht op het huis en het landgoed en speelde af en toe voor chauffeur.

De rij stoplichten in Americana die de parken Ann Morrison en Katherine Albertson met elkaar verbond, sprong op groen terwijl Clare erdoor scheurde. Ze was al meer dan twee maanden niet bij haar moeder geweest. Niet sinds de ochtend dat Joyce Wingate aan een kamer vol Junior League-vriendinnen had verteld dat Clare liefdesromans schreef, alleen om haar te ergeren. Clare had altijd geweten wat haar moeder van haar boeken vond, maar Joyce negeerde haar carrière en deed in plaats daarvan alsof ze 'vrouwenfictie' schreef – tot de dag dat er een artikel over Clare in de *Idaho Statesman* was verschenen en het onaangename geheim van de Wingates uit de kast was gekomen en opzien baarde in de *Life*-sectie. Clare Wingate, die schreef onder het pseudoniem Alicia Grey en was afgestudeerd aan Boise State University en Bennington, schreef historische liefdesromans. En ze schreef ze niet alleen, ze had er succes mee en ze was niet van plan ermee te stoppen.

Sinds de tijd dat Clare oud genoeg was om woorden achter elkaar te zetten, had ze verhalen verzonnen. Verhalen over een denkbeeldige hond met de naam Chip of de heks die op de zolder van de buren woonde. Het had niet lang geduurd voordat het van nature romantische karakter van Clare en haar liefde voor schrijven zich deden gelden en Chip een poedelvriendinnetje had gevonden, Suzie, en de heks die op de zolder van de buren woonde trouwde met een tovenaar die heel veel leek op Billy Idol in zijn de *White Wedding*-video.

Vier jaar geleden was haar eerste historische liefdesroman gepubliceerd en haar moeder moest nog steeds herstellen van de schok en de schaamte. Tot het artikel in de *Statesman* was Joyce in staat geweest om net te doen alsof Clares carrièrekeuze een voorbijgaande fase was, en dat ze, als ze eenmaal over haar fascinatie voor 'rotzooi' heen was, 'echte boeken' zou gaan schrijven.

Literatuur die het waard was om in de Wingate-bibliotheek te staan.

In de bekerhouder tussen de stoelen van haar auto ging Clares mobiel over. Ze pakte hem op, zag dat het haar vriendin Maddie was en stopte hem terug. Ze wist dat haar vriendin bezorgd was, maar ze had er geen behoefte aan om te praten. Haar drie hartsvriendinnen waren de allerbeste vrouwen die ze om zich heen kon wensen en ze zou later met ze praten, maar niet nu.

Ze wist niet hoeveel Maddie wist over de afgelopen avond, maar Maddie schreef boeken over waar gebeurde misdaden en maakte overal een soort psychotisch moordenaarhersenspinsel van. Adele bedoelde het net zo goed. Ze schreef fantasyboeken en had de neiging om mensen op te vrolijken door bizarre verhalen uit haar persoonlijke leven te vertellen, en Clare had er op dit moment geen behoefte aan opgevrolijkt te worden. En Lucy was net getrouwd. Een belangrijke filmstudio had onlangs een optie genomen op de rechten van Lucy's laatste thriller. Clare wist dat Lucy het op dit moment helemaal niet kon gebruiken dat Clares problemen ook maar iets van haar geluk zouden overschaduwen.

Ze draaide Crescent Rim Drive op en reed langs de huizen die op de parken en de stad eronder uitkeken. Hoe dichter ze bij het huis kwam dat ze met Lonny deelde, des te meer draaide haar maag. Toen ze de auto de oprit op draaide van het lichtblauw met witte victoriaanse huis waar ze al vijf jaar woonde, prikten haar ogen door de pijnlijke emotie die ze niet langer in kon houden.

Hoewel ze wist dat het voorbij was met Lonny, hield ze van hem. Voor de tweede keer die ochtend verstrakte haar hoofdhuid en ze werd overvallen door een déjà vu.

Ze was weer eens verliefd geworden op de verkeerde man.

Ze had weer eens haar hart geschonken aan een man die niet zoveel van haar kon houden als zij van hem hield. En net als de andere keren zocht ze troost bij een vreemde toen haar wereld instortte. Hoewel ze veronderstelde dat Sebastian technisch gezien geen vreemde was, maakte het niet uit. In feite maakte dat alles nog erger.

Ze had opnieuw zelfvernietigend gedrag vertoond en het was er weer mee geëindigd dat ze walgde van zichzelf.

Twee

Sebastian Vaughan trok zijn witte T-shirt over zijn hoofd en stopte de onderkant in zijn jeans. Daar deed je dan een goeie daad voor, dacht hij terwijl hij zijn BlackBerry van de bank pakte. Hij keek erop en zag dat hij zeven e-mails en twee gemiste oproepen had. Hij liet hem in de achterzak van zijn Levi's glijden, met de gedachte dat hij zich daar later om zou bekommeren.

Hij had beter moeten weten dan Clare Wingate helpen. De laatste keer dat hij haar had geholpen, was hij er heel slecht van afgekomen.

Sebastian liep naar het nachtkastje, pakte zijn Seiko en keek op het zwarte front met het kompas, de kilometerteller en de technische snufjes. Hij moest de tijd van het roestvrijstalen horloge nog aanpassen en hij trok het knopje naar buiten. Terwijl hij de wijzers een uur vooruitzette, dacht hij terug aan de laatste keer dat hij Clare had gezien. Ze was toen een jaar of tien geweest en was hem gevolgd naar de vijver die niet ver van het koetshuis lag waar zijn vader in woonde. Hij had een net bij zich om kikkers en padden te vangen, en ze stond op de oever naast een enorme katoenboom terwijl hij het water in waadde en aan de slag ging.

'Ik weet hoe baby's worden gemaakt,' verkondigde ze terwijl ze naar hem keek door de dikke brillenglazen die haar lichtblauwe ogen groter maakten. Zoals altijd zat haar donkere haar in twee strakke vlechten aan de achterkant van haar hoofd. 'De vader kust de moeder en de baby komt in haar buik.'

Hij had al twee stiefvaders meegemaakt, alsmede de minnaars van zijn moeder, en hij wist precies hoe baby's werden gemaakt. 'Wie heeft je dat verteld?'

'Mijn moeder.'

'Dat is het stomste wat ik ooit heb gehoord,' zei hij tegen haar, en daarna vertelde hij Clare wat hij wist. Hij vertelde haar in technische bewoordingen hoe het sperma en het eitje bij elkaar kwamen in het lichaam van de vrouw.

De grote ogen achter de brillenglazen kregen een uitdrukking van afgrijzen. 'Dat is niet waar!'

'Jawel. Dat is het wel.' Daarna voegde hij zijn eigen observaties eraan toe. 'Seks is luidruchtig en mannen en vrouwen doen het vaak.'

'Niet waar!'

'Wel waar. Ze doen het de hele tijd. Zelfs als ze geen baby's willen.'

'Waarom?'

Hij haalde zijn schouders op en ving een paar padden in zijn net. 'Het zal wel lekker zijn.'

'Wat smerig!'

Een jaar daarvoor had hij het ook een nogal smerig idee gevonden. Maar sinds hij de maand ervoor twaalf was geworden, was hij anders gaan denken over seks. Hij was nieuwsgieriger en stond er niet meer zo afkerig tegenover.

Hij herinnerde zich dat mevrouw Wingate razend was geweest toen ze erachter was gekomen dat hij met Clare over seks had gepraat, en hij was voortijdig naar Washington teruggestuurd. Zijn moeder was zo boos geweest over de manier waarop hij was behandeld, dat ze weigerde hem nog langer naar Idaho te sturen. Vanaf dat moment moest zijn vader hem bezoeken in de stad waar ze op dat moment woonden. Maar de situatie tussen zijn vader en moeder ontaardde in volledige haat, en er waren jaren in zijn leven dat zijn vader helemaal afwezig was geweest. Grote gaten waarin hij Leo helemaal niet had gezien.

Als hij zijn relatie met zijn vader nu moest beschrijven, zou hij zeggen dat die bijna niet bestond. Een tijdlang had hij Clare daar de schuld van gegeven.

Sebastian deed zijn horloge om zijn pols en keek zoekend om zich heen naar zijn portefeuille. Hij zag hem op de vloer liggen en bukte zich om hem op te pakken. Hij had Clare gisternacht op de barkruk moeten laten zitten, zei hij tegen zichzelf. Ze had drie stoelen verderop gezeten, en als hij niet had gehoord dat ze haar naam aan de barman vertelde, had hij haar niet herkend. Als kind had hij altijd gevonden dat ze eruitzag als een figuurtje uit een tekenfilm, met grote ogen en een enorme mond. Gisteravond had ze haar dikke bril niet gedragen, en pas toen hij in haar lichtblauwe ogen keek, de volle lippen en de bos donker haar zag, realiseerde hij zich dat zij het was. Het contrast tussen licht en donker, dat tegenstrijdig en een beetje vreemd was geweest voor een kind, maakte haar nu tot een verbluffend mooie vrouw. De lippen die voor een kind te vol waren geweest, zorgden er nu voor dat hij zich afvroeg wat ze inmiddels allemaal met die mond kon doen. Ze was uitgegroeid tot een prachtige vrouw, maar op het moment dat hij haar herkende, had hij haar huilerig en verdrietig moeten laten zitten, en haar als het probleem van een andere sukkel moeten beschouwen. Vergeet het. Hij had de hoofdpijn niet nodig.

'Eén keer probeer je het juiste te doen,' mompelde hij terwijl hij zijn portefeuille in zijn achterzak schoof. Hij was met haar meegelopen naar haar hotelkamer om ervoor te zorgen dat ze daar ook aankwam en ze had hem binnengevraagd. Hij was gebleven terwijl zij nog wat huilde, en toen ze bewusteloos raakte had hij haar in bed gestopt. Als een verdomde heilige, dacht hij. En toen had hij een tactische fout gemaakt.

Het was ongeveer halftwee 's nachts en toen hij het laken over Clare heen trok, realiseerde hij zich dat hij een paar Dos Equis en tequila-chasers te veel uit haar minibar achterover had geslagen. Omdat hij het risico niet wilde lopen dat hij de nacht moest doorbrengen in een cel in Boise, besloot hij te blijven en wat televisie te kijken terwijl hij ontnuchterde. In het verleden had hij een grot gedeeld met guerrillaleiders en een Abrams-tank vol mariniers. Hij had eindeloos verhalen nagejaagd en was in de woestijn van Arizona door boze polygamisten achtervolgd. Hij kon een bewusteloos, volledig gekleed, naar gin stinkend dronken meisje aan. Geen probleem. Helemaal niet.

Hij had zijn schoenen uitgeschopt, had wat kussens achter zijn rug gepropt en had de afstandsbediening gepakt. Tegenwoordig sliep hij nauwelijks, en hij was klaarwakker toen ze opstond en met haar jurk begon te worstelen. Naar haar kijken was heel wat onderhoudender dan de marathon van *Golden Girls*-afleveringen op de televisie, en hij had genoten van de show terwijl ze zich uitkleedde tot ze niets meer droeg dan een roze string en een bruine moedervlek. Wie had gedacht dat het meisje met de dikke bril en de eeuwige strakke vlechten er als volwassene zo goed zou uitzien in een sexy string?

Hij liep door de kamer en ging op de bank zitten. Hij zette zijn schoenen op de vloer en schoof zijn voeten erin zonder de veters los te maken. De laatste keer dat hij zich herinnerde dat hij op de klok had gekeken, was het kwart over vijf geweest. Hij was ergens tijdens het vierde seizoen van *Golden Girls* in slaap gevallen en werd een paar uur later wakker met Clares kleine blote kontje tegen zijn gulp, haar rug tegen zijn borstkas en zijn hand op haar naakte borst, alsof ze minnaars waren.

Hij was wakker geworden met een pijnlijk harde stijve en was klaar geweest voor actie. Maar had hij haar aangeraakt? Had hij misbruik van haar gemaakt? Jezus, nee! Ze had een fantastisch lichaam en een mond die was gemaakt voor de zonde, maar hij had haar met geen vinger aangeraakt. Nou ja, behalve haar borst, maar dat was zijn fout niet. Hij sliep en had erotische dromen gehad. Maar toen hij eenmaal wakker was, had hij haar niet aangeraakt. In plaats daarvan was hij onder de douche gestapt en was afgekoeld onder het koude water. En wat had het hem opgeleverd? Hij was er toch van beschuldigd dat hij seks met haar had gehad. Hij had haar tot zondag op alle mogelijke manieren kunnen neuken, maar dat had hij niet gedaan. Zo was hij niet. Zo was hij ook nooit geweest, zelfs niet als een vrouw erom smeekte. Hij gaf er de voorkeur aan dat zijn vrouwen nuchter waren, en het zat hem dwars dat ze hem ervan had beschuldigd dat hij misbruik van haar had gemaakt. Hij had het haar expres laten denken. Hij had het recht kunnen zetten, maar hij had onomwonden gelogen om ervoor te zorgen dat ze zich nog beroerder voelde. En hij voelde zich daar niet rot over. Zelfs niet een beetje.

Sebastian keek nog een laatste keer in de kamer rond. Hij keek naar het grote bed en de verkreukte lakens. In een vlek zonlicht zag hij iets kleins wat blauwe en rode vonken afgaf. Hij liep naar het bed en pakte een diamanten steekoorbel van Clares kussen. Er glinsterde op zijn minst twee karaat in zijn handpalm, en één moment vroeg hij zich af of de diamant echt was. Toen lachte hij zonder er echt de humor van in te zien en hij liet de oorbel in het kleine heupzakje van zijn Levi's glijden. Natuurlijk was hij echt. Vrouwen zoals Clare Wingate droegen geen zirkonia's. God wist dat hij genoeg rijke vrouwen had gehad om te weten dat ze nog liever hun keel doorsneden dan dat ze namaak droegen.

Hij zette de televisie uit, verliet de kamer en liep het hotel uit. Hij wist niet hoe lang hij in Boise zou blijven. Jezus, hij was niet eens van plan geweest om zijn vader te bezoeken tot het moment dat hij begon te pakken. Het ene moment legde hij zijn aantekeningen klaar voor een artikel over terroristen van eigen bodem waaraan hij werkte voor *Newsweek*, en het volgende moment pakte hij zijn koffer in.

Zijn zwarte Land Cruiser stond geparkeerd naast de ingang, waar hij hem de avond ervoor had neergezet, en hij stapte in. Hij wist niet wat er met hem aan de hand was. Het was nooit een probleem voor hem geweest om een artikel te schrijven. Niet in dit stadium tenminste, als alle aantekeningen gerangschikt waren en hij het verdomde stuk er alleen uit hoefde te rammen. Maar elke keer dat hij het probeerde, schreef hij ongelooflijke rotzooi en eindigde het met het indrukken van de deletetoets. Voor het eerst in zijn leven was hij bang dat hij zijn deadline niet zou halen.

Hij pakte zijn zwarte Ray-Ban, die op het dashboard lag. Hij was moe, dat was alles. Hij was vijfendertig en verdomd moe.

Hij zette zijn zonnebril op en startte de SUV. Hij was nu twee dagen in Boise, nadat hij aan één stuk door vanuit Seattle hiernaartoe was gereden. Als hij maar genoeg slaap kon krijgen – minstens acht uur – zou alles in orde komen. Hij hield zichzelf voor dat dat was wat hij nodig had, hoewel hij wist dat het onzin was. Hij had op heel wat minder slaap gefunctioneerd, en het had hem nooit in zijn werk belemmerd. Of het nu tijdens zandstormen of stortregens was – in Zuid-Irak was het een keer allebei tegelijkertijd voorgekomen – het was hem altijd gelukt om zijn werk af te maken en zijn deadlines te halen.

Het was nog niet eens middag en de temperatuur in Boise was al dertig graden toen hij van de parkeerplek af reed. Hij zette de airconditioning aan en zette hem zo dat deze in zijn gezicht blies. Hij had de afgelopen maand een volledig medisch onderzoek gehad. Hij was overal op getest, van griep tot hiv. Hij had een perfecte gezondheid. Fysiek was er niets met hem aan de hand.

Er was ook niets mis met zijn hoofd. Hij hield van zijn werk. Hij had keihard gewerkt om te komen waar hij nu was. Hij had voor elke centimeter gevochten en was een van de succesvolste journalisten van het land. Er liepen niet veel jongens zoals hij rond. Mannen die aan de top waren gekomen, niet door hun achtergrond of cv of een graad van Columbia of Princeton, maar door wat er in hen zat. Natuurlijk hadden talent en de liefde voor het vak een rol gespeeld, maar hij had het voornamelijk gemaakt met hard werken en aanpoten en de honderd procent vastberadenheid die door zijn aderen stroomde. Hij was ervan beschuldigd dat hij een arrogante klootzak was, wat volgens hem inderdaad min of meer klopte. Wat zijn critici echter het meest dwarszat, was dat die waarheid hem 's nachts niet wakker hield.

Nee, er was iets anders wat hem wakker hield. Iets wat hem vanuit het niets had getroffen. Hij was overal ter wereld geweest, voortdurend verbaasd over wat hij zag. Hij had verslag gedaan over de meest uiteenlopende zaken, van prehistorische kunst in de grotten van Oost-Borneo tot felle branden in Colorado. Hij had de zijderoute gevolgd en op de Chinese Muur gestaan. Hij had het voorrecht gehad om gewone en ongewone mensen te ontmoeten, en hij had van elke minuut genoten. Als hij een moment de tijd nam om zijn leven te overdenken, was hij opnieuw uitermate verbaasd.

Ja, hij had ook nare dingen meegemaakt. Hij was ingekwartierd geweest bij het Eerste Bataljon Vijfde Regiment van het Korps Mariniers toen ze Irak vierhonderdvijftig kilometer in waren getrokken, helemaal tot Bagdad. Hij had het heetst van de strijd meegemaakt en hij kende de geluiden van vechtende mannen die vlak voor hem stierven. Hij kende de smaak van angst en cordiet in zijn mond.

Hij kende de geur van hongersnood en misstanden, had de vlammen van fanatisme zien branden in de ogen van zelfmoordbommengooiers en de hoop van moedige mannen en vrouwen die vastbesloten waren om op te komen voor zichzelf en hun gezinnen. Wanhopige mensen die naar hem keken alsof hij hen kon redden, terwijl het enige wat hij kon doen het vertellen van hun verhaal was. Een artikel schrijven en dat onder de aandacht van de wereld brengen. Maar als het erop aankwam kon het de wereld helemaal niets schelen, behalve als het in hun eigen achtertuin gebeurde.

Twee jaar voor 9/11 had hij een artikel geschreven over de Taliban en de strikte interpretatie van de sharia onder leiding van Mullah Muhammed Omar. Hij had gerapporteerd over openbare executies en het geselen van onschuldige burgers, terwijl machtige landen – de kampioenen van de democratie – aan de zijlijn stonden en weinig deden. Hij had een boek geschreven, *Twintig jaar oorlog in Afghanistan*, over zijn ervaringen en de consequenties die voortvloeiden uit een wereld die de andere kant op keek. Het boek had goede recensies gekregen, maar de verkoop was bescheiden geweest.

Dat was allemaal veranderd op die dag met een helderblauwe hemel in september toen terroristen vier passagiersvliegtuigen hadden gekaapt en de mensen hun aandacht plotseling richtten op Afghanistan en er duidelijkheid kwam over de gruweldaden die uit naam van de islam door de Taliban werden begaan.

Een jaar na de publicatie van zijn boek stond het nummer één in de bestsellerlijsten en plotseling was hij het populairste jongetje van de school. Elke mediale uitlaatklep, van *The Boston Globe* tot *Good Morning America*, wilde een interview. Hij had in sommige toegestemd, maar had de meeste afgewezen. Hij hield er niet van om in het middelpunt van de belangstelling te staan, en hij was niet geïnteresseerd in politiek of politici. Hij stond geregistreerd als niet-partijgebonden en was geneigd om onafhankelijk van partijbeleid te stemmen. Hij was het meest geïnteresseerd in het boven water halen en publiceren van de waarheid, zodat de wereld het kon zien. Het was zijn werk. Hij had zich een weg naar de top gevochten – en had soms getrapt en geduwd – en hij genoot ervan.

Alleen ging het tegenwoordig niet zo gemakkelijk meer. Zijn slapeloosheid was zowel fysiek als mentaal uitputtend. Hij voelde alles waar hij zo hard voor had gewerkt uit zijn handen glippen. Het vuur binnen in hem doofde langzaam. Hoe harder hij vocht, des te zwakker werd de vonk, en dat maakte hem bang tot in het diepst van zijn ziel.

De rit vanaf het Double Tree, waar een geboren Boisenaar een kwartier over deed, kostte hem een uur. Hij nam een verkeerde afslag en reed in de heuvels rond tot hij zijn nederlaag toegaf en de coördinaten in het navigatiesysteem van zijn SUV invoerde. Hij hield er niet van om gps te gebruiken en deed liever net alsof hij die niet nodig had. Het maakte dat hij zich een mietje voelde. Net als stoppen om de weg te vragen. Hij wilde zelfs in het buitenland de weg niet vragen. Het was een cliché, maar wel een waarvan hij wist dat het hem op het lijf geschreven was. Net zoals hij het haatte om te winkelen en om vrouwen te zien huilen. Hij zou zo ongeveer alles doen om tranen bij een vrouw te voorkomen. Sommige dingen waren nu eenmaal cliché, dacht hij, omdat ze vaker wel dan niet klopten.

Rond elf uur 's ochtends draaide hij de oprit op van het Wingate-landhuis en passeerde hij het gebouw van drie verdiepingen, dat voornamelijk was opgebouwd uit kalksteen dat was uitgehakt door gevangenen van de oude federale gevangenis die een paar kilometer verderop stond. Hij herinnerde zich de eerste keer dat hij het indrukwekkende gebouw had gezien. Hij was een jaar of vijf geweest en had gedacht dat er vast een enorm gezin tussen de donkere stenen muren woonde. Hij was geschokt geweest toen hij erachter kwam dat er maar twee mensen woonden: mevrouw Wingate en haar dochter Claresta.

Sebastian reed naar de achterkant van het landgoed en parkeerde voor de stenen garage. Joyce Wingate en zijn vader stonden in de tuin bij een rij rozenstruiken. Zoals altijd droeg zijn vader een gesteven beige overhemd en een bruine broek; een geelbruine panamahoed bedekte zijn donkere, grijzende haar. Ineens schoot hem een duidelijke herinnering te binnen dat hij zijn vader hielp in deze tuin. Dat hij vies werd en spinnen doodde met een handschep. Hij had het absoluut heerlijk gevonden. In die tijd keek hij naar zijn vader op alsof hij een superheld was. Hij was beïnvloedbaar geweest en absorbeerde elk woord van hem, of het nu ging over muls of vissen of hoe je moest vliegeren. Maar dat was allemaal gestopt en jaren vol verbittering en teleurstelling waren in plaats van de heldenverering gekomen.

Na zijn middelbareschoolexamen had zijn vader hem een vliegticket gestuurd om naar Boise te komen. Hij had het niet gebruikt. Het eerste jaar dat hij aan de universiteit van Washington studeerde, had zijn vader hem willen bezoeken, maar hij had geweigerd. Hij had geen tijd voor een vader die geen tijd voor hem had gehad. Tegen de tijd dat hij afstudeerde, was de relatie tussen zijn vader en moeder zo venijnig geworden, dat hij Leo had gevraagd om niet bij de ceremonie aanwezig te zijn.

Toen hij was afgestudeerd, had hij het druk gehad met het opbouwen van zijn carrière. Hij was veel te druk bezig geweest om tijd vrij te maken voor zijn vader. Hij had stage gelopen bij *The Seattle Times*, hij had een paar jaar voor de *Associated Press* gewerkt en hij had honderden freelance artikelen geschreven.

Het had zijn volwassen leven altijd ongebonden geleefd en had zich niet druk gemaakt om regels. Hij had over de wereld gezworven zonder banden die hem tegenhielden. Hij had zich altijd superieur gevoeld aan de arme stumpers die tijd vrij moesten maken om via een satelliettelefoon naar huis te bellen. Zijn aandacht was nooit verdeeld geweest in verschillende richtingen. Hij was altijd vastbesloten en extreem gefocust geweest.

Zijn moeder had hem aangemoedigd in alles wat hij deed. Ze was zijn grootste supporter en luidruchtigste cheerleader geweest. Hij had haar niet zo vaak gezien als hij had gewild, maar ze had het begrepen. Dat had ze tenminste altijd gezegd.

Ze was zijn familie geweest. Zijn leven was gevuld. Zijn vader en hij kenden elkaar niet eens. Hij had nooit het verlangen gevoeld hem te zien en hij had altijd gedacht dat hij op een bepaald moment in de toekomst de behoefte zou voelen om weer een band met zijn vader op te bouwen – misschien als hij achter in de veertig was en het tijd werd om het wat kalmer aan te gaan doen – dan zou hij er tijd voor hebben.

Dat was allemaal veranderd op de dag dat hij zijn moeder had begraven.

Hij was in Alabama geweest, waar hij onderzoek deed, toen hij het telefoontje kreeg dat ze dood was. Ze was van een keukentrapje gevallen terwijl ze haar clematis aan het snoeien was. Ze had geen breuken of sneden of schaafwonden gehad, alleen een blauwe plek op haar been. Die nacht stierf ze eenzaam in haar bed toen een bloedprop van haar been in haar hart terechtkwam. Ze was vierenvijftig geworden.

Hij was er niet geweest. Hij wist niet eens dat ze was gevallen. Voor het eerst in zijn leven voelde hij zich eenzaam. Hij had jarenlang over de wereld gezworven en had gedacht dat hij vrij was. Zijn moeders dood had hem echt losgesneden, en voor het eerst wist hij hoe het was om ongebonden te zijn. Hij wist ook dat hij zichzelf in de maling nam. Hij was niet zonder banden over de wereld gereisd. Ze waren er geweest. De hele tijd. Ze hadden zijn leven in evenwicht gehouden. Tot nu.

Hij had nog één levend familielid. Maar één. Een vader die hij nauwelijks kende. Ze kenden elkáár niet. Dat was niemands schuld, het was gewoon de realiteit. Misschien was het tijd om daar verandering in te brengen. Tijd om een paar dagen te besteden aan het opnieuw opbouwen van een band met zijn vader.

Hij dacht niet dat het veel tijd zou kosten. Hij verwachtte geen Hallmark-moment. Eerder een comfortabel bij elkaar zijn zonder de spanning die er tussen hen bestond.

Hij stapte uit de Land Cruiser en liep over het dikke groene gazon naar de bloementuin met zijn explosieve kleuren. Sebastian dacht aan de diamanten oorbel in zijn zak. Hij overwoog om hem aan mevrouw Wingate te geven, zodat ze hem kon teruggeven aan Clare. Dan moest hij echter uitleggen waar hij hem had gevonden, en die gedachte zorgde voor een glimlach rond zijn lippen.

'Hallo, mevrouw Wingate,' begroette hij de oudere vrouw toen hij dichterbij kwam. In zijn jeugd had hij Joyce Wingate gehaat. Hij had haar de schuld gegeven van zijn niet-bestaande relatie met zijn vader. Hij had die gevoelens achter zich gelaten in dezelfde periode dat hij was gestopt met Clare de schuld te geven. Niet dat hij enige genegenheid voor Joyce koesterde. Hij had helemaal geen gevoelens voor haar. Tot die ochtend had hij ook nooit aan Clare gedacht. Nu deed hij dat wel, en het waren geen vriendelijke gedachten.

'Hallo, Sebastian,' zei Joyce terwijl ze een rode roos in de mand legde die aan haar gebogen arm ging. Ze had verschillende ringen met robijnen en smaragden rond haar knokige vingers. Ze droeg een crèmekleurige broek, een lavendelkleurige bloes en een enorme strooien hoed. Joyce was altijd extreem dun geweest. Het soort dun dat ontstond als je alles in je leven controleerde. Haar scherpe gelaatstrekken domineerden haar grote gezicht, en haar brede mond was gewoonlijk afkeurend samengeperst. Dat was in elk geval zo geweest als hij er was, en hij had zich altijd afgevraagd of haar cynische persoonlijkheid of haar dominante manier van doen ervoor had gezorgd dat meneer Wingate altijd angstvallig aan de oostkust was gebleven.

Waarschijnlijk allebei.

Joyce was nooit een aantrekkelijke vrouw geweest, zelfs niet toen ze jonger was. Maar als iemand een pistool in Sebastians oor duwde en hem dwong iets vriendelijks te zeggen, zou hij zeggen dat haar ogen een interessante kleur lichtblauw hadden. Als de irissen die in de hoek van haar tuin groeiden. Als de ogen van haar dochter. De scherpe gelaatstrekken van de moeder waren kleiner en veel vrouwelijker in het gezicht van haar dochter. Clares volle lippen verzachtten de lijnen van haar mond en ze had een kleinere neus, maar haar ogen waren hetzelfde.

'Je vader vertelt me dat je van plan bent om al snel te vertrekken,' zei ze. 'Het is jammer dat je niet overgehaald kunt worden om wat langer te blijven.'

Sebastian keek van de roos in Joyce' mand naar haar gezicht. In de ogen die blauw vuur naar hem hadden geschoten toen hij een kind was. Een enorme hommel kwam op de lichte bries aanvliegen en Joyce wuifde hem weg. Het enige wat hij nu in haar ogen zag, was beleefde belangstelling.

'Ik probeer hem over te halen om op zijn minst de komende week nog te blijven,' zei zijn vader terwijl hij een zakdoek uit de achterzak van zijn broek haalde en de zweetdruppels van zijn voorhoofd veegde. Leo Vaughan was een stukje kleiner dan Sebastian en zijn haar, dat ooit bruin was geweest, begon tweekleurig grijs te worden. Er zaten diepe lijnen rond zijn ooghoeken. Zijn wenkbrauwen waren de afgelopen jaren borstelig geworden en zijn twintig-minuten-dutjes duurden tegenwoordig een uur. Leo werd aan het eind van de week vijfenzestig en Sebastian merkte op dat het werk in de Wingate-tuin zijn vader niet meer zo makkelijk afging als hij zich herinnerde. Het was een van de weinige dingen die hij zich over zijn vader herinnerde. Een paar maanden hier en een weekend daar leverden geen overvloedige jeugdherinneringen op, maar het enige wat hij zich vrij duidelijk herinnerde waren de handen van zijn vader. Ze waren groot en sterk genoeg geweest om kleine takken en stokken te breken, en zacht genoeg om zijn schouder te strelen en over zijn rug te wrijven. Droog en ruw, de handen van een hardwerkende man. Nu hadden ze vlekken, van ouderdom en door zijn beroep, en de huid hing los over de vergrote knokkels.

'Ik weet niet precies hoe lang ik blijf,' zei hij, niet van plan om zichzelf ergens toe te verplichten. Daarna veranderde hij van onderwerp. 'Ik ben Clare gisteravond tegengekomen.'

Joyce bukte zich om nog een roos af te snijden. 'O?'

'Waar?' vroeg zijn vader terwijl hij zijn zakdoek weer in zijn zak stopte.

'Ik had met een oude studievriend van de universiteit van Washington afgesproken in het Double Tree. Hij was daar om een benefietwedstrijd van de Steelheads te verslaan, en Clare zei dat ze naar een huwelijksreceptie was geweest.'

'Ja, haar vriendin Lucy is gisteren getrouwd.' Joyce knikte en haar grote hoed zakte naar beneden. 'Het zal niet lang duren voordat Claresta met Lonny trouwt, haar jongeman. Ze zijn heel gelukkig samen. Ze hebben het erover gehad om de bruiloft volgend jaar juni hier in de tuin te houden. Dan staan de bloemen in bloei; het is hier prachtig in die tijd van het jaar.'

'Ja, ik geloof inderdaad dat ze het over Lonny heeft gehad.' Het was duidelijk dat Joyce het laatste nieuws niet had gehoord.

Er viel een pijnlijke stilte, of misschien was het alleen pijnlijk van zijn kant omdat hij wist dat er in juni geen bruiloft zou plaatsvinden. 'Ik heb geen kans gehad om Clare te vragen wat ze voor de kost doet,' zei hij om de stilte te verbreken.

Joyce richtte haar aandacht op haar rozen. 'Ze schrijft romans, maar andere dan jouw boek.'

Hij wist niet wat hem meer choqueerde: dat mevrouw Wingate wist dat hij een boek had geschreven, hoewel het geen roman was, of dat Clare schrijfster was. 'Echt?' Hij zou gedacht hebben dat ze een professionele vrijwilligster was, net als haar moeder. Maar hij had een vage herinnering dat ze hem saaie verhalen vertelde over een denkbeeldige hond. 'Wat schrijft ze? Vrouwenfictie?' vroeg hij.

'Zoiets,' antwoordde Joyce, terwijl haar ogen op de vertrouwde manier opvlamden.

Pas later, toen Sebastian en zijn vader samen aan tafel zaten te eten, vroeg hij: 'En? Wat doet Clare voor de kost?'

'Ze schrijft romans.'

'Dat heb ik begrepen. Wat voor soort romans?'

Leo schoof een schaal groene bonen in Sebastians richting. 'Liefdesromans.'

Zijn hand bleef in de lucht hangen. Kleine Claresta? Het meisje dat dacht dat je van een kus zwanger raakte? Het kleine meisje met het vreemde uiterlijk en de dikke bril dat opgegroeid was tot een mooie vrouw? De mooie vrouw die een kleine roze string droeg die haar fantastisch stond? Een schrijfster van liefdesromans? 'Jezus.'

'Joyce vindt het maar niets.'

Sebastian pakte de schaal en begon te lachen. 'Jezus.'

Drie

'Hij zei tegen me dat het niets te betekenen had,' zei Clare, waarna ze een slok van haar koffie nam. 'Alsof het niet erg was omdat hij geen gevoelens had voor de Sears-monteur. Het was hetzelfde excuus dat mijn derde vriend gebruikte toen ik hem met een stripper betrapte.'

'Wat een hufter!' zei Adele terwijl ze room met amandelsmaak in haar kopje schonk.

'Homo of niet,' voegde Maddie eraan toe, 'mannen zijn klootzakken.'

'Het ergste van alles is dat hij Cindy heeft meegenomen,' vertelde Clare, verwijzend naar de yorkshireterriër die Lonny en zij vorig jaar samen hadden uitgekozen. Terwijl hij zijn spullen pakte, had ze haar bruidsmeisjesjurk uitgetrokken en een douche genomen. Sommige spullen in huis waren uitsluitend van hem of hadden ze samen gekocht. Hij had het allemaal mogen hebben; ze had geen behoefte aan herinneringen, maar het was niet in haar opgekomen dat hij zou wachten tot ze onder de douche stond om ervandoor te gaan met Cindy.

'Met het risico om Maddie te herhalen,' zei Lucy terwijl ze voorover leunde om meer koffie voor zichzelf in te schenken, 'wat een klootzak.' Lucy was minder dan vierentwintig uur geleden getrouwd, maar had haar echtgenoot in de steek gelaten toen ze over Clares verdriet had gehoord.

'Weet je zeker dat Quinn het niet erg vindt dat je hier bent?' vroeg Clare. 'Ik vind het vreselijk om jullie huwelijksreis te onderbreken.'

'Ik weet het zeker.' Ze ging naar achteren zitten en blies in haar porseleinen kopje. 'Ik heb hem vannacht zo ontzettend gelukkig gemaakt dat hij niet kan stoppen met glimlachen.'

Haar mondhoeken krulden omhoog terwijl ze eraan toevoegde: 'Bovendien vertrekken we morgenochtend pas naar Grand Bahama.'

Hoewel Clare Lonny met haar eigen ogen had gezien, kon ze nog steeds niet geloven dat het was gebeurd. Rauwe emotie brandde in haar aderen en ze aarzelde tussen boosheid en pijn. Ze schudde haar hoofd en slikte haar tranen weg. 'Ik ben nog steeds geschokt.'

Maddie leunde naar voren en zette haar kop en schotel op de salontafel van marmer en mahonie. 'Liefje, is het echt een complete schok voor je?'

'Natuurlijk is het een schok.' Clare veegde over haar natte wangen. 'Wat bedoel je?'

'Ik bedoel dat we hem er allemaal van verdachten dat hij homo was.'

Clares vingers stokten en ze keek naar haar vriendinnen, die in haar zitkamer op de bank en stoelen van haar overgrootmoeder zaten. 'Wat? Jullie allemaal?'

Hun ogen ontweken haar.

'Hoe lang?'

'Vanaf het moment dat we hem ontmoetten,' biechtte Adele op.

'En niemand heeft mij iets verteld?'

Lucy reikte naar de exquise verzilverde tang en deed een suikerklontje in haar kopje. 'Niemand van ons wilde degene zijn die het je zou vertellen. We houden van je en willen je geen pijn doen.'

'En we hadden min of meer het vermoeden dat je het tot op zekere hoogte wist,' voegde Adele eraan toe.

'Ik wist het niet!'

'Heb je nooit argwaan gehad?' vroeg Maddie. 'Hij maakt tafels van glasscherven.'

Clare legde haar vrije hand op de voorkant van haar groene bloes. 'Ik dacht dat hij creatief was.'

'Je hebt ons verteld dat jullie niet vaak seks hadden.'
'Sommige mannen hebben weinig behoefte aan seks.'
'Niet zó weinig,' zeiden de drie vriendinnen in koor.
'Hij komt in de Balcony Club,' zei Maddie terwijl ze haar wenkbrauwen fronste. 'Dat wist je toch?'
'Ja, maar niet alle mannen die iets gaan drinken in de Balcony Club zijn homo.'
'Wie heeft je dat verteld?'
'Lonny.'
De drie vriendinnen zeiden geen woord. Dat hoefden ze niet. Hun opgetrokken wenkbrauwen zeiden genoeg.
'Hij droeg roze,' bracht Lucy naar voren.
'Mannen dragen tegenwoordig roze.'
Adele keek misprijzend en schudde haar hoofd. 'Nou, iemand zou ze moeten vertellen dat ze dat niet moeten doen.'
'Ik maak geen afspraakjes met een man die roze draagt.' Maddie nam een slok koffie en voegde er daarna aan toe: 'Ik wil geen man die in harmonie is met zijn vrouwelijke kant.'
'Quinn zou nooit roze dragen,' benadrukte Lucy, en voordat Clare iets kon inbrengen, legde ze het onomstotelijke bewijs op tafel. 'Lonny wordt veel te veel in beslag genomen door zijn nagelriemen.'
Dat was waar. Hij was geobsedeerd door keurige nagelriemen en perfect gevijlde nagels. Clares hand viel op het schootje van haar groene boerenkiel. 'Ik dacht gewoon dat hij metroseksueel was.'
Maddie schudde haar hoofd. 'Bestaat er echt zoiets als metroseksueel?'
'Of,' voegde Adele eraan toe, 'is dat gewoon een andere term voor mannen die een laag profiel houden?'
'Mannen die wat?'
'Dat heb ik vorig jaar bij *Oprah* gezien. Mannen die een laag profiel houden zijn homoseksuele mannen die net doen alsof ze hetero zijn.'
'Waarom zou iemand dat doen?'
'Ik kan me zo voorstellen dat je dan veel gemakkelijker in de

maatschappij past. Of misschien willen ze kinderen. Wie zal het zeggen?' Adele haalde haar schouders op. 'Ik geef niets om Lonny. Ik geef om jou en je had het ons gisteren moeten vertellen in plaats van het allemaal op te kroppen.'

'Ik wilde Lucy's dag niet verpesten.'

'Die zou je niet verpest hebben,' verzekerde Lucy haar terwijl ze haar hoofd schudde, waardoor haar blonde paardenstaart over de kraag van haar blauwe shirt zwiepte. 'Ik vroeg me al af of er iets aan de hand was toen jullie allemaal verdwenen waren. En toen Adele en Maddie terugkwamen, was jij er niet bij.'

'Ik had een beetje te veel gedronken,' biechtte Clare op. Ze was opgelucht dat niemand haar karaokeoptreden met *Fat Bottomed Girls* of een van de andere pijnlijke momenten van de afgelopen avond noemde.

Eén moment overwoog ze of ze haar vriendinnen zou vertellen over Sebastian, maar uiteindelijk deed ze het niet. Sommige vernederende momenten moest een vrouw voor zichzelf houden. Dronken worden en je als een slet gedragen was daar een van. *Je hebt me verteld dat het de beste seks was die je in je hele leven hebt gehad,* had hij gezegd, en hij had gelachen toen hij zijn handdoek liet vallen. *Je kon er geen genoeg van krijgen.* Ja, sommige dingen konden absoluut het beste verzwegen blijven.

'Mannen zijn zo gemeen,' zei ze terwijl ze aan Sebastians lach dacht. Als er één ding was dat Clare haatte, was het om uitgelachen te worden; vooral door een man. En al helemaal door Sebastian Vaughan. 'Het is net alsof ze kunnen zien wanneer we het meest depressief zijn, het meest kwetsbaar; ze cirkelen om ons heen en wachten tot het juiste moment is aangebroken om misbruik van ons te maken.'

'Dat is waar. Seriemoordenaars kunnen binnen een paar seconden taxeren welke personen het meest kwetsbaar zijn,' voegde Maddie eraan toe, waardoor haar vriendinnen inwendig kreunden. Omdat Maddie waar gebeurde misdaadverhalen schreef, interviewde ze psychopaten en had ze over een aantal van de meest gewelddadige misdaden in de geschiedenis geschreven. Het gevolg daarvan was dat ze een heel bizarre kijk op het sterke geslacht had en al zo'n vier jaar geen afspraakje meer had gehad. 'Het wordt een tweede natuur.'

'Heb ik jullie verteld over mijn afspraakje van afgelopen week?' vroeg Adele in een poging om van onderwerp te veranderen voordat Maddie op dreef kwam. Adele schreef fantasyboeken en had de neiging om afspraakjes met heel vreemde mannen te maken. 'Hij is een barman in een kleine kroeg in Hyde Park.' Ze lachte. 'Luister, hij vertelde me dat hij de reïncarnatie is van William Wallace.'

'Duh-huh.' Maddie nam een slok van haar koffie. 'Hoe komt het toch dat iedereen die beweert dat hij gereïncarneerd is, de reïncarnatie is van iemand die beroemd is? Ze zijn altijd Jeanne d'Arc of Christoffel Columbus of Billy the Kid. Ze zijn nooit een boerenmeisje met rottende tanden of een zeeman die de po van Christoffel moest schoonmaken.'

'Misschien reïncarneren alleen beroemde mensen,' opperde Lucy.

Maddie maakte een neerbuigend, snurkend geluid. 'Het is waarschijnlijker dat het allemaal geklets is.'

Clare vermoedde het laatste, en ze stelde de eerste van de twee vragen die volgens haar relevant waren. 'Lijkt deze barman op Mel Gibson?'

Adele schudde haar hoofd. 'Helaas niet.'

En nu de tweede vraag, die belangrijker was dan de eerste. 'Je gelooft hem toch niet?' Soms vroeg ze zich namelijk af of Adele geloofde wat ze opschreef.

'Nee.' Adele schudde haar hoofd, waardoor de lange blonde krullen op haar rug dansten. 'Ik heb hem ondervraagd en hij wist niets over John Blair.'

'Wie?'

'De vriend en kapelaan van Wallace. Ik heb onderzoek naar William Wallace gedaan voor het boek over de Schotse tijdreis dat ik vorig jaar heb geschreven. De barman probeerde me alleen in bed te krijgen.'

'Klootzak.'

'Hufter.'

'Heeft het gewerkt?'

'Nee. Ik laat me tegenwoordig niet meer zo makkelijk manipuleren.'

Clare dacht aan Lonny. Ze wilde dat ze hetzelfde kon zeggen. 'Waarom proberen mannen ons te manipuleren?' Ze gaf antwoord op haar eigen vraag. 'Omdat het allemaal leugenaars en bedriegers zijn.' Ze keek naar de gezichten van haar vriendinnen en voegde er snel aan toe: 'O, sorry, Lucy. Alle mannen behalve Quinn.'

'Hé,' zei Lucy terwijl ze haar hand opstak. 'Quinn is niet helemaal perfect. En geloof me, hij was nog veel minder perfect toen ik hem voor het eerst ontmoette.' Ze wachtte even en er gleed een glimlach over haar gezicht. 'Nou ja, behalve in bed dan.'

'Al die tijd,' zei Clare terwijl ze haar hoofd schudde. 'Ik dacht dat Lonny gewoon een heel laag libido had, en hij liet me dat denken. Ik dacht dat ik niet aantrekkelijk genoeg voor hem was, en dat liet hij me ook denken. Er moet iets mis met me zijn.'

'Nee, Clare,' verzekerde Adele haar. 'Je bent perfect zoals je bent.'

'Ja.'

'Het lag aan hem. Niet aan jou. En op een dag,' voegde pasgetrouwde Lucy eraan toe, 'vind je een fantastische man. Het evenbeeld van een van die helden waarover je schrijft.'

Maar zelfs na uren van geruststelling geloofde Clare nog steeds niet helemaal dat er niets mis was met haar. Iets wat ervoor zorgde dat ze mannen koos zoals Lonny, die nooit voor honderd procent van haar konden houden.

Nadat haar vriendinnen waren vertrokken, liep ze door haar huis. Ze kon zich geen moment voor de geest halen dat ze zich zo eenzaam had gevoeld. Lonny was beslist niet de enige man in haar leven geweest, maar hij was de enige man die bij haar was komen inwonen.

Ze liep naar haar slaapkamer en stopte voor de toilettafel die ze met Lonny had gedeeld. Ze beet op haar onderlip en sloeg haar armen over elkaar. Zijn spullen waren verdwenen, waardoor de helft van het mahoniehouten blad leeg was. Zijn eau de toilette en haarborstels, zijn foto van haar en Cindy, en de ondiepe schaal waarin hij zijn lippenbalsem en verdwaalde knopen bewaarde. Allemaal weg.

Haar blik vervaagde maar ze weigerde te huilen, bang dat ze niet meer kon stoppen als ze eenmaal was begonnen. Het was doodstil in huis; het enige geluid was afkomstig van de airco die uit de ventilatiegaten blies. Er klonken geen geluiden van haar kleine hondje dat tegen de buurtkatten blafte of haar verloofde die aan zijn laatste project werkte.

Ze deed de la open waarin hij zijn netjes opgevouwen kniekousen had bewaard. De la was leeg, en ze deed een paar stappen naar achteren en ging op de rand van het bed zitten. Boven haar hoofd sneed de kanten hemel schaduwachtige patronen op haar armen en op de schoot van haar groene kiel. In de afgelopen vierentwintig uur had ze elke emotie meegemaakt. Gekwetstheid, boosheid, verdriet. Verwarring en verlies. Daarna paniek en afgrijzen. Op dit moment was ze verdoofd en zo moe dat ze waarschijnlijk een hele week zou kunnen slapen. Dat beviel haar. Slapen tot de pijn weg was.

Toen ze die ochtend van het Double Tree was thuisgekomen, wachtte Lonny op haar. Hij had haar gesmeekt om hem te vergeven. 'Het is maar één keer gebeurd,' zei hij. 'Het zal niet meer gebeuren. We kunnen niet weggooien wat we hebben omdat ik er een puinhoop van heb gemaakt. Het heeft niets te betekenen. Het was alleen seks.'

Als het op relaties aankwam, had Clare de term 'betekenisloze seks' nooit begrepen. Als iemand geen relatie had was het anders, maar ze begreep niet hoe een man van een vrouw kon houden en toch seks met iemand anders kon hebben. Natuurlijk begreep ze verlangen en aantrekkingskracht. Maar ze kon gewoon niet begrijpen dat iemand, homo of hetero, degene van wie hij zogenaamd hield pijn deed voor seks die niets te betekenen had.

'Ik kan zonder. Ik zweer dat het alleen deze ene keer is gebeurd,' zei Lonny, alsof ze hem zou geloven als hij het maar vaak genoeg herhaalde. 'Ik hou van ons leven.'

Ja, hij hield van hun leven. Hij hield alleen niet van haar. Er was een tijd in haar leven geweest dat ze misschien inderdaad had geluisterd. Dat had het resultaat niet veranderd, maar ze zou het gevoel hebben gehad dat ze moest luisteren. Dat ze misschien moest proberen hem te geloven of dat ze hem moest begrijpen, maar vandaag niet. Ze had er genoeg van om de koningin van de ontkenning te zijn. Om zoveel van haar leven te investeren in mannen die niet voor honderd procent in haar leven investeerden.

'Je hebt tegen me gelogen en je hebt me gebruikt om je leugen te kunnen leven,' zei ze tegen hem. 'Ik ben niet van plan om jouw leugen nog langer te leven.'

Toen hij zich realiseerde dat ze niet van gedachten zou veranderen, gedroeg hij zich als een typische man en werd hij gemeen. 'Als je avontuurlijker was geweest, had ik mijn heil niet buiten onze relatie hoeven te zoeken.'

Hoe meer Clare erover dacht, des te zekerder was ze ervan dat haar derde vriend hetzelfde excuus had gebruikt toen ze hem met de stripper had betrapt. In plaats van zich te schamen, had hij haar uitgenodigd om mee te doen.

Clare vond het niet buitensporig of egoïstisch van haar dat ze wilde dat de man die van haar hield genoeg aan haar had. Ze wilde geen triootjes, geen zwepen en kettingen, en geen enge hulpmiddelen.

Lonny was niet de eerste man in haar leven die haar hart had gebroken. Hij was gewoon de laatste. Het was begonnen met haar eerste liefde, Allen. Daarna kwam Josh, de drummer van een slechte band. De volgende was Sam, een basejumper en extreme mountainbiker. Daarna had ze Rod de advocaat en Zack de crimineel gehad. Ze waren ieder anders dan hun voorganger geweest, maar uiteindelijk – of zij het nou uitmaakte of dat de ander dat deed – was geen van de relaties blijvend geweest.

Ze schreef over de liefde. Grote, meeslepende, groter-dan-het-leven liefdesverhalen. Maar ze was zo'n ongelooflijke mislukkeling als het om de liefde in haar eigen leven ging. Hoe kon ze erover schrijven? Hoe kon ze het weten en voelen, en het toch zo verkeerd doen? Telkens weer?

Wat was er mis met haar?

Hadden haar vriendinnen gelijk? Had ze op een onderbewust niveau geweten dat Lonny homo was? Had ze het geweten op het moment dat ze excuses voor hem maakte? Op het moment dat ze zijn excuus voor zijn gebrek aan seksuele interesse had geaccepteerd? Op het moment dat ze zichzelf de schuld had gegeven?

Clare keek in de spiegel boven de toilettafel naar de donkere kringen onder haar ogen. Hol. Leeg. Net als Lonny's sokkenla. Net als haar leven. Alles was verkeerd. Ze had de afgelopen twee dagen zoveel verloren. Haar verloofde en haar hond, haar geloof in zielsverwantschap en de tweekaraats diamanten oorbel van haar moeder.

Ze had vlak nadat ze die ochtend was thuisgekomen, gemerkt dat ze de oorbel miste. Het zou haar heel wat moeite kosten, maar ze moest een passende diamanten oorbel vinden om het verloren exemplaar te vervangen. Het zou minder gemakkelijk zijn om iets te vinden om de leegte te vervangen.

Ondanks haar uitputting dwong de behoefte om te vluchten en de leegte op te vullen haar overeind. Er schoot een lange lijst van dingen die ze nodig had door haar hoofd. Ze had een winterjas nodig. Het was augustus en als ze zich niet haastte zou de wollen jas die ze op bebe.com had gezien, uitverkocht zijn. En ze had de nieuwe Coach-tas nodig waar ze haar oog op had laten vallen bij Macy's. In het zwart, zodat hij paste bij de Bebe-jas. Of rood... of allebei. Als ze bij Macy's was, kon ze meteen wat Estée Lauder-mascara en Benefits Browzing voor haar wenkbrauwen meenemen. Ze had van allebei niet veel meer.

Op weg naar het winkelcentrum zou ze bij Wendy's stoppen en een grote friet bestellen. Ze zou een mierzoet kaneelbroodje halen bij van mevrouw Powell, en daarna zou ze naar See gaan voor een pond toffees en...

Clare ging weer op het bed zitten en bood weerstand aan de behoefte om de leegte te vullen met materie. Voedsel. Kleren. Mannen. Als ze er echt genoeg van had om de koningin van de ontkenning te zijn, moest ze haar leven onder een vergrootglas leggen en toegeven dat zich volproppen, haar klerenkast vullen of een man nemen nog nooit had geholpen om de angstaanjagende leegte in haar borstkas te vullen. Niet voor lang, en na afloop bleef ze achter met een paar kilo die haar naar de sportschool dwongen, kleren die uit de mode waren en een lege sokkenla.

Misschien had ze een psycholoog nodig. Een objectief iemand die in haar hoofd keek en haar vertelde wat er mis was met haar en hoe ze haar leven op orde moest krijgen.

Misschien had ze alleen een lange vakantie nodig. Wat ze in elk geval nodig had was even geen junkfood, creditcards en mannen. Ze dacht aan Sebastian en de witte handdoek die hij rond zijn heupen had gewikkeld. Ze had een lange onderbreking nodig van alles wat met testosteron te maken had.

Ze was fysiek uitgeput en emotioneel gekwetst, en als ze eerlijk was tegen zichzelf, was haar kater nog steeds niet helemaal over. Ze legde haar hand op haar pijnlijke hoofd en beloofde plechtig om weg te blijven bij mannen en alcohol, in elk geval tot ze haar leven op de rails had. Tot ze een moment van helderheid had. Het ta-da-moment, als alles duidelijk werd.

Clare stond op en sloeg haar armen rond de bedstijl en de bundel Brussels kant. Haar hart en trots waren aan flarden, maar dat waren allemaal dingen waarvan ze zou herstellen.

Er was iets anders. Iets wat ze morgenochtend meteen moest regelen. Iets wat ernstig kon zijn.

Iets wat haar meer angst aanjoeg dan een onzekere toekomst zonder aanvallen van koopwoede en zoete broodjes. En dat was dat ze helemaal geen toekomst zou hebben.

Vashion Elliot, hertog van Rathstone, stond met zijn handen achter zijn rug terwijl hij zijn blik van de blauwe veer op de hoed van miss Winters naar haar ernstige groene ogen liet dalen.

Clares vingers bleven boven de toetsen hangen terwijl ze naar de tijd keek die rechtsonder op haar beeldscherm stond vermeld.

Miss Winters was knap, ondanks de koppige schuine stand van haar kin. Hij kon buiten schoonheid. De laatste knappe vrouw in zijn leven had een overvloed aan passie bezeten, in bed en daarbuiten, die hij niet snel zou vergeten. Natuurlijk, die vrouw was zijn voormalige minnares geweest. Geen stijve, keurig nette gouvernante.

'Ik heb hiervoor een dienstbetrekking gehad bij Lord en Lady Pomfrey, als gouvernante van hun drie zoons.'

Haar tengere figuurtje verdween in de bontcape en ze zag eruit alsof een sterke windvlaag haar zo kon meevoeren. Hij vroeg zich af of ze sterker was dan ze leek. Net zo koppig als haar kin suggereerde. Als hij besloot haar in dienst te nemen, had ze dat nodig. Maar het feit dat ze in zijn studeerkamer stond toonde een mate van kracht en vastberadenheid die hij gewoonlijk miste in de andere sekse.

'Goed, goed.' Hij zwaaide ongeduldig met zijn hand boven de aanbevelingsbrieven die op zijn bureau lagen. 'Je bent er, dus neem ik aan dat je mijn advertentie hebt gelezen.'

'Ja.'

Hij liep om zijn bureau heen en trok aan de manchetten van zijn bruine militaire overjas. Hij was lang en grofgebouwd, wat het resultaat was van vele uren fysieke inspanning, zowel op zijn buitenverblijf in Devon als op zijn schip, de Louisa. 'Dan ben je je er dus ook van bewust dat ik mijn dochter wens mee te nemen, als zich een gelegenheid voordoet die het vereist om te reizen.' Hij wist het niet zeker, maar hij dacht dat hij een vonk zag in de serieuze ogen die terugkeken, alsof de gedachte aan reizen haar opwond.

'Ja, excellentie.'

Clare schreef nog een paar bladzijden voordat ze stopte met het schrijven aan *De gevaarlijke hertog*, het derde boek in haar gouvernantenserie. Om negen uur pakte ze de telefoon. Ze had het grootste deel van de nacht wakker gelegen omdat ze doodsbang was voor dit telefoontje. Wat ze het meest vreesde, meer dan het opbergen van de paar herinneringen aan Lonny, was de praktijk van dokter Linden bellen.

Ze toetste de zeven cijfers in en toen de telefoniste opnam zei ze: 'Ik wil graag een afspraak maken.'

'Bent u een patiënt van dokter Linden?'

'Inderdaad. Ik ben Clare Wingate.'

'Wilt u een afspraak met de dokter of met Dana, de praktijkverpleegkundige?'

Ze wist het niet zeker. Ze had dit nog nooit eerder gedaan. Ze deed haar mond open om het er gewoon uit te gooien. Om het gewoon te zeggen. Haar keel werd droog en ze slikte. 'Ik weet het niet.'

'Ik zie dat uw jaarlijkse controle in april is geweest. Denkt u dat u zwanger bent?'

'Nee... nee. Ik... ik ben pasgeleden ergens achter gekomen, ik heb mijn... tja, ik heb ontdekt dat mijn vriend... ik bedoel mijn ex-vriend... me ontrouw is geweest.' Ze haalde diep adem en legde haar vrije hand op haar keel. Ze voelde haar hart onder haar vingers bonken. Dit was belachelijk. Waarom vond ze dit zo moeilijk? 'Dus... moet ik getest worden op... u weet wel. hiv.' Een nerveus lachje ontsnapte aan haar droge mond. 'Ik bedoel, ik denk niet dat het waarschijnlijk is, maar ik moet het zeker weten. Hij zei tegen me dat hij me maar één keer heeft bedrogen en bescherming heeft gebruikt, maar kun je iemand die ontrouw is echt geloven?' Hemel. Ze was van stamelen op ratelen overgestapt. 'Zo snel mogelijk, alstublieft.'

'Ik zal even kijken.' Ze hoorde de telefoniste aan het andere eind van de lijn op een toetsenbord typen. 'Eens kijken, we zullen zo snel mogelijk een afspraak voor u maken. Dana heeft op donderdag een afzegging. Is halfvijf goed?'

Donderdag. Drie dagen. Het was een eeuwigheid. 'Dat is goed.' Stilte vulde de lijn en Clare dwong zich om te vragen: 'Hoe lang gaat het duren?'

'De test? Niet lang. U hebt de uitslag voordat u de praktijk verlaat.'

Toen ze had opgehangen, leunde ze naar achteren op haar

stoel en staarde recht voor zich uit naar het computerscherm. Ze had de telefoniste de waarheid verteld. Ze geloofde niet echt dat Lonny haar ergens aan had blootgesteld, maar ze was volwassen en moest het zeker weten. Haar verloofde was haar ontrouw geweest en als ze hem met een vrouw had betrapt, had ze de praktijk ook gebeld. Ontrouw was ontrouw. En wat Sebastian ook had gezegd, het feit dat ze geen mannelijk 'gereedschap' had, maakte het niet gemakkelijker.

Haar voorhoofd voelde gespannen en ze masseerde haar slapen. Het was nog niet eens tien uur 's ochtends en ze had nu al een enorme hoofdpijn. Haar leven was een puinhoop en het was allemaal Lonny's schuld. Ze moest zich laten testen op iets waaraan ze kon overlijden, en zij was niet degene die had gerotzooid. Ze was monogaam. Altijd. Ze sprong niet in bed met...

Sebastian.

Haar handen vielen in haar schoot. Ze moest het Sebastian vertellen. De gedachte zorgde ervoor dat haar bonkende slapen bijna uit elkaar barstten. Ze wist niet of ze een condoom hadden gebruikt, dus moest ze het hem vertellen.

Of niet. De test zou hoogstwaarschijnlijk negatief zijn. Ze kon wachten met iets te zeggen tot ze de uitslag had gekregen. Ze zou het hem waarschijnlijk helemaal niet hoeven vertellen. Hoe groot was de kans dat hij tussen nu en donderdag seks zou hebben met iemand anders? Een visioen van Sebastian die zijn handdoek liet vallen kwam in haar hoofd op.

Heel waarschijnlijk, concludeerde ze, en ze pakte het flesje aspirine dat ze in haar bureaula bewaarde.

Vier

Mijn cassetterecorder staat naast mijn gele blocnote, en ik kijk naar de andere kant van de tafel, naar de man die ik alleen als Smith ken. Rondom ons kletsen de plaatselijke bewoners, maar het voelt allemaal geforceerd, alsof ze een wakend oog op Smith en mij houden. Als ik niet beter wist, als de taal om me heen was gekruid met Arabisch en geparfumeerd met komijn, zou ik denken dat ik in Bagdad was en tegenover een fanaticus met de naam Mohammed zat. Het innerlijke beest schijnt net zo helder in diepbruine ogen als in blauwe. Beide mannen...

Sebastian herlas wat hij had geschreven en wreef met zijn handen over zijn gezicht. Wat hij had geschreven was niet zozeer sléćht, maar het was niet góéd. Hij legde zijn handen weer op het toetsenbord van zijn laptop en wiste met een paar aanslagen wat hij had geschreven.

Hij stond op en gaf de keukenstoel een zet, zodat deze over de hardhouten vloer gleed. Hij begreep het niet. Hij had zijn aantekeningen, een schets in zijn hoofd en een goed werkbare plot. Het enige wat hij hoefde te doen, was gaan zitten en een fatsoenlijke openingsalinea schrijven. Verdomme! Iets wat heel veel op angst leek beet in de achterkant van zijn keel en zocht zich een weg naar zijn maag. Verdomme! Verdomme! Verdomme!

'Is er iets?'

Hij haalde diep adem en liet de lucht weer ontsnappen terwijl hij zich omdraaide en naar zijn vader keek die bij de achterdeur stond. 'Nee. Er is niets.' In elk geval niets wat hij hardop zou toegeven. Hij zou de openingsalinea schrijven. Hij had dit probleem nog niet eerder meegemaakt, maar hij zou het oplossen. Hij liep naar de koelkast, keek erin en pakte een pak sinaasappelsap. Hij had liever een biertje gehad, maar het was nog niet eens middag. De dag dat hij 's ochtends begon met drinken was de dag dat hij zich echt zorgen over zichzelf moest gaan maken.

Hij zette het pak aan zijn mond en nam een paar flinke slokken. Het koele sap raakte de achterkant van zijn keel en spoelde de smaak van paniek uit zijn mond weg. Hij keek van het eind van het pak omhoog naar een houten eend die boven op de koelkast stond. Het koperen plaatje identificeerde de eend als een Amerikaanse smient. Een Carolina-eend en een pijlstaarteend stonden boven de open haard in de zitkamer. Er stonden verschillende houten vogels in huis, en Sebastian vroeg zich af wanneer zijn vader zo geboeid was geraakt door eenden. Hij liet het pak sap zakken en keek naar zijn vader, die van onder de rand van zijn hoed naar hem keek. 'Heb je ergens hulp bij nodig?' vroeg Sebastian.

'Als je even tijd hebt, kun je me een handje helpen met iets verplaatsen voor mevrouw Wingate. Maar ik vind het vervelend om je te storen als je hard aan het werk bent.'

Hij zou zijn linkerbal geven om nu hard aan het werk te zijn in plaats van het telkens opnieuw schrijven en wissen van de openingsalinea. Hij veegde met de achterkant van zijn hand over zijn mond en zette het pak terug in de koelkast. 'Wat wil ze verplaatst hebben?' vroeg hij terwijl hij de deur dichtdeed.

'Een buffet.'

Hij had er geen idee van wat een buffet was, maar het klonk zwaar en als iets wat zijn gedachten kon afleiden van de dreigende deadline en zijn onvermogen om drie begrijpelijke zinnen achter elkaar te zetten.

Hij liep door de kleine keuken en volgde zijn vader naar buiten. Oude olmen en eiken vormden donkere schaduwplekken op de grond en op de witte ijzeren tuinmeubelen. Sebastian liep naast zijn vader over de binnenplaats. Het leek het perfecte plaatje van een vader en een zoon, maar het was verre van perfect.

'Het wordt een mooie dag vandaag,' zei Sebastian terwijl ze langs de zilveren Lexus liepen die geparkeerd stond naast Sebastians Land Cruiser.

'De weerman zei vierendertig graden,' antwoordde Leo.

Daarna vervielen ze in de ongemakkelijke stilte die meestal volgde op hun pogingen om een gesprek te voeren. Sebastian wist niet waarom hij het zo moeilijk vond om met zijn vader te praten. Hij had staatshoofden, massamoordenaars en religieuze en militaire leiders geïnterviewd, en toch kon hij niets bedenken om tegen zijn eigen vader te zeggen wat verder ging dan plichtmatige opmerkingen over het weer of een gekunsteld gesprek tijdens het avondeten. Zijn vader vond het duidelijk net zo moeilijk om met hem te praten.

Ze liepen samen naar de achterkant van het hoofdgebouw. Om een reden die Sebastian niet kon uitleggen, stopte hij de onderkant van zijn grijze Molson-T-shirt in zijn Levi's en ging met zijn vingers door zijn haar. Terwijl hij naar het kalksteen opkeek, had hij het gevoel dat hij een kerk in liep, en hij moest de neiging onderdrukken om een kruis te slaan. Het was net of Leo het ook voelde, want hij greep naar zijn hoed en haalde hem van zijn hoofd.

De scharnieren van de achterdeur piepten toen Leo de deur opendeed en het geluid van de hakken van hun laarzen vulde de stilte toen ze de stenen trap op liepen en de keuken betraden. Het was te laat voor ze. Zijn vader voelde zich net zo ongemakkelijk bij hem als hij bij zijn vader. Hij moest gewoon vertrekken, dacht hij. Hij moest hen allebei uit hun lijden verlossen. Hij wist niet waarom hij was gekomen, hij had tenslotte wel iets anders te doen dan bij zijn vader rond te hangen zonder te communiceren. Er wachtte veel werk op hem in Washington. Hij moest zijn moeders huis klaarmaken voor de verkoop en hij moest verdergaan met zijn leven. Hij was hier nu drie dagen geweest. Dat was genoeg tijd om een dialoog te starten. Het gebeurde alleen niet. Hij zou zijn vader helpen met het verplaatsen van het buffet en dan ging hij zijn spullen pakken.

Een enorm slagersblok domineerde het midden van de keuken en Leo gooide zijn hoed op de gebarsten bovenkant terwijl ze erlangs liepen. Witte kasten bedekten de muren vanaf de vloer tot het vier meter hoge plafond en een laat ochtendzonnetje scheen door de ramen en liet de roestvrijstalen apparaten glanzen. De hakken van Sebastians Gore-Tex-vrijetijdslaarzen bonkten op de oude zwart-witte tegels toen zijn vader en hij door de keuken naar de formele eetkamer liepen. Een enorme vaas met vers geplukte bloemen stond midden op een vier meter lange tafel die was bedekt met een rood damasten kleed. Het meubilair, de ramen en de gordijnen deden hem allemaal aan een museum denken. Gepolijst en goed onderhouden. Het rook ook naar een museum. Koud en enigszins bedompt.

Het dikke tapijt dempte hun voetstappen terwijl ze naar een meubelstuk met overdadig houtsnijwerk liepen, dat tegen een van de muren stond. Het had lange spichtige poten en een paar fantasievolle laden. 'Ik neem aan dat dit het buffet is?'

'Ja. Het is Frans en heel oud. Het is al meer dan honderd jaar in het bezit van de familie van mevrouw Wingate,' zei Leo terwijl hij een groot zilveren theeservies van het buffet haalde en op de tafel zette. Sebastian had al gedacht dat het antiek was en het verraste hem helemaal niet dat het Frans was. Hij gaf de voorkeur aan strakke, moderne lijnen en comfort boven oud en overdadig versierd. 'Waar moet het naartoe?'

Leo wees naar een muur naast een deuropening en ze pakten allebei een kant van het buffet. Het meubelstuk was niet zwaar en ze verplaatsten het met gemak. Terwijl ze het op de nieuwe plek zetten, klonk Joyce Wingates hoge stem uit de kamer ernaast. 'Wat heb je gedaan?'

'Ik wist niet wat ik moest doen,' antwoordde een tweede stem die Sebastian herkende. 'Ik was geschokt,' voegde Clare eraan toe. 'Ik ben het huis uit gelopen en naar Lucy's bruiloft gegaan.'

'Dit slaat nergens op. Hoe kan een man ineens homo worden? Vanuit het niets?'

Sebastian keek naar zijn vader, die naar het theeservies liep en de zilveren suikerpot en roomkan begon te schikken.

'Een man wordt niet "ineens homo", mama. Achteraf gezien waren de tekenen er allemaal.'

'Wat voor tekenen? Ik heb geen tekenen gezien.'

'Als je erop terugkijkt, had hij bijvoorbeeld een onnatuurlijke voorliefde voor ouderwetse ramequins.'

Ramequins? Wat was in vredesnaam een ramequin? Sebastians blik keerde terug naar de lege deuropening. In tegenstelling tot zijn vader deed hij niet net alsof hij niet afluisterde. Dit was sappig spul.

'Er zijn veel mannen die een mooie ramequin kunnen waarderen.'

En deze twee vrouwen wisten niet dat die man homo was?

'Noem één man die van ramequins houdt,' zei Clare.

'Die kok op de televisie. Ik kan me zijn naam niet herinneren.'

Het was even stil en toen vroeg Joyce: 'Weet je zeker dat het voorbij is?'

'Ja.'

'Dat is jammer. Lonny had zulke uitstekende manieren. Ik zal zijn tomatenaspic missen.'

'Mama, ik heb hem met een andere man betrapt. Ze hadden seks. In mijn inloopkast. En jij begint over aspic? Jezus!'

Leo droeg het theeservies naar het buffet en zijn ogen ontmoetten één seconde die van Sebastian. Voor het eerst sinds hij was aangekomen, zag hij een sprankje vrolijkheid in de groene ogen van zijn vader.

'Claresta, let op je taal. Het geeft geen pas om goddeloosheden te schreeuwen. We kunnen dit bespreken zonder te schreeuwen.'

'Kunnen we dat? Je gedraagt je alsof ik bij Lonny had moeten blijven omdat hij de juiste vork gebruikt en met zijn mond dicht kauwt.'

Het was weer even stil en daarna zei Joyce: 'Goed, ik neem aan dat het nodig was om de bruiloft af te zeggen.'

'Dat neem je aan? Ik wist dat je het niet zou begrijpen, en ik heb er zelfs over gedacht om het niet aan je te vertellen. De enige reden waarom ik heb besloten om het wel te doen was omdat je hem zou missen als hij niet kwam opdraven voor het Thanksgiving-diner.' Clares stem werd duidelijker terwijl ze door de grote open hal liep. 'Ik realiseer me dat hij de perfecte man voor je was, mama, maar hij bleek niet de perfecte man voor mij te zijn.'

Haar haar was achterovergekamd in een naar binnen gedraaide paardenstaart, glanzend en gepolijst als een mahoniehouten buffet. Ze droeg een wit pakje met grote revers, een donkerblauwe bloes en een lange parelketting. De rok eindigde net boven haar knieën en ze droeg een paar witte pumps waarvan de hakken op zilveren ballen leken. Ze was elegant en netter gekleed dan een non. Het was nogal een verandering vergeleken met de laatste keer dat hij haar had gezien, met haar rug tegen de hotelkamerdeur geduwd, terwijl haar malle roze jurk naar beneden zakte, met zwarte vegen onder haar ogen en verwilderd haar.

Vlak voor de eetkamer draaide ze zich weer om. 'Ik heb een man nodig die niet alleen weet waar hij zijn zuurvork kan vinden, maar die hem ook vaker dan één keer tijdens een vakantie wil gebruiken.'

Joyce ademde geschokt in. 'Doe niet zo vulgair. Je lijkt wel een hoer.'

Clare legde een hand op haar borstkas. 'Ik? Een hoer? Ik heb met een homoseksuele man samengeleefd. Ik heb zo lang geen seks gehad dat ik bijna een maagd ben.'

Sebastian lachte. Hij kon er niets aan doen. De herinnering aan Clare die zich uitkleedde kwam niet helemaal overeen met de vrouw die beweerde dat ze 'bijna een maagd' was. Clare draaide zich om door het geluid en haar ogen ontmoetten die van Sebastian. Gedurende een paar onbewaakte seconden fronste ze de zachte huid tussen haar wenkbrauwen, alsof ze iets had ontdekt waar het niet hoorde te zijn. Zoals het buffet tegen de verkeerde muur of de zoon van de tuinman in de eetkamer. Een lichte roze blos verspreidde zich over haar wangen en de rimpel tussen haar wenkbrauwen werd dieper. Toen, net zoals op de ochtend dat ze zich omdraaide en hem achter zich zag staan met niets meer aan dan een hotelhanddoek en een paar druppels water, herstelde ze zich snel en dacht aan haar manieren. Ze trok aan de manchetten van haar jasje en liep de eetkamer binnen.

'Hallo, Sebastian. Wat een geweldige verrassing.' Haar stem was vriendelijk, maar hij geloofde niet dat ze een woord meende van wat ze zei. Ze duwde de hoeken van haar aantrekkelijke mond omhoog, en hij geloofde ook niet dat ze dat meende. Misschien omdat die perfecte glimlach haar blauwe ogen niet helemaal bereikte. 'Je vader zal wel dolblij zijn.' Ze stak haar hand uit en hij pakte hem vast. Haar vingers waren koel, maar hij voelde het zweet in haar handpalm. 'Hoe lang ben je van plan te blijven?' vroeg ze. Allemaal gepolijste beleefdheid.

'Ik weet het niet zeker,' antwoordde hij terwijl hij in haar ogen keek. Hij kon niet zeggen hoe 'dolblij' zijn vader was over zijn bezoek, maar hij kon Clares gedachten redelijk lezen. Ze vroeg zich af of hij uit de school zou klappen over de bewuste avond. Hij glimlachte en liet haar in onzekerheid.

Ze trok haar hand terug en hij vroeg zich af wat ze zou doen als hij zijn greep verstevigde. Zou ze haar zelfbeheersing verliezen? In plaats daarvan liet hij haar hand los en ze stak haar armen uit naar zijn vader. 'Hallo, Leo. Dat is een hele tijd geleden.'

Zijn vader liep naar haar toe en omhelsde haar; zijn oude handen klopten op haar rug alsof ze een kind was. Zoals hij bij Sebastian had gedaan toen die een kind was. 'Je moet ook niet zo lang wegblijven,' zei Leo.

'Soms heb ik een pauze nodig.' Clare leunde naar achteren. 'Een heel lange pauze.'

'Je moeder is niet zo erg.'

'Niet tegen jou.' Ze deed een paar stappen naar achteren en liet haar handen langs haar zij vallen. 'Ik neem aan dat jullie het gesprek over Lonny hebben gehoord?' Haar aandacht bleef op Leo gericht alsof ze Sebastian had uitgewist. Alsof hij niet in dezelfde kamer was en zo dicht bij haar stond dat hij de verdwaalde haarpiekjes bij haar haarlijn kon zien.

'Ja. Ik vind het niet erg dat hij weg is,' zei Leo, die zijn stem een fractie liet dalen en haar begrijpend aankeek. 'Ik heb altijd gevonden dat hij nogal verwijfd was.'

Als zijn vader had geweten dat Clares verloofde homoseksueel was, hoe kwam het dan dat Clare dat niet had gemerkt? vroeg Sebastian zich af.

'Ik zeg niet dat er iets mis mee is... je weet wel... helemaal niet, maar als een man een voorkeur heeft voor... eh... andere mannen, dan moet hij niet net doen alsof hij van vrouwen houdt.' Leo legde een troostende hand op Clares schouder. 'Dat is niet goed.'

'Wist jij het ook, Leo?' Ze schudde haar hoofd en bleef Sebastian negeren. 'Waarom was het voor iedereen zo duidelijk behalve voor mij?'

'Omdat je hem wilde geloven, en sommige mannen zijn geraffineerd. Je hebt een vriendelijk hart en een zachtaardig karakter, en daar heeft hij misbruik van gemaakt. Je hebt de juiste man veel te bieden. Je bent mooi en succesvol en op een dag vind je iemand die jou waard is.'

Sebastian had zijn vader niet zoveel zinnen achter elkaar horen zeggen sinds hij was aangekomen. In elk geval niet als hij binnen gehoorsafstand was.

'Aahhh.' Clare hield haar hoofd schuin. 'Je bent de liefste man op aarde.'

Leo straalde en Sebastian kreeg plotseling een overweldigende behoefte om haar om te duwen, om aan haar perfecte paardenstaart te trekken of modder op haar te gooien en haar net zo toe te takelen als hij altijd had gedaan als ze hem irriteerde toen ze kinderen waren. 'Ik heb je moeder en mijn vader verteld dat we elkaar eergisteravond zijn tegengekomen in het Double Tree,' zei hij. 'Het was heel jammer dat je weg moest en dat we niet, eh... wat meer konden praten.'

Clare richtte haar aandacht eindelijk op Sebastian, met de kleine namaakglimlach die haar volle roze lippen krulde, en zei: 'Ja. Dat vond ik heel, heel erg.' Ze keek weer naar Leo en vroeg: 'Hoe is je laatste houtsnijwerk geworden?'

'Het is bijna klaar. Je moet ernaar komen kijken.'

Sebastian duwde zijn vingers in de voorzakken van zijn spijkerbroek. Ze was van onderwerp veranderd en had hem op zijn plaats gezet. Hij liet haar voorlopig van onderwerp veranderen, maar hij was niet van plan haar net te laten doen alsof hij niet in de kamer was. Hij leunde met zijn achterwerk tegen het buffet en vroeg: 'Welk houtsnijwerk?'

'Leo snijdt de meest fantastische dieren uit.'

Dat wist Sebastian niet. Hij had ze natuurlijk gezien in het koetshuis, maar hij wist niet dat zijn vader ze had gemaakt.

'Vorig jaar heeft hij met een van zijn eenden meegedaan aan de Western Idaho Fair en gewonnen. Wat voor soort eend was dat, Leo?'

'Een slobeend.'

'Hij was prachtig.' Clares gezicht straalde alsof ze hem zelf had uitgesneden.

'Wat heb je gewonnen?' vroeg Sebastian aan zijn vader.

'Niets.' Leo's nek begon boven de kraag van zijn beige shirt te kleuren. 'Alleen een blauw lint, meer niet.'

'Een enórm blauw lint. Je bent te bescheiden. De competitie was groot. *Veni vidi vici.*'

Sebastian zag hoe de blos naar zijn vaders wangen kroop. 'Je kwam, je zag en je hebt wat houtsnijwerkers ingemaakt?'

'Ach,' zei Leo terwijl hij naar het tapijt keek. 'Het was geen belangrijke prijs zoals jij altijd wint, maar het was leuk.'

Sebastian was zich er niet van bewust dat zijn vader over zijn journalistieke prijzen wist. Hij kon zich niet herinneren dat hij daarover had gepraat tijdens de paar keer dat ze elkaar gedurende de afgelopen jaren hadden gesproken, maar hij had waarschijnlijk toch iets gezegd.

Joyce kwam helemaal in het zwart gekleed de eetkamer binnen, als een engel des doods, en maakte een eind aan het gesprek over eenden en prijzen. 'Hm,' zei ze terwijl ze naar het buffet wees. 'Nu ik het zie, weet ik niet zeker of ik het daar mooi vind staan.' Ze duwde één kant van haar korte grijze bob achter haar oor en draaide met haar andere hand aan haar parelketting. 'Goed, ik moet erover nadenken.' Ze richtte zich tot de drie mensen voor haar en zette haar handen op haar knokige heupen. 'Ik ben blij dat we allemaal in dezelfde kamer zijn omdat ik een idee heb.' Ze keek naar haar dochter. 'Voor het geval je het bent vergeten, Leo wordt zaterdag vijfenzestig en volgende maand is hij dertig jaar bij ons in dienst. Zoals je weet is hij van onschatbare waarde en praktisch een lid van de familie. In bepaalde opzichten veel meer dan meneer Wingate ooit is geweest.'

'Mama,' waarschuwde Clare.

Joyce stak een slanke hand op. 'Ik was van plan om volgende maand iets te doen om beide gelegenheden te markeren, maar omdat Sebastian nu hier is, denk ik dat we volgend weekend een kleine bijeenkomst met Leo's vrienden moeten houden.'

'We?'

'Volgend weekend?' Sebastian was niet van plan geweest om tot volgend weekend te blijven.

Joyce richtte zich tot Clare. 'Ik weet zeker dat je wilt helpen met de voorbereidingen.'

'Natuurlijk zal ik zoveel mogelijk helpen. Ik werk de meeste dagen tot vier uur, maar daarna sta ik tot je beschikking.'

'Je kunt vast wel een paar dagen vrij nemen.'

Clare keek alsof ze ertegenin wilde gaan, maar op het laatste moment plakte ze een van haar namaakglimlachjes op haar gezicht. 'Geen probleem. Ik ben blij met alles wat ik kan doen.'

'Ik weet het niet.' Leo schudde zijn hoofd. 'Het klinkt alsof het een hoop moeite kost en Sebastian weet niet wanneer hij vertrekt.'

'Ik weet zeker dat hij nog een paar dagen kan blijven.' Daarna vroeg de vrouw die hem ooit als een koningin uit haar land had verbannen: 'Kun je alsjeblieft blijven?'

Hij deed zijn mond open om nee tegen haar te zeggen, maar in plaats daarvan kwam er iets anders uit. 'Waarom niet?' hoorde hij zichzelf zeggen.

Waarom niet? Er waren verschillende goede redenen waarom niet. Ten eerste wist hij niet zeker of meer tijd ervoor zou zorgen dat de relatie met zijn vader minder pijnlijk zou worden. Ten tweede ging het hem duidelijk niet lukken om het artikel voor *Newsweek* aan zijn vaders keukentafel te schrijven. Ten derde moest hij zijn moeders huis leegruimen, hoewel het niet zo'n groot huis was. De vierde en vijfde goede reden stonden voor hem: de een was duidelijk opgelucht door zijn beslissing, de ander was geërgerd en deed nog steeds alsof hij onzichtbaar was.

'Fantastisch.' Joyce legde haar handen tegen elkaar en plaatste haar vingers onder haar kin. 'Nu je hier toch bent, Clare, kunnen we meteen beginnen.'

'Ik moet weg, mama.' Ze draaide zich naar Sebastian en vroeg: 'Wil je even met me meelopen?'

Plotseling was hij niet onzichtbaar meer. Hij wist zeker dat Clare iets over eergisteravond wilde zeggen, dat ze wilde dat hij een paar lege plekken voor haar invulde, en hij overwoog of hij haar in het onzekere zou laten. Uiteindelijk was hij te nieuwsgierig naar wat ze wilde vragen. 'Natuurlijk.' Hij zette zich af tegen het buffet en haalde zijn handen uit zijn zakken. Hij volgde haar de eetkamer uit, terwijl de zilveren hakken van haar schoenen zachtjes op de keukentegels tikten.

Sebastian liep als eerste de trap af en deed de achterdeur voor haar open. Zijn blik ging van haar blauwe ogen naar het gladde, achterovergekamde haar. Als kind had haar haar er altijd vreselijk uitgezien. Nu was het als donkere zijde die in de war gemaakt moest worden. 'Je ziet er anders uit,' zei hij.

De mouw van haar pakje raakte de voorkant van zijn T-shirt terwijl ze hem passeerde. 'Ik was zaterdag niet bepaald op mijn best.'

Hij grinnikte en deed de deur achter zich dicht. 'Ik bedoel dat je er anders uitziet dan toen je een kind was. Je droeg altijd een dikke bril.'

'O. Ik heb acht jaar geleden mijn ogen laten laseren.' Ze keek naar haar voeten terwijl ze onder een oude eik door naar de garage liepen. Een zachte bries bewoog de bladeren boven hun hoofd en schaduwen speelden op haar haar en op de zijkant van haar gezicht. 'Hoeveel heb je opgevangen van het gesprek met mijn moeder?' vroeg ze terwijl ze van het gazon op de stenen oprijlaan stapte.

'Genoeg om te weten dat je moeder het nieuws over Lonny niet goed heeft opgenomen.'

'Eigenlijk is Lonny de perfecte man voor mijn moeder.' Ze stopten bij de zwarte bumper van haar Lexus. 'Iemand die bloemen schikt en haar niet lastigvalt in de slaapkamer.'

'Dat klinkt als een werknemer.' Als mijn vader, dacht hij.

Ze legde een hand op de auto en keek naar de achterkant van het huis. 'Ik weet zeker dat je hebt geraden waarom ik je heb gevraagd of je met me meeliep. We moeten het hebben over wat er eergisteravond is gebeurd.' Ze schudde haar hoofd en deed haar mond open om iets te zeggen, maar er kwam niets uit. Ze haalde haar hand van de achterkant van de Lexus en legde hem toen weer neer. 'Ik weet niet goed waar ik moet beginnen.'

Hij zou haar kunnen helpen. Hij kon de situatie heel snel opheldeṛen en haar vertellen dat ze niet met elkaar naar bed waren geweest, maar het was niet zijn taak om haar leven gemakkelijker te maken. Als hij iets had geleerd van zijn jaren als journalist, was het achteroverleunen en luisteren. Hij leunde met zijn heup tegen de auto, vouwde zijn armen over elkaar en wachtte. Een paar dunne strepen zonlicht accentueerden de diep kastanjebruine strengen in haar bruine haar, en de enige reden die hij kon bedenken waarom hem dat opviel was dat hij was getraind om kleine details op te merken. Het was zijn werk.

'Ik neem aan dat we elkaar in de bar van het Double Tree hebben ontmoet?' begon ze weer.

'Dat klopt. Je sloeg glazen Jägermeister achterover met een vent die zijn baseballpet achterstevoren ophad en een mouwloos shirt droeg.' Dat was de waarheid, maar daarna verbrak hij zijn 'achteroverleunen-en-luisteren'-regel en voegde er voor de grap een kleine leugen aan toe. 'Hij droeg een neusring en miste een paar tanden.'

'O mijn god.' Ze balde haar hand tot een vuist. 'Ik weet niet zeker of ik alle details wil horen. Ik bedoel, dat moet ik waarschijnlijk... tot op zekere hoogte. Het is alleen dat...' Ze wachtte even en slikte. Sebastians blik gleed van haar mond langs haar keel naar het bovenste knoopje van haar bloes. Ze was erg gespannen, maar hij wist dat ze een andere kant had. Een die hij eergisteravond had gezien, toen ze haar haar niet strak achterovergekamd had gedragen en geen parels rond haar hals had gehad. Hij vroeg zich af of ze de roze bustier onder haar koele pakje droeg. Het was donker geweest in de hotelkamer en hij had hem niet erg goed kunnen zien voordat ze hem had uitgetrokken.

'Ik ben gewoonlijk geen vrouw die stomdronken wordt en mannen in haar hotelkamer uitnodigt. Je gelooft het waarschijnlijk niet en dat kan ik je niet kwalijk nemen. Ik... had een heel slechte dag achter de rug, zoals je weet,' ratelde ze.

Terwijl Sebastian luisterde dwaalden zijn gedachten af, en hij vroeg zich af of ze een string onder dat maagdelijke pakje droeg. Zoals de string die ze eergisteravond had gedragen. Die was fantastisch geweest. Hij zou het niet erg vinden om die nog een keer te zien. Niet dat hij zoveel om Clare gaf. Dat deed hij niet, maar niet iedere vrouw die een string droeg stond het zo goed. Hij was overal ter wereld geweest en had heel wat vrouwen met een string gezien. Een vrouw moest een strak kontje hebben en precies de juiste rondingen om er goed uit te zien in een string.

'... condoom.'

Wow. 'Wat?' Hij keek weer naar haar gezicht. Haar wangen waren vuurrood geworden. 'Wat zei je?'

'Ik moet weten of je eergisteravond een condoom hebt gebruikt. Ik weet niet of je net zo dronken was als ik, maar ik hoop dat je het nog weet. Ik weet dat het mijn verantwoordelijkheid was... net zo goed de jouwe natuurlijk. Maar omdat ik niet van plan was geweest om te... te... had ik geen condoom bij me. Dus hoop ik dat jij dat wel had en dat... nou ja, je verantwoordelijk genoeg was om het te gebruiken. Omdat het in deze tijd serieuze consequenties heeft om onbeschermde seks te hebben.'

Ze had hem ervan beschuldigd dat hij misbruik van haar had gemaakt toen ze dronken was. Ze had gedaan alsof hij niet bestond, en nu leek het alsof ze hem ervan probeerde te beschuldigen dat hij haar iets heel onplezierigs cadeau had gedaan.

'Ik heb aan het eind van de week een afspraak met mijn dokter en als we geen condoom hebben gebruikt, denk ik dat het verstandig is als je hetzelfde doet. Ik dacht dat ik een bestendige relatie had, maar... je weet wat ze zeggen: het is niet alleen de persoon met wie je naar bed bent geweest, maar ook iedereen waarmee hij of zij seks heeft gehad.' Ze lachte even nerveus en knipperde een paar keer met haar ogen alsof ze haar tranen terugdrong. 'Dus...'

Sebastian keek naar de schaduwen die op haar donkere haar speelden en een hoek van haar mond raakten.

Hij herinnerde zich het kleine meisje met de enorme bril dat hem als kind achtervolgde, en net zoals al die jaren geleden begon hij een beetje medelijden met haar te krijgen.

Verdomme.

Vijf

'We hebben geen seks gehad.'

'Sorry?' Clares ogen prikten terwijl ze vocht tegen de tranen die ze weigerde te laten stromen. Ze was vernederd en beschaamd, maar ze zou niet in het openbaar huilen, vooral niet in het bijzijn van Sebastian. Ze was sterker dan dat. 'Wat zei je?'

'We hebben geen seks gehad.' Hij haalde zijn brede schouders op. 'Je was te dronken.'

Clare keek een paar lange seconden naar Sebastian, terwijl ze haar oren niet helemaal geloofde. 'Niet? Maar jij zei van wel.'

'Niet echt. Je werd naakt wakker en je nam aan dat het zo was. Ik heb het zo gelaten.'

'Wat?' Ze hadden geen seks gehad en toch had ze daarnet die marteling moeten doorstaan? Voor niets? 'Je hebt meer gedaan dan het zo te laten. Je zei dat ik erg luidruchtig was geweest en dat je bang was dat iemand de beveiliging zou bellen.'

'Tja, misschien heb ik het een beetje mooier gemaakt.'

'Een beetje?' Het prikken achter haar ogen veranderde in razende woede. 'Je zei dat ik onverzadigbaar was.'

'Tja, dat verdiende je.' Hij wees naar het Molson-biertje op zijn T-shirt en had de brutaliteit om beledigd te doen. 'Ik maak nooit misbruik van een dronken vrouw. Zelfs niet van één die zich vlak voor mijn ogen uitkleedt, in bed kruipt en de hele nacht haar kont tegen me aan duwt.'

Haar kont tegen hem aan duwen? Haar kont tegen hem aan duwen! Had ze dat gedaan? Ze wist het niet. Dat kon ze ook niet weten, maar waarschijnlijk loog hij daar ook over. Hij had tenslotte gelogen over de seks. Ze haalde diep adem en probeerde zich te herinneren dat ze niet mocht gillen in het openbaar. Dat ze niet mocht schreeuwen en geen liegende klootzakken mocht doodslaan. Wees aardig, waarschuwde een klein stemmetje in haar hoofd. Verlaag je niet tot zijn niveau. Ze had geleerd om een aardig meisje te zijn, en kijk eens waar dat haar had gebracht. Aardige meisjes eindigden niet vooraan. Die zaten eenzaam te stikken in alles wat ze niet zeiden omdat ze daar te aardig voor waren. Ze stopten het weg en waren doodsbang dat ze op een dag zouden barsten en dat de wereld dan zou zien dat ze uiteindelijk toch niet zo aardig waren. 'Ik geloof je niet.'

'Je kon niet van me afblijven.'

'Je lijdt duidelijk aan waanvoorstellingen.' Hij irriteerde haar, zoals hij had gedaan toen ze kinderen waren, maar ze was niet van plan samen met hem in die oude, kinderachtige patronen te vervallen. 'Ik hoef jouw wilde fantasieën niet te geloven.'

'Je wilde buitenissige, stevige, harde seks. Maar ik vond het niet juist om misbruik te maken van iemand die stomdronken is.'

Ze voelde haar hoofdhuid verstrakken. 'Ik was niet stomdronken.'

Hij haalde zijn schouders op. 'Dat was je wel, en ik heb je niet gegeven waar je om smeekte.'

Ze ontplofte. 'Jij leugenachtige idioot,' zei ze. Het kon haar niet schelen of haar uitbarsting onvolwassen was, of het een teken was van een onderontwikkeld brein of dat ze op zijn provocaties had gereageerd. Het was een goed gevoel om haar boosheid op hem uit te leven. Hij verdiende het. Of liever gezegd, het voelde goed tot ze zijn boosaardige grijns zag. De grijns die ze herkende. De grijns die zijn groene ogen bereikte en haar van haar plezier beroofde.

Hij deed een paar stappen naar voren, tot er nog maar een paar centimeter ruimte tussen zijn borstkas en de revers van haar jasje zat. 'Je lag zo dicht tegen me aan gedrukt dat de knopen van mijn gulp een afdruk op je blote kont hebben achtergelaten.'

'Word toch volwassen.' Ze gooide haar hoofd naar achteren en keek langs zijn geschoren kin en mond naar zijn ogen. 'Waarom zou ik je geloven? Je hebt toegegeven dat je hebt gelogen. We hebben geen seks gehad en...' Ze stopte en haalde adem. 'Godzijdank.' Het was alsof er een zware last van haar af was gevallen. 'Godzijdank ben ik niet met je naar bed geweest,' zei ze terwijl een enorme golf van opluchting haar overspoelde. Ze schudde haar hoofd en begon te lachen alsof ze krankzinnig was. Ze was dus toch geen dronken slet. Ze was niet teruggekeerd naar het oude zelfvernietigende patroon. 'Je weet niet wat een opluchting dat is. Ik heb geen luidruchtige, hete, zweterige seks met je gehad.' Ze legde haar handpalm tegen haar voorhoofd. 'Eindelijk een beetje goed nieuws na deze helse week. Pf.'

Hij vouwde zijn armen over elkaar en staarde haar aan. Een pluk zandkleurig blond haar viel over zijn gebruinde voorhoofd. 'Je loopt zo gespannen rond dat ik betwijfel of je ooit luidruchtige, hete, zweterige seks hebt gehad. Je zou geen luidruchtige, hete, zweterige seks herkennen als je op je rug werd gegooid en het je overviel.'

Ze kon zijn door testosteron ingegeven verontwaardiging bijna voelen. Hij had gelijk, ze had nog nooit luidruchtige, hete, zweterige seks gehad. Maar ze zou het waarschijnlijk herkennen als het haar overviel. 'Sebastian, ik schrijf liefdesromans.' Ze voelde in de zak van haar jasje.

'Ja?'

Ze haalde haar sleutels eruit. Ze piekerde er niet over hem te laten weten dat hij gelijk had. 'Waar denk je dat ik de ideeën voor alle luidrúchtige, hete, zweterige séks die ik in mijn boeken stop vandaan haal?' Het was een van de meest frequent gestelde vragen aan auteurs van liefdesromans, en een van de meest absurde. Er was een reden voor dat haar boeken fictie werden genoemd, maar als ze een dollar kreeg voor elke keer dat haar was gevraagd waar ze haar ideeën vandaan haalde voor de liefdesscènes die ze schreef, zou ze haar inkomen heel leuk kunnen aanvullen. 'Ik heb het allemaal zorgvuldig onderzocht. Jij bent een journalist. Dan weet je alles over onderzoek. Nietwaar?'

Sebastian gaf geen antwoord, maar zijn boosaardige glimlach stierf weg.

Clare deed haar autodeur open en Sebastian moest een stap achteruit doen. 'Je denkt toch niet dat ik dat allemaal verzin, of wel soms?' Ze glimlachte en ging in haar auto zitten. Ze wachtte niet op een antwoord, maar startte de Lexus en sloeg de deur dicht. Terwijl ze wegreed keek ze in haar achteruitkijkspiegel naar Sebastian, die op de plek stond waar ze hem had achtergelaten, met een verbijsterde uitdrukking op zijn gezicht.

Hij had nog nooit een liefdesroman gelezen. Hij vond het sentimentele rotzooi. Voor vrouwen. Sebastian stopte zijn vingers in de voorzakken van zijn spijkerbroek en zag Clares achterlichten verdwijnen. Hoeveel seks had ze in die boeken van haar gestopt? En hoe heet was die seks?

De achterdeur van het huis ging dicht en hij zag dat zijn vader naar hem toe liep. Was dat de reden dat mevrouw Wingate niet over Clares boeken wilde praten? Was het porno? En wat belangrijker was, deed Clare daar echt onderzoek voor?

'Ik zie dat Clare weg is,' zei zijn vader toen hij vlak bij hem was. 'Het is toch zo'n lief meisje.'

Sebastian keek naar zijn vader en vroeg zich af of hij het had over dezelfde Clare die hem net een leugenachtige idioot had genoemd. Of de Clare die zo opgelucht was geweest dat ze geen seks met hem had gehad, dat ze eruitzag als een ter dood veroordeelde gevangene die plotseling gratie had gekregen. Alsof ze zich op de grond zou laten vallen om Jezus te aanbidden.

'Ik weet dat Joyce je daarstraks voor het blok heeft gezet.' Leo ging voor Sebastian staan en verschoof zijn hoed. 'Ik weet dat je van plan was om weg te gaan.' Hij keek over de binnenplaats en voegde eraan toe: 'Ik wil niet dat je nu het gevoel hebt dat je moet blijven. Ik weet dat je belangrijke dingen te doen hebt.'

Geen dingen waartoe hij zich verplicht voelde. 'Ik kan tot volgend weekend blijven, pa.'

'Mooi.' Leo knikte. 'Dat is mooi.'

Sebastian hoorde de eekhoorns in de bomen boven hen. 'Wat zijn je plannen voor vandaag?'

'Nou, als ik me heb verkleed, dacht ik erover om naar de Lincoln-dealer te rijden.'

'Heb je een nieuwe auto nodig?'

'Ja, de Lincoln heeft de vijftig gehaald.'

'Heb je een vijftig jaar oude Lincoln?'

'Nee.' Leo schudde zijn hoofd. 'Nee. De kilometerteller staat op vijftigduizend. Ik koop na vijftigduizend kilometer altijd een nieuwe Town Car.'

'Ja?' Op zijn Land Cruiser stond al meer dan honderdduizend kilometer, maar Sebastian was niet van plan hem in te ruilen. Hij was absoluut niet materialistisch, behalve als het om horloges ging. Hij hield van goede horloges met veel snufjes. 'Heb je zin in gezelschap?' hoorde hij zichzelf vragen. Misschien was tijd met zijn vader doorbrengen op een andere plek dan het koetshuis wat ze allebei nodig hadden. Misschien konden ze een vader-zoonband opbouwen via een paar auto's. Hij kon zijn vader helpen. Het kon goed zijn.

De eekhoorns bleven lawaai maken. 'Natuurlijk,' antwoordde Leo. 'Als je tijd hebt. Ik hoorde je mobiel daarstraks overgaan en ik dacht dat je het misschien druk had.'

Het telefoontje was gegaan over een artikel voor een belangrijk nieuwstijdschrift dat hij en de hoofdredacteur een paar maanden geleden hadden besproken. Nu wist hij niet meer zeker of hij op een vliegtuig wilde springen en naar Rajwara in India wilde reizen, om een artikel te schrijven over een epidemie van de zwarte koorts. De conventionele behandelmethodes hadden in dat deel van de wereld parasieten gekweekt die resistent waren voor de medicijnen. Het voorspelde dodental lag op tweehonderdduizend wereldwijd.

Toen hij met de uitgever over het artikel had gepraat, had het belangrijk en opwindend geleken. Het was nog steeds belangrijk, van levensbelang zelfs, maar nu was hij er niet zo op gebrand om de vertrokken, hopeloze gezichten te zien of de verhalen over het lijden in al die hutten te horen als hij door de stoffige straten liep. Hij begon het vuur om een verhaal te vertellen kwijt te raken, en hij wist het.

'Ik heb de komende uren niets te doen,' zei hij. Ze liepen samen naar het koetshuis terug. Hij voelde de brandende hartstocht voor zijn baan enigszins afkoelen, en dat maakte hem doodsbang. Als hij geen journalist was, als hij geen verhalen najoeg en aanknopingspunten zocht, wie was hij verdomme dan? 'Waar wil je nog meer kijken behalve bij de Lincoln-dealer?'

'Nergens. Ik ben altijd een Lincoln-man geweest.'

Sebastian dacht terug aan zijn jeugd en herinnerde zich de auto waarin zijn vader had gereden. 'Je had een Versailles. In twee kleuren bruin en met beige leren stoelen.'

'Geelbruin,' corrigeerde Leo hem terwijl ze langs een marmeren fontein liepen met een cherubijn die in een mosselschelp plaste. 'Het leer was dat jaar geelbruin. De tweekleurige lak was geelbruin en notenbruin.'

Sebastian wachtte. Wie had gedacht dat zijn vader de Rain Man van Lincoln was? De BlackBerry die aan zijn broekriem hing ging over, en hij bleef buiten om op te nemen terwijl zijn vader het koetshuis in liep om zich om te kleden. Een producer van History Channel vroeg of hij geïnterviewd wilde worden voor een documentaire die ze over de geschiedenis van Afghanistan samenstelden. Sebastian beschouwde zichzelf niet als een expert in Afghaanse geschiedenis. Hij was meer een toeschouwer, maar hij stemde toe in het interview en het werd vastgesteld voor volgende maand.

Een halfuur nadat het gesprek was afgelopen, waren zijn vader en hij op weg naar de Lithia Lincoln Mercury-dealer om naar Town Cars te kijken. Leo had zich chic aangekleed in een marineblauw pak en een stropdas met een beeltenis van de Tasmaanse duivel. Zijn grijze haar zat glad achterover tegen zijn hoofd geplakt, alsof hij het met een varkenskarbonade had gekamd.

'Waarom heb je dat pak aan?' vroeg Sebastian terwijl ze door Fairview langs Rocky's Drive Inn reden. Een serveerster op rolschaatsen en in een kort rokje reed langs een rij auto's met een blad hoog boven haar hoofd.

'Verkopers respecteren een man met een pak en een stropdas.'

Sebastian keek naar zijn vader. 'Niet als het een Looney Tunes-stropdas is.'

Leo keek naar hem en richtte zijn blik toen weer op de weg. 'Wat is er mis met mijn stropdas?'

'Er staat een tekenfilmfiguur op,' legde hij uit.

'En? Dit is een prachtige stropdas. Een heleboel mannen dragen stropdassen zoals deze.'

'Dat zouden ze niet moeten doen,' mompelde Sebastian terwijl hij uit het zijraam keek. Dat hij niet van winkelen hield betekende niet dat hij niet wist hoe hij zich moest kleden.

Ze reden een paar minuten in stilte terwijl Sebastian de gebouwen links en rechts van de drukke straat in zich opnam. Niets wat hij zag leek vertrouwd. 'Ben ik hier ooit geweest?' vroeg hij.

'Natuurlijk,' antwoordde Leo terwijl ze een vrouw passeerden die een grote zwarte hond en een beagle uitliet. 'Daar heb ik op school gezeten,' zei hij terwijl hij naar een oud gebouw met een bel op het dak wees. 'En weet je nog dat ik Clare en jou heb meegenomen naar het drive-intheater?'

'O, ja.' Ze hadden popcorn en Fanta gekregen. 'We hebben *Superman II* gezien.'

Leo ging op de middelste baan rijden. 'Ze hebben het theater gesloopt en nu is dat de plek waar ze Lincolns verkopen.' Hij sloeg af bij Lithia Motors en reed langzaam langs rijen glanzende auto's die waren ontworpen om zelfs bij de minst materialistische personen hebzucht op te wekken. Leo parkeerde midden op het terrein en ze werden al snel benaderd door J.T. Wilson, een verkoper in een polo met het logo van de dealer op zijn linkerzak.

'Naar welke van de Town Cars wilt u kijken?' vroeg J.T. terwijl ze met z'n drieën over het parkeerterrein liepen. 'We hebben drie modellen van de Signature Town Car.'

'Ik heb nog geen beslissing genomen. Ik wil een proefrit maken in een paar modellen om ze te vergelijken,' antwoordde Leo.

Sebastian snapte niet waarom een man zo enthousiast kon worden over een Town Car, maar toen ze langs twee rijen SUV's liepen, bleef hij staan alsof zijn voeten plotseling aan het asfalt vastgeplakt zaten. 'Waarom proberen we de Navigator niet?' Hij bekeek het luxueuze interieur en liet zijn hand over de glanzende zwarte lak glijden. Hij zag zichzelf al in deze auto zitten en ermee de weg op rijden terwijl hij aan de stereo-installatie frunnikte.

'Ik vind de Town Car mooi.'

'Je kunt er chromen randen op zetten,' hield Sebastian vol terwijl hij een onverwachte hunkering naar de auto voelde. Misschien leek hij meer op Leo dan hij dacht. 'Misschien met een op maat gemaakt radiatorscherm.'

'Ik zou me belachelijk voelen. Net of ik die Puff Daddy ben.'

'P. Diddy.'

'Hè?'

'Laat maar. Je kunt doortrekken in een Navigator.'

Leo schudde zijn hoofd en bleef lopen. 'Ik wil nergens in doortrekken.'

'De meeste Navigators hebben een sleeppakket met een op zwaar werk berekende trekhaak,' vertelde J.T.

Sebastian deed geen poging de mannen te vertellen wat hij had bedoeld met doortrekken. Met tegenzin liep hij verder en Sebastian en Leo namen een goudkleurige Town Car mee voor een proefrit. 'Waarom ruil je een auto die in perfecte staat is elke vijftigduizend kilometer in?' vroeg hij toen ze bij de dealer wegreden.

'Om de afschrijving en de inruilwaarde,' antwoordde Leo. 'En ik heb gewoon graag een nieuwe auto.'

Sebastian wist niets over afschrijving en was niet kieskeurig als het om het aantal kilometers ging dat zijn auto had gereden. 'Hij rijdt lekker,' zei hij.

'Je kunt er ook goed mee doortrekken.'

Sebastian keek naar zijn vader en ze glimlachten naar elkaar. Eindelijk waren ze het ergens over eens. Het belang van doortrekken.

Sebastian en zijn vader brachten het volgende halfuur door met scheuren door de straten en genieten van momenten van comfortabele stilte onderbroken door gemakkelijke conversatie.

Ze praatten over de veranderingen die in Boise hadden plaatsgevonden. Het aantal inwoners was snel gestegen en dat had een hoop ontwikkeling met zich meegebracht. Het enige wat nog precies hetzelfde was als in zijn herinnering was het parlementsgebouw van Idaho, dat uit zandsteen was opgetrokken en een kopie was van het Capitool in Washington, D.C. Als kind had zijn vader hem er eens mee naartoe genomen om het te bezoeken, en hij kon zich het marmeren interieur herinneren en dat hij ergens op het terrein op een kanon was geklommen. Hij herinnerde zich voornamelijk hoe het er 's avonds uitzag. Helemaal verlicht en met de gouden adelaar glanzend boven op de koepel, zestig meter in de lucht.

Toen ze terug waren bij de dealer was het speeluurtje voorbij en was het tijd voor Leo om zaken te doen.

'Ik weet het niet.' Hij schudde zijn hoofd. 'Je zult met je prijs moeten zakken.'

'Ik heb u mijn beste prijs gegeven.'

'Hij heeft een auto om in te ruilen,' voegde Sebastian eraan toe in een poging om zijn vader te helpen. 'Toch?'

Leo draaide zijn hoofd naar hem toe en keek hem aan. Tien minuten later verlieten ze het parkeerterrein in de oude Town Car, op weg naar het koetshuis.

'Zeg nooit tegen een verkoper dat je een auto hebt om in te ruilen, behalve als hij erom vraagt. Ik had hem net waar ik hem wilde hebben,' zei Leo toen ze bij de dealer wegreden. 'Misschien denk je dat je het een en ander weet over de stropdas die je moet dragen, maar je weet helemaal niets over het kopen van een auto.' Hij schudde zijn hoofd. 'Die dealer kan ik afschrijven. Daar krijg ik nooit meer een goede prijs.'

Dat was dan dat voor de vader-en-zoonbinding.

Na het avondeten werkte Leo eerst wat in de tuin, keek naar het nieuws van tien uur en ging daarna naar bed. Sebastian verontschuldigde zich voor het verpesten van zijn potentiële aankoop en Leo glimlachte en klopte op weg naar bed op zijn schouder.

'Het spijt me dat ik een beetje oververhit reageerde. Ik denk dat we gewoon niet aan elkaars manier van doen gewend zijn. Dat zal tijd kosten.'

Sebastian vroeg zich af of ze ooit aan 'elkaars manier van doen' gewend zouden raken. Hij had zijn twijfels. Ze draaiden om elkaar heen en deden hun best om een gemeenschappelijke basis te vinden, maar dat zou toch niet zo moeilijk moeten zijn.

Toen hij alleen in de keuken was liep hij naar de koelkast om een biertje te pakken. Zijn leven vond plaats in zijn appartement in Mercer Place in Seattle, waar hem een enorme hoeveelheid werk wachtte – hij had zijn eigen problemen om op te lossen, en hij moest zijn moeders huis in Tacoma leeghalen. Ze had bijna twintig jaar in dat huis gewoond en het zou heel veel werk zijn voordat het de markt op kon.

Zijn moeder was drie keer getrouwd en gescheiden tegen de tijd dat Sebastian tien jaar was. Elke keer was ze vervuld geweest van de belofte van een gelukkig leven. Elke keer had ze verwacht dat het huwelijk haar leven lang zou duren. Maar ze had elke echtgenoot minder dan een jaar gehad. De minnaars in haar leven bleven nog korter. En telkens als er weer een relatie was gestrand, stuurde ze Sebastian naar bed en huilde ze zichzelf in slaap terwijl hij wakker lag en haar door de dunne muur heen hoorde snikken. Haar tranen maakten dat hij ook huilde. Het deed pijn in zijn borstkas en maakte dat hij zich hulpeloos en bang voelde.

Toen Sebastian aan zijn tweede jaar op de middelbare school begon, waren zijn moeder en hij zes keer verhuisd. Zijn moeder was een 'schoonheidsconsulente' geweest, wat betekende dat ze haren knipte en in model bracht. Overal waar ze in de hoop op een 'nieuwe start' terechtkwamen, kreeg ze heel gemakkelijk een baan. Maar dat betekende ook een nieuwe buurt en dat Sebastian nieuwe vrienden moest maken.

De zomer dat Sebastian zestien werd, belandden ze in een klein huis in Noord-Tacoma. Om de een of andere reden – misschien was zijn moeder volwassen geworden of had ze genoeg gekregen van het verhuizen – besloot ze in het kleine huis in Eleventh Street te blijven. Ze had waarschijnlijk ook genoeg gekregen van de mannen. Ze stopte bijna helemaal met afspraakjes maken en stopte haar energie niet meer in relaties, maar in het verbouwen van de voorkamer van het huis tot Carol's Clip Joint – vernoemd naar haarzelf – die ze uitrustte met twee kappersstoelen, wasbakken en haardroogstoelen. Ze werkte samen met haar hartsvriendin Myrna. Ze knipten haren, zetten permanentjes en deelden het laatste nieuws.

Bij Carol's Clip Joint waren stijve krullen die een orkaan konden overleven nooit uit de mode geraakt. Het huis was gevuld met de geuren van alkaline, peroxide en alcohol, behalve op zondag. Dan was de kapsalon gesloten en maakte zijn moeder altijd een uitgebreid ontbijt voor hem. Een paar uur lang verjoegen de bosbessenpannenkoeken de geuren van permanentvloeistof, haarverf en lak.

Datzelfde jaar kreeg Sebastian een baan als bordenwasser in een plaatselijk restaurant, en vlak daarna werd hij bevorderd tot avondmanager. Hij kocht een Datsun-pick-up uit 1975 in verbleekt oranje en met een gedeukte achterbumper. Die baan leerde hem de waarde van hard werken en hoe hij moest krijgen wat hij wilde. Dat jaar kreeg hij ook zijn eerste echte vriendinnetje. Monica Diaz was twee jaar ouder dan hij. Twee heel wijze jaren. Van haar leerde hij het verschil tussen goede seks, fantastische seks en gekmakende seks.

Sebastian pakte zijn flesje bier en liep de keuken uit. Zijn voetstappen waren het enige geluid in het stille koetshuis. Tijdens zijn tweede jaar op de middelbare school had hij zich opgegeven voor journalistiek omdat hij te laat in de gaten had dat de andere keuzevakken vol zaten. Hij had de drie jaar daarna doorgebracht met het schrijven van artikelen voor de schoolkrant over de plaatselijke muziekscene. Het laatste jaar was hij hoofdredacteur van de krant geweest, maar hij had al snel in de gaten dat hij het niet leuk vond om opdrachten voor artikelen te geven en ze daarna te redigeren. Hij gaf de voorkeur aan de verslaggevende kant van de journalistiek.

Hij bracht zijn flesje bier naar zijn lippen en pakte de afstandsbediening van de televisie, die op een tafel naast zijn vaders leunstoel lag. Met zijn duim zapte hij van kanaal naar kanaal. Hij voelde zich plotseling gespannen en gooide de afstandsbediening op tafel. Hoe moest hij het leven van zijn moeder netjes in kartonnen dozen stoppen?

Als hij eraan dacht dat hij haar leven moest inpakken, voelde hij zich verkrampen. Als hij eerlijk was tegen zichzelf, was de gedachte aan het leegruimen van haar huis een van de redenen dat hij hier in Boise was – en het was een van de dingen die hem 's nachts wakker hielden.

Hij liep naar een ingebouwde boekenplank naast de open haard en pakte het eerste gebonden fotoalbum van een rij. Hij sloeg het open. Krantenartikelen en tijdschriftenknipsels dwarrelden naar beneden en bedekten zijn voeten. Op de eerste bladzijde van het album staarde Leo hem aan. Hij hield een baby in een afzakkende stoffen luier in zijn armen. De foto was vervaagd en in het midden gekreukt. Sebastian nam aan dat hij door zijn moeder was genomen. Hij vermoedde dat hij op dat moment een maand of zes was geweest, wat betekende dat ze met z'n drieën in Homedale woonden, een klein stadje ten oosten van Boise, en dat zijn vader in een zuivelbedrijf werkte.

Net als alle kinderen van gescheiden ouders herinnerde Sebastian zich dat hij zijn moeder had gevraagd waarom ze niet bij zijn vader woonden.

'Omdat je vader lui is,' had ze gezegd. Op die leeftijd had hij niet begrepen wat lui zijn ermee te maken had dat ze niet als een gezin bij elkaar woonden. Later leerde hij dat zijn vader niet lui was, maar gewoon niet ambitieus, en dat een onverwachte zwangerschap twee totaal verschillende mensen bij elkaar had gebracht. Twee mensen die elkaar nooit de hand hadden moeten schudden, laat staan een baby produceren.

Hij bladerde door de rest van het album, dat was gevuld met allerlei kiekjes en schoolfoto's. Op een van de foto's stond hij met een vis die net zo groot was als hijzelf. Zijn borstkas was trots opgezet en zijn enorme grijns ontblootte een ontbrekende voortand.

Hij ging op één knie zitten om de knipsels op te pakken, maar zijn hand bleef steken toen hij ze herkende. Het waren oude artikelen van hem. Hij zag het stuk dat hij had geschreven over de dood van Carlos Castaneda, het *Time*-artikel over de Jarvis-hartklep en de moord op James Bird. Het was een schok om al die artikelen te zien. Hij had niet geweten dat zijn vader zijn carrière bijhield. Hij legde de artikelen terug in het album en stond op.

Terwijl hij het terugzette, trokken een paar koperen boekensteunen op de schoorsteenmantel zijn aandacht. Tussen de glanzende gouden eenden stond een collectie van acht pockets van de schrijfster Alicia Grey. Hij pakte de eerste twee boeken uit de rij. Het eerste had een paars omslag waarop een man en een vrouw in historische klederdracht waren afgebeeld. De rode jurk van de vrouw was van haar schouders gegleden en haar borsten ontsnapten bijna uit de stof. De man droeg geen overhemd, een strakke zwarte broek en laarzen. De titel was in reliëfgoud vermeld: *De omhelzing van de piraat*. Op het omslag van het tweede boek, *De gevangene van de piraat*, stond een man op de boeg van een schip terwijl de wind zijn witte overhemd liet opbollen. Hij zag geen zwaard of houten been of ooglapje. Alleen een piratenvlag en een vrouw die met haar rug tegen zijn borstkas stond gedrukt. Sebastian zette een van de boeken terug en sloeg het andere open. Hij grinnikte toen hij tot achteraan had gebladerd. Clare staarde naar hem vanaf een zwart-witte publiciteitsfoto.

'Het is een avond vol verrassingen,' mompelde hij terwijl hij haar biografie las.

Alicia Grey is afgestudeerd aan Boise State University en Bennington, begon het, en daarna volgde een lijst met haar wapenfeiten, waaronder de RITA®-prijs voor liefdesromanschrijvers van Amerika. *Alicia houdt van tuinieren en wacht tot ze door haar eigen held wordt veroverd.*

'Veel geluk ermee,' zei Sebastian spottend. Een man moest wanhopig zijn om iets bij Clare te proberen. Hoe zijn vader ook over haar dacht, Clare Wingate was een mannenhaatster en het was verstandig als mannen bij haar uit de buurt bleven.

Waar denk je dat ik de ideeën voor alle luidrúchtige, hete, zweterige séks die ik in mijn boeken stop vandaan haal? had ze gevraagd toen ze besloot hem niet meer te negeren. *Ik heb het allemaal zorgvuldig onderzocht.* Een mannenhaatster met zachte rondingen op de juiste plekken, en een mond waardoor een man wel aan orale seks móést denken. Sebastian vond het jammer en een absolute verspilling.

Hij bladerde naar het inleidende stukje tekst en liep naar zijn vaders leren leunstoel. Hij knipte de lamp aan en las terwijl hij ging zitten.

'Waarom bent u hier, meneer?'

'Je weet waarom ik hier ben, Julia. Kus me,' zei de piraat dwingend. 'Kus me en laat me de zoetheid van je lippen proeven.'

'Jezus,' zei Sebastian en hij bladerde naar hoofdstuk één. Hiermee zou hij waarschijnlijk zo slapen.

Zes

Clare tilde haar hand op en klopte op de rode deur van het koetshuis. Door de donkere glazen van haar zonnebril keek ze op haar gouden horloge. Het was even na twee uur in de middag en de meedogenloze zon brandde op haar blote schouders terwijl ze op de veranda stond. De temperatuur was nu rond de vijfendertig graden, maar zou vandaag naar achtendertig graden stijgen.

Ze had vijf pagina's geschreven, had een halfuur op de loopband in haar logeerkamer getraind en had een lijst met namen voor Leo's feest gemaakt. De afgelopen paar dagen was ze druk aan het plannen geweest, in de hoop dat ze geen tijd had om over haar leven na te denken. Ze was er dankbaar voor, hoewel ze dat nooit aan haar moeder zou toegeven. Als ze de namen met Leo had doorgenomen, moest ze naar de stomerij om kleding te halen en ze moest nog feestversiering kopen. Daarna zou ze avondeten maken en afwassen, waarmee ze tot zes of zeven uur druk bezig zou zijn. Misschien ging ze vanavond nog wat schrijven. Elke keer als ze aan Lonny dacht, voelde ze een klein stukje van haar hart afbrokkelen. Misschien werd de pijn minder als ze de komende maanden zo druk bezig bleef en haar gebroken hart de tijd kreeg om te genezen.

Ze wachtte nog steeds op een goddelijke openbaring. Een licht dat op haar leven zou schijnen en haar duidelijk zou maken waarom ze Lonny had gekozen. Een ta-da-moment dat uitlegde waarom ze de waarheid van haar relatie met hem niet had gezien.

Clare hing het kleine tasje aan haar schouder recht. Het was nog niet gebeurd.

De deur zwaaide open. Licht scheen over de drempel en stroomde het huis in. 'Heilige moeder Maria,' vloekte Sebastian terwijl hij een arm optilde om zijn ogen tegen de zon te beschermen.

'Helaas niet.'

Hij keek met bloeddoorlopen ogen onder zijn naakte arm door op haar neer alsof hij haar niet helemaal herkende. Hij droeg de spijkerbroek en het Molson-T-shirt van gisteren. Het was gekreukt en zijn haar stond bij zijn voorhoofd rechtop. 'Clare?' zei hij uiteindelijk. Zijn stem was rauw en slaperig, alsof hij net uit bed was gerold.

'Bingo.' Lichtbruine stoppels lagen als een schaduw op de onderste helft van zijn gezicht, en de schaduw van zijn arm rustte op de scheiding tussen zijn lippen. 'Heb ik je wakker gemaakt?'

'Ik ben al een tijdje op.'

'Een late nacht?'

'Ja.' Hij wreef met zijn handen over zijn gezicht. 'Hoe laat is het?'

'Ongeveer kwart over twee. Heb je in je kleren geslapen?'

'Dat zou niet voor het eerst zijn.'

'Ben je aan het zuipen geweest?'

'Zuipen?' Hij liet zijn hand langs zijn zij vallen. 'Nee, ik heb de hele nacht gelezen.'

Het lag op het puntje van haar tong om tegen hem te zeggen dat het bekijken van prentenboeken niet echt als lezen werd beschouwd, maar ze zou vandaag vriendelijk tegen hem zijn, ook al werd het haar dood. Het had haar gisteren een goed gevoel gegeven om hem een idioot te noemen. Even. Tegen de tijd dat ze haar garage in reed, was de opgetogenheid vervaagd en voelde ze zich onwaardig en lomp. Zich verontschuldigen zou een aardig gebaar zijn, een damesachtig gebaar, maar ze pleegde nog liever zelfmoord. 'Dat moet een goed boek zijn geweest.'

'Het was interessant.' Er gleed een schaduw van een glimlach over zijn mond.

Ze vroeg niet welk boek hij had gelezen. Het kon haar niet echt schelen. 'Is je vader in de buurt?'

'Ik weet het niet.' Hij stapte opzij en ze liep langs hem het huis in. Het rook er naar beddengoed en warme huid, en hij was zo groot dat de ruimte om hem heen als het ware kromp. Of misschien leek dat zo omdat ze gewend was aan Lonny, die maar een paar centimeter groter was dan haar eigen gemiddelde lengte en nogal dun was.

'Ik heb hem in mijn moeders huis gezocht, maar daar is hij niet.' Ze duwde haar zonnebril in haar haar en keek naar Sebastian, die de deur dichtdeed. Hij leunde er met zijn rug tegenaan, vouwde zijn armen over elkaar en staarde naar haar voeten. Langzaam gleden zijn ogen van de rode pumps langs de halterjurk met de dieprode kersen erop. Zijn blik bleef even op haar mond gericht en ging daarna verder naar haar ogen. Hij hield zijn hoofd scheef en bestudeerde haar alsof hij iets probeerde te achterhalen.

'Wat?' vroeg ze.

'Niets.' Hij zette zich af tegen de deur en liep langs haar. Zijn voeten waren bloot. 'Ik heb net koffie gezet. Wil jij ook?'

'Nee. Om twee uur ga ik meestal over op cola light.' Ze liep vlak achter hem, haar blik op zijn brede schouders gericht. De mouwen van zijn T-shirt pasten net rond de zwelling van zijn biceps en de uiteinden van zijn zandkleurige blonde haar raakten de geribbelde kraag aan de onderkant van zijn nek. Er was geen twijfel mogelijk. Sebastian was een mannelijke man. Een kerel. Terwijl Lonny een pietje-precies was waar het zijn kleding betrof, sliep Sebastian gewoon in zijn kleren.

'Mijn vader drinkt geen cola light.'

'Ik weet het. Hij is een Pepsi-colaman en ik haat Pepsi.' Sebastian keek weer naar haar en liep om de oude houten tafel heen, die bezaaid lag met notitieboekjes, gele blocnotes en systeemkaartjes. Een laptop stond open en naast een BlackBerry stond een cassetterecorder met drie cassettes. 'Hij is de enige die ik ken die nog steeds Pepsi drinkt,' zei hij terwijl hij een kast opendeed en een beker van de bovenste plank pakte. De rand van zijn T-shirt schoot uit de tailleband van zijn jeans, die laag op zijn heupen hing. De elastische band van zijn ondergoed was erg wit tegen de gebruinde huid van zijn onderrug.

De herinnering aan zijn blote kont schoot door haar heen, en ze richtte haar blik op zijn door de slaap verwarde haar. Die ochtend in het Double Tree had hij geen ondergoed gedragen. 'Hij is een erg trouwe consument,' zei ze. De herinnering aan die ochtend maakte dat ze door de vloer wilde zakken en zich wilde verstoppen. Ze had geen seks met hem gehad. Hoewel dat een enorme opluchting was, vroeg ze zich af wat ze dan wel hadden gedaan, en hoe ze bijna naakt was geëindigd. Als ze had gedacht dat hij haar een rechtstreeks antwoord zou geven, had ze hem gevraagd om de lege plekken op te vullen.

'Eerder koppig,' corrigeerde Sebastian haar met zijn rug naar haar toe. 'Erg uitgesproken in zijn manier van doen.'

Maar ze dacht niet dat hij haar de waarheid zou vertellen zonder deze voor zijn eigen plezier aan te dikken. Ze kon Sebastian niet vertrouwen, maar dat was geen nieuws. 'Dat is een deel van zijn charme.' Ze leunde op een afstand van een meter tegen de tafel.

Sebastian pakte de kan met één hand op en schonk koffie in de beker die hij met zijn andere hand vasthield. 'Weet je zeker dat je niet wilt?'

'Ja.' Ze greep de tafelrand ter hoogte van haar heupen met twee handen beet en liet haar blik nog een keer langs de achterkant van zijn gekreukte T-shirt en de pijpen van zijn spijkerbroek glijden. Ze kon het niet helpen dat ze hem vergeleek met Lonny, maar ze nam aan dat dat een natuurlijke reactie was. Behalve het feit dat ze allebei mannen waren, hadden ze niets gemeen. Sebastian was langer, groter en omringd met een dikke testosteronwalm. Lonny was korter, dunner en was in harmonie met zijn gevoelens. Misschien was dat Lonny's aantrekkingskracht geweest. Hij was niet bedreigend geweest. Clare wachtte op de ta-da-bellen die in haar hoofd zouden beginnen te rinkelen. Dat deden ze niet.

Sebastian zette de kan neer en Clare richtte haar aandacht op de cassetterecorder bij haar rechterhand. 'Schrijf je een artikel?' vroeg ze. Hij gaf geen antwoord en ze keek op.

Zonlicht stroomde door het keukenraam en scheen op zijn schouder en de zijkant van zijn gezicht. Het gleed langs de stoppels op zijn wang en raakte verward in zijn wimpers. Hij bracht de beker naar zijn mond en keek naar haar terwijl hij in zijn koffie blies. 'Schrijven? Niet echt. Eerder telkens dezelfde inleidende paragraaf typen en wissen.'

'Zit je vast?'

'Zoiets.' Hij nam een slok.

'Als ik vastzit, komt dat gewoonlijk doordat ik probeer het boek op de verkeerde plek te beginnen of het verhaal vanuit de verkeerde hoek benader. Hoe meer ik het probeer te forceren, des te vaster kom ik te zitten.'

Hij liet zijn beker zakken en ze verwachtte dat hij iets neerbuigends zou zeggen over het schrijven van liefdesromans. Haar greep om de tafel verstrakte; ze vermande zich en wachtte tot hij haar erop zou wijzen dat wat hij schreef belangrijk was en dat hij haar boeken zou wegwuiven als fantasie voor verveelde huisvrouwen. Hemel, haar eigen moeder kleineerde haar werk zelfs. Ze verwachtte niets anders van Sebastian Vaughan.

In plaats van los te barsten in laatdunkende scherpe kritiek keek hij naar haar zoals hij daarstraks ook had gedaan. Alsof hij hoogte van haar probeerde te krijgen.

'Misschien, maar ik zit niet "vast". Dat is me in elk geval nog nooit eerder gebeurd, en nooit zo lang.'

Clare wachtte tot hij verder zou gaan. Ze was er klaar voor dat hij met het literaire snobisme zou meedoen en iets minachtends zou zeggen. Ze verdedigde zichzelf, haar genre en haar lezers al zo lang dat ze alles kon hebben wat hij haar toebeet. Maar hij dronk gewoon zijn koffie, en ze hield haar hoofd scheef en keek naar hem alsof ze hem niet kon peilen.

Nu was het zijn beurt om het te vragen. 'Wat?'

'Ik dacht dat ik je gisteren had verteld dat ik liefdesromans schrijf,' voelde ze zich genoodzaakt te benadrukken.

Hij trok zijn wenkbrauw op terwijl hij de beker neerzette. 'Ja. Dat heb je gezegd. En dat je je seksuele research zelf doet.'

Dat was waar ook. Verdorie. Hij had haar boos gemaakt en ze had dingen gezegd die ze graag wilde terugnemen. Dingen die haar zouden achtervolgen. Ze had in haar boosheid van alles gezegd, terwijl ze lang geleden al had geleerd om haar gevoelens achter een vrolijke façade te verstoppen. 'En je gaat geen neerbuigende opmerking maken?'

Hij schudde zijn hoofd.

'Geen glibberige vragen?'

Hij glimlachte. 'Maar één.' Hij draaide zich om en zette de beker op het aanrecht.

Ze stak haar hand omhoog als een verkeersagent. 'Nee. Ik ben geen nymfomane.'

Zijn glimlach veranderde in gegrinnik en er verschenen lachrimpels in de hoeken van zijn groene ogen. 'Dat is de glibberige vraag niet, maar bedankt dat je hem hebt beantwoord.' Hij vouwde zijn armen over zijn gekreukte T-shirt. 'De echte vraag is: waar doe je al je onderzoek?'

Clare liet haar hand langs haar zij vallen. Ze besefte dat ze de vraag op een paar manieren kon beantwoorden. Ze kon beledigd doen en tegen hem zeggen dat hij volwassen moest worden, of ze kon ontspannen. Hij leek vandaag een vriendelijke bui te hebben, maar dit was Sebastian. De man die tegen haar had gezegd dat ze seks met elkaar hadden gehad.

'Durf je het niet te vertellen?' hitste hij haar op.

Ze was niet bang voor Sebastian. 'Ik heb een speciale kamer in mijn huis,' loog ze.

'Wat heb je in die kamer?' Hij keek heel serieus. Alsof hij haar echt geloofde.

'Sorry, dat soort informatie kan ik niet aan een journalist vertellen.'

'Ik zweer dat ik het aan niemand vertel.'

'Sorry.'

'Toe nou. Het is een hele tijd geleden dat iemand me iets sappigs heeft verteld.'

'Verteld of gegeven?'

'Wat heb je in je kinky sekskamer, Clare?' ging hij door. 'Zwepen, kettingen, schommels, latex bodysuits?'

Schommels? Lieve hemel. 'Je lijkt veel over kinky seksattributen te weten.'

'Ik weet dat ik niet allergisch ben voor latex. Verder ben ik een nogal simpele jongen. Ik hou er niet van om geslagen te worden of vastgebonden te worden als een kerstkalkoen.' Hij zette zich af van het aanrecht en deed een paar stappen in haar richting. 'Beperkingen?'

'Handboeien,' zei ze terwijl hij tien centimeter voor haar stilstond. 'Die moeten donzig zijn, omdat ik een aardig persoon ben.'

Hij lachte alsof ze iets heel grappigs had gezegd. 'Aardig? Sinds wanneer?'

Tja, misschien was ze niet altijd aardig tegen Sebastian geweest, maar hij vond het dan ook heerlijk om haar te provoceren. Ze ging wat rechter op staan en keek langs de stoppels op zijn kin in zijn groene ogen. 'Ik probeer aardig te zijn.'

'Schat, misschien moet je een beetje meer je best gaan doen.'

Ze voelde haar kalmte verdwijnen, maar weigerde in het aas te bijten. Vandaag niet. Ze glimlachte en tikte tegen zijn stoppelige wang. 'Ik ga geen ruzie met je maken, Sebastian. Er is niets waarmee je me vandaag kunt provoceren.'

Hij draaide zijn gezicht weg en beet zachtjes in de muis van haar hand. Zijn groene ogen staarden in de hare toen hij haar vroeg: 'Weet je dat zeker?'

Haar vingers kromden tegen zijn wang terwijl een verontrustend besef in haar maag kronkelde. Ze liet haar hand zakken, maar kon de warmte van zijn mond en de scherpe rand van zijn tanden nog in haar handpalm voelen. Plotseling was ze nergens meer zeker van. 'Ja.'

'En stel dat ik je...' Hij stak zijn hand op en raakte haar mondhoek aan. '... hier bijt?' De toppen van zijn vingers gleden langs haar kaak en raakten de zijkant van haar nek. 'En hier.' Hij liet zijn vingers via de rand van haar halterjurk naar haar sleutelbeen dalen. 'En hier.'

Haar ademhaling stokte terwijl ze naar zijn gezicht staarde. 'Dat klinkt pijnlijk,' perste ze eruit terwijl de schok haar keel dichtkneep. Het moest de schok zijn en niet de hitte van zijn aanraking.

'Het doet helemaal geen pijn.' Zijn blik gleed van haar hals naar haar ogen. 'Je zult het fijn vinden, vertrouw me.'

Sebastian vertrouwen? De jongen die alleen vriendelijk tegen haar was geweest zodat hij haar kon pesten en kwellen? Die alleen deed alsof hij haar aardig vond zodat hij modder tegen haar schone jurk kon gooien om haar aan het huilen te maken? 'Ik heb heel lang geleden geleerd om jou niet te vertrouwen.'

Hij liet zijn hand langs zijn zij vallen. 'Wanneer was dat?'

'De dag dat je me de rivier zou laten zien en je modder op mijn nieuwe jurk gooide,' zei ze. Ze nam aan dat hij die dag lang geleden was vergeten.

'Die jurk was te wit.'

'Wat?' Hoe kon iets te wit zijn? Als het niet wit was, was het armoedig.

Hij deed een paar stappen naar achteren en pakte zijn koffie. 'Je was altijd te perfect. Je haar. Je kleren. Je manieren. Het was gewoon niet natuurlijk. De enige keren dat je leuk gezelschap was, was als je smerig was en dacht dat je iets deed wat niet mocht.'

Ze wees naar zijn borstkas. 'Ik was leuk gezelschap.' Hij trok een wenkbrauw ongelovig op, maar ze hield vol: 'Ik ben nog steeds leuk. Al mijn vriendinnen vinden dat.'

'Clare, je was toen te gespannen en dat ben je nog steeds.' Hij schudde zijn hoofd. 'Je vriendinnen liegen om je gevoelens te sparen of ze zijn zelf net zo leuk als een godsdienstige kring.'

Ze was niet van plan ruzie te maken over hoe leuk zij en haar vriendinnen waren. 'Heb jij in een godsdienstige kring gezeten?'

'Vind je dat moeilijk te geloven?' Hij fronste zijn wenkbrauwen en keek haar een seconde of twee afkeurend aan tot zijn mondhoeken omhooggingen en hem verraadden. 'Toen ik studeerde, ging een van de eerste artikelen die ik moest schrijven over een groep evangelisten die zieltjes probeerden te winnen op de campus. Ze waren zo saai dat ik in slaap viel op een vouwstoel.' Hij haalde zijn schouders op. 'Het hielp waarschijnlijk niet dat ik een enorme kater had.'

'Zondaar.'

'Ken je het oude gezegde dat je iets moet vinden waar je goed in bent en daar dan bij moet blijven?' Hij glimlachte brutaal en liet er weinig twijfel over bestaan dat hij het zondigen tot kunst had verheven.

Haar hart sloeg onregelmatig, of ze dat wilde of niet. En ze wilde het niet. Clare verschoof haar zonnebril en haar haar gleed over haar oor en langs haar wang. 'Als je je vader ziet, wil je hem dan zeggen dat ik met hem wil praten over de gastenlijst voor zijn feest?' vroeg ze, in een poging de conversatie van gedachten over zondigen weg te leiden.

'Natuurlijk.' Hij bracht zijn koffie naar zijn mond. 'Je kunt de lijst hier laten, dan zorg ik ervoor dat hij ernaar kijkt.'

Ze duwde haar haar naar achteren. 'Wil je dat doen?'

'Waarom niet?'

Waarschijnlijk omdat aardig en behulpzaam tegen haar zijn niet in zijn karakter zat. 'Dank je.'

Hij nam een slok en keek over de rand van de beker naar haar. 'Geen dank, E-Clare.'

Ze fronste haar voorhoofd en trok een vel papier uit de tas aan haar schouder. In haar jeugd had hij allerlei variaties op haar naam bedacht. Haar minst favoriete was Blèr-Clare geweest. Ze legde de lijst op de tafel en hing haar tas goed. Ze herinnerde zich de keer dat ze dacht dat ze Sebastian te slim af was en hem een lamme zak had genoemd. Ze had de uitdrukking ergens gehoord en dacht dat ze hem een stomme idioot noemde. Tot hij erop wees dat ze hem eigenlijk een verdoofde bal noemde. Het was niet mogelijk geweest om van Sebastian te winnen. 'Zeg tegen hem dat dit de mensen zijn waarmee ik al contact heb opgenomen en die aanwezig zullen zijn. Als hij iemand mist, als ik iemand ben vergeten, wil ik het graag zo snel mogelijk weten.' Ze keek naar hem omhoog. 'Nogmaals bedankt,' zei ze en ze draaide zich naar de deur.

Zonder een woord te zeggen zag Sebastian haar vertrekken. De warme koffie gleed door zijn keel terwijl hij keek naar het glanzende bruine haar dat haar naakte schouders en rug raakte.

Ze was zo degelijk. Zo netjes. Iemand zou haar een plezier moeten doen en haar wat verfomfaaien. Haar kleren verkreukelen en haar lippenstift uitsmeren. Aan de voorkant van het huis ging de deur open en dicht, en Sebastian liep naar de tafel. Die iemand zou hij niet zijn, hoe verleidelijk het ook was. Ze was te gespannen voor zijn smaak. Maar zelfs als ze zou ontspannen, kon hij zich niet voorstellen dat het goed zou vallen bij zijn vader als hij met Clare naar bed ging. En dat gold helemaal voor Joyce.

Hij schopte de stoel bij de tafel vandaan, ging zitten en startte zijn computer op. De enige redenen die hij kon bedenken voor de onverklaarbare aantrekkingskracht die Clare op hem uitoefende, waren (a) dat hij haar naakt had gezien, (b) dat hij een tijdje geen seks had gehad en (c) dat verdomde boek van haar. Hij was niet van plan geweest om het helemaal te lezen, maar het had hem geboeid en hij had het boek helemaal gelezen. Elke goed geschreven, zinderende bladzijde.

Tijdens de zeldzame momenten dat Sebastian tijd had om iets te lezen wat niet met zijn werk te maken had, pakte hij een Stephen King. Als kind had hij sciencefiction en thrillers fantastisch gevonden. Als volwassene was het nooit bij hem opgekomen om een liefdesroman te lezen. Vanaf de eerste bladzijde was hij onder de indruk geweest van haar soepele schrijfstijl. Ja, sommige scènes waren emotioneel overtrokken geweest, zo erg zelfs dat hij een paar keer had gekreund, maar het was ook bijzonder erotisch geweest. Niet het soort *Penthouse*-erotiek van sommige mannelijke schrijvers. Meer een zachte sturing van de hand dan een klap in het gezicht.

Gisteravond, toen hij in slaap was gevallen, had hij over Clare gedroomd. Al weer. Alleen droeg ze dit keer een lange onderbroek en een wit korset in plaats van een string. En dankzij haar expliciete stijl was hij in staat geweest om alle verdomde linten en strikken voor zich te zien.

Toen hij vandaag de deur had opengedaan, stond ze op zijn veranda alsof hij haar tevoorschijn had getoverd. Om de zaak nog erger te maken, zaten er kersen op haar jurk. Kersen, jezus. Alsof ze een dessert was. Wat hem onmiddellijk deed terugdenken aan de piraat die Lady Julia op zijn grote tafel had gegooid en Devonshire-room van haar borsten had gelikt.

Hij trok zijn T-shirt over zijn hoofd en veegde ermee over zijn borstkas. Hij moest seks hebben. Dat was zijn probleem. Alleen kende hij niemand in Boise die dat specifieke probleem voor hem kon oplossen. Hij pikte geen vrouwen meer op voor een onenightstand. Hij kon niet echt zeggen wanneer seks met een volslagen vreemde zijn aantrekkingskracht had verloren, maar hij vermoedde dat het ongeveer in de tijd was dat hij een vrouw had opgepikt in een bar in Tulsa die razend was geworden toen hij haar het nummer van zijn mobiel niet wilde geven.

Word verscheen op het scherm, en hij gooide zijn shirt op de vloer bij zijn voeten. Hij keek op zijn notitiekaartjes en begon ze snel te verschuiven; hij legde er een paar weg, pakte ze weer op en legde ze in een andere volgorde. Voor het eerst in weken voelde hij het begin van een vonkje in zijn hoofd. Hij keek naar de aantekeningen die hij had gemaakt, pakte een pen en schreef er nog wat bij. Het vonkje ontbrandde en hij bewoog zijn nek heen en weer en schreef:

Ik heb gehoord dat zijn naam Smith is, maar het zou ook Johnson of Williams of elke andere typisch Amerikaanse achternaam kunnen zijn. Hij is blond en draagt een kostuum en das, alsof hij op een dag een gooi naar het presidentschap wil doen. Alleen heten zijn helden niet Roosevelt, Kennedy of Reagan. Als hij over grote mannen praat, praat hij over Tim McVeigh, Ted Kaczynski en Eric Rudolph. Terroristen van eigen bodem die zich hebben gevestigd in het sediment van het Amerikaanse onderbewustzijn, die zijn vergeten en zijn overschaduwd door hun buitenlandse tegenhangers, tot de volgende daad van Amerikaans extre-

misme explodeert op het avondnieuws en zwarte inkt morst op de landelijke kranten terwijl het bloed door de straten stroomt.

Alles klikte en snorde en viel op zijn plek, en de volgende drie uur vulde het regelmatige getik op zijn toetsenbord de keuken. Hij pauzeerde om zijn koffiebeker opnieuw te vullen en toen hij klaar was, had hij het gevoel dat er een olifant van zijn borstkas was gestapt. Hij leunde achterover in zijn stoel en ademde opgelucht uit. Hoewel hij het verschrikkelijk vond om toe te geven, had Clare gelijk gehad. Hij had geprobeerd het te forceren, had het stuk op de verkeerde plek willen beginnen, en was niet in staat geweest om dat te zien. Hij was te gespannen geweest. Hij had te strak aan zijn idee vastgehouden om te zien wat zo oogverblindend duidelijk was. Als Clare tegenover hem had gestaan, had hij een kus op haar mooie mond geplant. Natuurlijk was het compleet uitgesloten dat hij Clare ook maar ergens zou kussen.

Sebastian stond van zijn stoel op en rekte zich uit. Eerder, toen hij haar over haar onderzoek had gevraagd, had hij haar een beetje willen plagen. Haar onzeker maken. Haar op stang jagen, zoals hij als kind had gedaan. Alleen was hij degene die voor schut stond. Hij was vijfendertig. Hij had over de wereld gereisd en had veel verschillende vrouwen gehad. Hij was niet iemand die opgewonden werd van een liefdesromanschrijfster in een kersenjurk alsof hij een kind was. Vooral deze bepaalde liefdesromanschrijfster. Zelfs als Clare geen bezwaar had tegen een paar rondjes vrijblijvende, ongebonden, hete en zweterige seks – en dat was een grote 'als' – zou het nooit gebeuren. Hij was in Boise om een band met zijn vader op te bouwen. Hij wilde iets uit de as laten herrijzen, en niet de kleine vooruitgang die ze hadden geboekt in lichterlaaie zetten door met Clare naar bed te gaan. Het maakte niet uit dat Sebastian niet voor Joyce werkte. Ze was de baas van zijn vader, en dat maakte Clare de dochter van de baas. Als de pleuris jaren geleden was uitgebroken door een gesprek over seks, wilde hij er niet aan denken wat er zou gebeuren als ze echt seks hadden. Maar zelfs als Clare niet de dochter van de baas was, wist hij instinctief dat ze een vrouw voor één man was. En het probleem met een vrouw voor één man was dat hij geen man voor één vrouw was.

Zijn leven was de afgelopen paar jaar vertraagd, maar hij was het grootste deel van zijn jaren als twintiger van stad naar stad getrokken. Zes maanden hier, negen maanden daar, het vak leren, zijn kracht verbeteren, een naam opbouwen. Vrouwen vinden was nooit een probleem geweest. Dat was het nog steeds niet, hoewel hij op zijn vijfendertigste heel wat kieskeuriger was dan hij op zijn vijfentwintigste was geweest.

Misschien zou hij op een dag trouwen. Als hij er klaar voor was. Als de gedachte aan een vrouw en kinderen er niet voor zorgde dat hij zijn handen in de lucht stak en achteruitdeinsde. Waarschijnlijk was het omdat hij niet bepaald was opgegroeid in een ideale situatie. Hij had twee stiefvaders gehad. Een had hij gemogen, de ander niet. Hij had een paar van zijn moeders minnaars gemogen, maar had altijd geweten dat het een kwestie van tijd was voordat ze vertrokken en zijn moeder zich weer in haar kamer opsloot.

In zijn jeugd had hij altijd geweten dat zijn ouders van hem hielden. Ze hadden alleen een hekel aan elkaar. Zijn moeder was duidelijk uitgekomen voor haar haat jegens zijn vader, maar hij moest toegeven dat zijn vader nooit iets ten nadele van zijn moeder had gezegd. Toch sprak datgene wat niet werd gezegd soms boekdelen. Hij wilde nooit met een vrouw in zo'n vicieuze cirkel vastzitten, en hij wilde zeker geen kind opvoeden in zo'n situatie.

Sebastian bukte zich en pakte zijn T-shirt van de grond. Nee, hij sloot een huwelijk en een gezin niet uit. Op een dag besloot hij misschien dat hij er klaar voor was, maar die dag was nog niet in zicht.

De keukendeur ging open en zijn vader kwam binnen. Hij liep naar de gootsteen en draaide aan de kraan. 'Ben je aan het werk?'

'Ik ben net klaar.'

Leo pakte een stuk zeep en waste zijn handen. 'Ik heb morgen vrij en als je het niet te druk hebt, kunnen we misschien tot voorbij de Arrowrock-dam rijden om een lijntje uit te gooien.'

'Wil je gaan vissen?'

'Ja. Je vond vissen altijd leuk en ik heb gehoord dat ze daar bijten.'

Vissen met zijn vader. Misschien was dat precies wat ze nodig hadden, of het kon een ramp worden. Zoals de zoektocht naar een auto. 'Ik ga dolgraag met je vissen, pa.'

Zeven

De dag na Lucy's bruiloft had Clare gezworen geen alcohol meer te zullen drinken. De volgende donderdagavond om twee minuten over halfzes verbrak ze die eed. Maar soms had een meisje gewoon iets te vieren.

Ze hield een fles Dom Perignon in haar handen en bewerkte de kurk met haar duimen. Na een paar seconden schoot hij eruit en vloog door de keuken, raakte een diep mahoniekleurige kast en kaatste terug achter het fornuis. Er steeg een lichte damp op uit de flessenhals toen ze de drie hoge champagneglazen volschonk. 'Deze is lekker,' zei ze met een glimlach zonder berouw. 'Ik heb hem van mijn moeder gestolen.'

Adele pakte een glas. 'Gestolen champagne smaakt altijd het lekkerst.'

'Welk jaar?' vroeg Maddie terwijl ze een glas pakte.

'1990. Mijn moeder bewaarde hem voor mijn trouwdag. Maar dat ik de mannen heb opgegeven, wil niet zeggen dat een uitstekende fles champagne daaronder moet lijden.' Ze toostte met Maddie en Adele en zei: 'Op mij.' Een uur eerder had ze een orale hiv-test ondergaan en binnen een paar minuten had ze gehoord dat deze negatief was. Er was opnieuw een enorme last van haar schouders gevallen. Haar vriendinnen waren bij haar geweest toen ze het goede nieuws kreeg. 'Bedankt dat jullie zijn meegegaan,' zei ze en ze nam een slok. Het enige wat jammer was aan hun feestje was dat Lucy er niet was, maar Clare wist dat haar vriendin haar eigen fantastische feestje had, en samen met haar nieuwe echtgenoot de zon van de Bahama's opzoog. 'Ik weet dat jullie het allebei druk hebben, en het betekent veel voor me dat jullie erbij waren.'

'Je hoeft ons niet te bedanken.' Adele sloeg een arm rond haar middel. 'We zijn vriendinnen.'

'Ik heb het nooit te druk voor jou.' Maddie nam een slokje en zuchtte. 'Het is zo lang geleden dat ik iets heb gedronken waar koolhydraten in zaten. Dit is fantastisch.'

'Doe je nog steeds aan Atkins?' vroeg Clare. Zolang ze zich kon herinneren was Maddie op een of ander dieet. Het was een constant gevecht voor haar om in haar spijkerbroek maatje 36 te blijven passen. Natuurlijk was het aankomen van een paar pond iets waar ze als schrijver allemaal tegen vochten. Maar voor Maddie was het een nooit eindigende worsteling.

'Ik doe op dit moment South Beach,' zei ze.

'Je moet proberen om weer naar de sportschool te gaan,' adviseerde Adele haar, terwijl ze met haar billen tegen het zwarte granieten aanrecht leunde. Adele jogde acht kilometer per dag uit angst dat ze op een dag haar moeders enorme achterwerk zou krijgen.

'Nee. Ik ben lid geweest van vier sportscholen en ik ben bij allemaal na een paar maanden gestopt.' Maddie schudde haar hoofd. 'Het probleem is dat ik het haat om te zweten. Het is gewoon te smerig voor woorden.'

Adele bracht haar glas naar haar lippen. 'Het is goed voor je om alle slechte gifstoffen uit je lichaam te zweten.'

'Nee. Dat is goed voor jóú. Ik wil dat mijn slechte gifstoffen op de plek blijven waar ze zitten.'

Clare lachte en pakte de fles bij de hals. 'Maddie heeft gelijk. Je moet al je slechte gifstoffen ver weg houden van de nietsvermoedende wereld.' Ze liepen naar de zitkamer, die vol stond met antiek meubilair dat generaties lang in Clares familie was geweest. De rugleuningen van de barokke banken en stoelen waren bedekt met kanten kleedjes die een overgrootmoeder of tante eigenhandig had gemaakt. Ze zette de fles op de salontafel met het marmeren blad en ging op een van de stoelen met hoge rugleuning zitten.

Maddie zat tegenover haar op de bank. 'Heb je er ooit over gedacht om een van die jongens van dat antiekprogramma hiernaartoe te halen?'

'Waarom?' vroeg Clare terwijl ze een witte draad van de linkerborst van haar mouwloze zwarte coltruitje plukte.

'Om je te vertellen wat dit spul waard is.' Maddie wees in de richting van het bordeauxrode voetenbankje en de piëdestal met engelen.

'Ik weet wat het is en waar het allemaal vandaan komt.' Ze liet de draad in een goudkleurige emaillen schaal vallen.

Adele bestudeerde de Staffordshire-beeldjes op de schoorsteenmantel. 'Hoe hou je het allemaal schoon?'

'Het is veel werk.'

'Doe dan wat weg.'

'Dat kan ik niet.' Ze schudde haar hoofd. 'Ik heb de Wingate-ziekte. Ik denk dat het in onze genen zit. We lijken geen afstand te kunnen nemen van de familiestukken en geloof me, mijn overgrootmoeder Foster had echt een afgrijselijke smaak. Het probleem is dat we altijd een grote familiestamboom hadden, maar dat die is teruggebracht tot maar een paar takken. Mijn moeder en ik, een paar neven en nichten in South-Carolina, en een hele stapel familieantiek.' Ze nam een slok champagne. 'Als je denkt dat mijn huis erg is, moet je mijn moeders zolder zien. Je weet niet wat je ziet. Het is net een museum.'

Adele draaide zich om en liep over het kleed met tulpen en lelies naar de bank. 'Heeft Lonny iets meegenomen toen hij vertrok? Behalve je hond?'

'Nee.' Lonny's voorliefde voor haar antiek was iets wat ze gemeen hadden gehad. 'Hij wist dat hij me niet zo boos wilde maken.'

'Heb je iets van hem gehoord?

'Niet na maandag. Ik heb mijn sloten gisteren laten vervangen en morgen komt mijn nieuwe matras.' Ze keek naar haar glas en draaide de lichtgele champagne rond. Minder dan een week geleden was ze naïef gelukkig geweest. Nu ging ze verder zonder Lonny. Met nieuwe sloten. Een nieuw bed. Een nieuw leven.

Helaas ging haar hart niet zo snel als de rest. Ze was niet alleen haar verloofde kwijtgeraakt, maar ook een heel goede vriend. Lonny had over veel dingen tegen haar gelogen, maar ze geloofde niet dat hun vriendschap schijn was geweest.

'Ik geloof niet dat ik mannen ooit zal begrijpen,' zei Adele. 'Ze zijn echt niet goed bij hun hoofd.'

'Wat heeft Dwayne nu weer gedaan?' vroeg Clare. Adele had een twee jaar durende relatie met Dwayne Larkin achter de rug en had gedacht dat hij Mister Right kon zijn. Ze negeerde zijn smerige gewoonten, zoals ruiken aan de oksels van zijn shirts voordat hij ze aantrok, omdat hij gespierd en heel knap was. Ze pikte dat hij zich volgooide met bier en luchtgitaar speelde, tot het moment dat hij tegen haar had gezegd dat ze een 'dikke kont' kreeg. Niemand gebruikte het d-woord om haar achterwerk te beschrijven, en ze had hem uit haar leven geschopt. Maar hij wilde niet helemaal verdwijnen. Om de paar weken vond Adele spullen die ze in zijn huis had achtergelaten bij haar voordeur. Geen briefje. Geen Dwayne. Gewoon willekeurige spullen.

'Hij heeft een halflege fles bodylotion en een antislipsokje op de veranda achtergelaten.' Ze keek naar Clare. 'Weet je die antislipsokjes met lieveheersbeestjes nog die je me hebt gegeven toen mijn blindedarm was verwijderd?'

'Ja.'

'Hij heeft er maar één teruggegeven.'

'Wat een hufter.'

'Griezelig.'

Adele haalde haar schouders op. 'Ik ben meer geïrriteerd dan bang. Ik wil gewoon dat hij er genoeg van krijgt en ermee stopt.' Ze had de politie erover gebeld, maar het was niet strafbaar als een ex-vriend de spullen van zijn ex-vriendin terugbracht. 'Ik weet dat hij waarschijnlijk meer spullen van me heeft.'

'Je hebt een grote vriend nodig om hem doodsbang te maken,' stelde Clare vast. 'Als ik Lonny nog had, mocht je hem lenen.'

Maddie fronste haar voorhoofd en keek naar Clare. 'Het is niet kwaad bedoeld, schat, maar Lonny zou Dwayne niet doodsbang hebben gemaakt.'

Adele leunde tegen de rug van de bank. 'Dat is waar. Dwayne had gehakt van hem gemaakt.'

Tja, dat was waarschijnlijk waar, dacht Clare terwijl ze nog een slok champagne nam. 'Je moet met Quinn praten als hij en Lucy terug zijn van hun huwelijksreis.' Quinn McIntyre werkte als rechercheur bij het politiebureau van Boise en wist misschien wat Adele moest doen.

'Hij onderzoekt geweldsmisdrijven,' benadrukte Adele. Zo had Lucy de knappe rechercheur ontmoet. Ze had onderzoek gedaan naar onlinedating, en hij was op zoek geweest naar een vrouwelijke seriemoordenaar. Lucy was zijn hoofdverdachte geweest, maar uiteindelijk had hij haar leven gered. In Clares beleving was het allemaal erg romantisch geweest. Nou ja, behalve het enge gedeelte dan.

'Denken jullie dat er voor alle vrouwen een Mister Right rondloopt?' vroeg Clare. Ze geloofde in zielsverwantschap en liefde op het eerste gezicht. Dat wilde ze nog steeds geloven, maar willen geloven en echt geloven waren twee verschillende dingen.

Adele knikte. 'Dat wil ik graag denken.'

'Nee. Ik geloof in Mister Right Now.'

'Hoe gaat dat bij jou in z'n werk?' vroeg Clare aan Maddie.

'Goed, Dr. Phil.' Maddie leunde naar voren en zette haar lege glas op de salontafel. 'Ik wil geen harten en bloemen. Ik wil geen romantiek, en ik wil mijn afstandsbediening niet delen. Ik wil gewoon seks. Je zou toch denken dat dat niet moeilijk te vinden is, maar verdomme, dat is het wel.'

'Dat komt doordat we eisen hebben.' Adele draaide haar glas en dronk het leeg. 'Zoals een betaalde baan. Geen parasiterende artiesten. En geen kunstgebit dat naar buiten springt als hij praat, behalve als hij hockeyt en uitzonderlijk lekker is.'

'En hij mag niet getrouwd zijn of moordneigingen hebben.' Maddie dacht even na en voegde er, typisch voor haar, aan toe: 'En flink geschapen zou prettig zijn.'

'Flink geschapen is altijd prettig.'

Clare stond op en vulde de glazen bij. 'En heteroseksueel zijn is een noodzaak.' Ze wachtte nog steeds op het ta-da-moment, waarop ze zou weten en beseffen waarom ze keer op keer bedriegers en leugenaars uitkoos. 'Het enige goede aan het eind van mijn relatie met Lonny is dat het schrijven verrassend goed gaat.' Ze vond troost in het schrijven. Troost doordat ze een paar uur verdween in een wereld die ze zelf had gecreëerd, terwijl de realiteit van haar echte leven een fiasco was.

De bel ging en de muzakversie van *Paperback Writer* vulde het huis. Ze zette haar glas neer en keek naar de porseleinen klok op de schoorsteenmantel. Ze verwachtte niemand. 'Ik weet niet wie dat kan zijn,' zei ze terwijl ze opstond. 'Ik ben vergeten om me dit jaar op te geven voor de loterij.'

'Het zijn waarschijnlijk zendelingen,' riep Adele haar na. 'Ze hebben mijn buurt ook onveilig gemaakt op hun fietsen.'

'Als ze knap zijn, kun je ze binnenvragen voor een drankje en een beetje verdorvenheid,' voegde Maddie eraan toe.

Adele lachte. 'Je gaat naar de hel.'

Clare keek over haar schouder. 'En je probeert de rest van ons met je mee te trekken. Je mag niet eens denken aan zondigen in dit huis. Ik heb dat soort slecht karma niet nodig.' Ze liep naar de hal, deed de deur open en stond oog in oog met het boegbeeld van zonde en verdorvenheid, dat in de schaduw van haar veranda stond en door donkere brillenglazen naar haar keek. De laatste keer dat ze Sebastian had gezien, was hij slaperig en onverzorgd geweest. Vanavond was zijn haar gekamd en hij had zich geschoren. Hij droeg een donkergroen nauwsluitend T-shirt van Stucky's Bar, dat in een beige cargobroek was gestopt. Ze dacht niet dat ze geschokter had kunnen zijn als er inderdaad iemand van de loterij met een vette cheque en ballonnen op haar veranda had gestaan.

'Hallo, Clare.'

Ze boog naar links en keek achter hem. Langs de stoeprand stond een zwarte Land Cruiser geparkeerd.

'Heb je even?' Hij haalde de zonnebril van zijn gezicht, liet één poot over de losse hals van zijn shirt glijden en haakte hem een stukje links van zijn kin vast. Hij staarde naar Clare met groene ogen die waren omringd door de dikke wimpers die ze als klein meisje zo moeilijk kon weerstaan.

'Natuurlijk.' Tegenwoordig had ze dat probleem niet meer en ze stapte opzij. 'Mijn vriendinnen zijn er en we waren net van plan om aan onze godsdienstige kring te beginnen. Kom binnen, dan bidden we ook voor jou.'

Hij lachte en liep naar binnen. 'Dat klinkt als mijn idee van een leuke middag.'

Ze deed de deur achter hem dicht en hij volgde haar naar de zitkamer. Maddie en Adele keken op; de beweging waarmee ze hun glas naar hun mond brachten bevroor halverwege, hun gesprek stokte midden in een zin. Clare kon de stripverhaalballonnen boven hun hoofd bijna lezen. Dezelfde 'wow-schatje'-ballon die zij boven haar hoofd zou hebben als ze Sebastian niet kende. Maar dat Maddie en Adele de tijd namen om een knappe man op waarde te schatten betekende niet dat ze op een knap gezicht vielen en dat ze hun adem nu inhielden of hun haar naar achteren gooiden. Ze waren niet zo gemakkelijk te imponeren. Vooral Maddie niet, die alle mannen beschouwde als potentiële misdadigers tot het tegendeel was bewezen.

'Sebastian, dit zijn mijn vriendinnen,' zei Clare terwijl ze door de kamer liep. De twee vrouwen stonden op en Clare keek naar ze zoals een vreemde dat zou doen. Naar Adele, met het lange blonde haar dat krullend tot halverwege haar rug hing en de magische turkooiskleurige ogen die soms meer groen dan blauw leken, afhankelijk van haar stemming. En Maddie, met haar weelderige rondingen en Cindy Crawford-schoonheidsvlek in de hoek van haar volle lippen. Haar vriendinnen waren mooie vrouwen en ze voelde zich naast hen soms net het kleine meisje met de strakke vlechten en de dikke bril. 'Maddie Jones schrijft waar gebeurde misdaadboeken onder het pseudoniem Madeline Dupree, en Adele Harris schrijft fantasyboeken onder haar eigen naam.'

Terwijl Sebastian de vrouwen een hand gaf, keek hij in hun ogen en schonk hun een soepele glimlach, die meer ontvankelijke vrouwen had kunnen betoveren. 'Leuk om jullie te ontmoeten,' zei hij. Het klonk alsof hij het meende. Dat zijn goed verborgen manieren plotseling tevoorschijn waren gekomen was de tweede schok voor Clare. Die was bijna net zo groot als toen ze de deur opendeed en hem op haar veranda had zien staan.

'Sebastian is de zoon van Leo Vaughan,' ging ze verder. Beide vrouwen waren verschillende keren in haar moeders huis geweest en hadden Leo ontmoet. 'Sebastian is journalist.' Omdat ze hem had gevraagd binnen te komen, veronderstelde ze dat ze gastvrij moest zijn. 'Heb je zin in champagne?'

Hij keek over zijn schouder naar haar. 'Nee, maar ik heb wel zin in een biertje als je dat hebt.'

'Natuurlijk.'

'Waarvoor schrijf je?' vroeg Maddie terwijl ze haar glas naar haar lippen bracht.

'Ik ben hoofdzakelijk freelancer, hoewel ik op dit moment voor *Newsweek* werk. En ik heb artikelen geschreven voor *Time*, *Rolling Stone* en *National Geographic*,' somde hij zijn lijst met indrukwekkende prestaties op terwijl Clare de kamer uit liep.

Ze pakte een flesje van Lonny's Hefeweizen-bier uit de koelkast en haalde de dop eraf. Ze kon niet langer horen wat hij zei, alleen het lage gemompel en de diepe klank van zijn stem. Ze had een jaar lang met een man samengewoond, maar het voelde heel vreemd om Sebastian hier te hebben. Hij bracht een andere energie in huis. Een energie waar ze op dit moment haar vinger niet op kon leggen.

Toen ze terugkeerde naar de zitkamer, zat hij ontspannen en op zijn gemak in haar stoel, alsof hij niet van plan was snel te vertrekken. Het was duidelijk zijn bedoeling om langer te blijven dan 'even' en Clare vroeg zich af waarom hij hier was.

Maddie en Adele zaten op de bank en luisterden naar Sebastians verhalen over zijn werk. 'Een paar maanden geleden heb ik een heel interessant artikel voor *Vanity Fair* geschreven over een kunstverkoper uit Manhattan die de herkomst van Egyptische antiquiteiten had vervalst om de Egyptische exportwetten te omzeilen,' zei hij terwijl ze hem zijn biertje gaf. Hij keek haar aan. 'Dank je.'

'Wil je een glas?'

Hij keek naar het flesje en naar het etiket. 'Nee, dat hoeft niet,' zei hij.

Clare ging op een van de bijpassende stoelen met hoge rugleuning zitten. Sebastian legde een voet op zijn knie en liet het flesje op de hiel van zijn laars rusten. 'Ik heb heel wat jaren van staat naar staat gereisd en ik heb artikelen geschreven voor veel verschillende mediabedrijven, maar ik schrijf niet meer voor kranten.' Hij haalde zijn schouders op. 'Al een paar jaar niet meer, sinds ik tijdens de invasie in Irak ingekwartierd ben geweest bij het Eerste Bataljon Vijfde Marine Regiment.' Hij nam een slok bier terwijl Clare wachtte tot hij de reden voor zijn bezoek uit de doeken zou doen. 'Hoeveel boeken hebben jullie gepubliceerd?' vroeg hij, en Clare realiseerde zich dat hij niet van plan was te vertellen waarom hij hier was. Ze was nieuwsgierig, maar had er absoluut geen idee van.

'Vijf,' antwoordde Maddie. Adele had acht boeken op haar naam staan en als een goede journalist liet Sebastian op elk antwoord een nieuwe vraag volgen. Binnen vijftien minuten waren de twee vrouwen die zo moeilijk te imponeren waren gewillige slachtoffers van Sebastians herboren charme.

'Sebastian heeft een boek over Afghanistan gepubliceerd,' vertelde Clare onder de druk van haar goede manieren. 'Het spijt me, ik herinner me de naam van je boek niet.' Jaren geleden had ze het van Leo geleend om te lezen.

'*Twintig jaar oorlog in Afghanistan*.'

'Ik herinner me dat boek,' bekende Adele.

'Ik ook,' voegde Maddie eraan toe.

Clare was niet verbaasd dat haar vriendinnen het zich herinnerden. Het had wekenlang boven aan de bestsellerlijsten van *USA Today* en *The New York Times* geprijkt. Auteurs waren niet geneigd om degene die de bestsellerlijst aanvoerde gemakkelijk te vergeten of te vergeven. Behalve Adele blijkbaar. Clare zag hoe haar vriendin een spiraalvormige krul rond haar vinger wond.

'Hoe is het om bij de mariniers ingekwartierd te zijn?' vroeg Adele.

'Benauwd. Smerig. Doodeng. En dat waren de goede dagen. Maanden nadat ik was teruggekeerd naar de Verenigde Staten stond ik nog steeds graag buiten om lucht in te ademen die niet was verzadigd met zand.' Hij stopte even en een lichte glimlach krulde zijn mondhoeken. 'Als je praat met militairen die nu thuis zijn, is dat een van de dingen die ze het meest waarderen. Zand-vrije lucht.'

Maddie bestudeerde Sebastian terwijl hij een slok nam. Het achterdochtige onderzoek waaraan ze alle mannen blootstelde smolt uit haar bruine ogen. 'Ze zien er allemaal zo jong uit.'

Sebastian likte wat bier van zijn onderlip. 'De sergeant die het commando voerde over de tank waarin ik meereed was achten-twintig. De jongste soldaat was negentien. Ik was de ouwe kerel, maar ze hebben mijn leven meer dan eens gered.' Hij wees met zijn biertje naar de champagnefles en veranderde van onder-werp. 'Hebben jullie iets te vieren?'

Adele en Maddie keken naar Clare, maar gaven geen ant-woord. 'Nee,' loog Clare en ze nam een slokje. Ze had geen zin om haar bezoek aan de dokter van die middag met Sebastian te delen. Hij zag er misschien normaal uit en praatte als een be-trouwbaar persoon, maar ze vertrouwde hem niet. Hij was naar haar huis gekomen omdat hij iets wilde. Iets wat hij niet wilde bespreken waar haar vriendinnen bij waren. 'We drinken altijd als we bij elkaar komen om te bidden.'

Hij keek vanuit zijn ooghoeken naar haar. Hij geloofde haar niet, maar hij zette haar ook niet onder druk. Maddie pakte haar glas en vroeg: 'Hoe lang ken je Clare al?'

Sebastian keek even in Clares ogen voordat hij zijn aandacht weer op de vrouwen tegenover hem richtte. 'Laat me denken. Ik was vijf of zes toen ik voor het eerst een zomer bij mijn vader doorbracht. De eerste keer dat ik haar volgens mij heb gezien, droeg ze zo'n jurkje dat aan de bovenkant gerimpeld was.' Hij wees met de hals van zijn flesje naar zijn borstkas. 'En kleine-meisjessokjes die dubbelgevouwen waren bij haar enkels. Dat soort kleren heeft ze jarenlang gedragen.'

In haar jeugd hadden Clare en haar moeder veel ruziegemaakt

over kleding. 'Mijn moeder was gek op gesmokte jurkjes en lakschoentjes,' zei ze. 'Toen ik tien was waren het plooirokjes.'

'Je draagt nog steeds veel jurken en rokken,' merkte Adele op.

'Daar ben ik aan gewend, maar als kind had ik geen keus. Mijn moeder kocht mijn kleren en ik moest er de hele tijd perfect uitzien. Ik was doodsbang om vies te worden.' Ze dacht even terug en zei: 'De enige keren dat ik vies werd, was als Sebastian in de buurt was.'

Hij haalde zijn schouders op, duidelijk zonder berouw. 'Je zag er beter uit als je vies was.'

Dat toonde zijn tegenstrijdige natuur. Niemand zag er goed uit als hij vies was. Behalve Sebastian misschien. 'Als ik op bezoek ging bij mijn vader liet hij me dragen wat ik wilde,' zei Clare. 'Mijn kleren moesten natuurlijk in Connecticut blijven, dus de volgende keer dat ik bij hem op bezoek ging pasten ze niet meer. Mijn favoriet was een T-shirt met een smurf erop. Maar wat ik echt wilde en wat zelfs mijn vader niet voor me wilde kopen, was een "BOY TOY"-riem zoals Madonna had. Ik wilde er heel erg graag zo een hebben.'

Maddie fronste haar wenkbrauwen. 'Ik kan me helemaal niet voorstellen dat jij ooit een boy toy wilde zijn.'

'Ik wist niet eens wat het betekende, maar ik vond Madonna heel erg cool zoals ze over de grond rolde in die sluier en met al die opzichtige namaaksieraden om. Ik mocht geen namaaksieraden omdat mijn moeder dat ordinair vond.' Ze keek naar Sebastian en biechtte op: 'Ik sloop altijd naar je vaders huis als hij aan het werk was om naar MTV te kijken.' Clare zag kleine lachrimpels in zijn ooghoeken.

'Rebel.'

'Ja, dat klopt. Een rebel, dat ben ik. Herinner je je dat je me leerde pokeren en dat je al mijn geld won?'

'Ik weet het nog. Je huilde en ik moest alles teruggeven van mijn vader.'

'Dat kwam omdat je me vertelde dat we niet echt om geld speelden. Je loog.'

'Loog ik?' Hij haalde zijn voet van zijn knie, boog naar voren en plaatste zijn onderarmen op zijn dijbenen. 'Nee, ik had een achterliggend motief en grote plannen met het geld.'

Hij had altijd achterliggende motieven gehad. 'Wat voor plannen?'

Het flesje bungelde aan een hand tussen zijn knieën terwijl hij heel even nadacht. 'Tja, ik was tien, dus ik was nog niet bezig met porno en alcohol.' Hij tikte met het flesje tegen de pijp van zijn cargobroek. 'Waarschijnlijk ging het dus om een stapel *Mad*-tijdschriften en zes blikjes frisdrank. Ik had het met je gedeeld als je niet zo'n huilebalk was geweest.'

'Je achterliggende motief om mij al mijn geld af te troggelen was dus dat je tijdschriften en frisdrank met me kon delen?'

Hij grinnikte. 'Zoiets.'

Adele lachte en zette haar lege glas op tafel. 'Ik wed dat je schattig was in je kleine jurkjes en je gepoetste schoenen.'

'Nee. Dat was ik niet. Ik zag eruit als een insect.'

Sebastian was verdacht stil. Rotzak.

'Liefje, het is beter om een lelijk kind te zijn en een prachtige volwassene dan een prachtig kind en een lelijke volwassene,' betoogde Maddie in een poging Clare te troosten. 'Ik heb een nichtje dat een beeldschoon klein meisje was, maar ze is een van de lelijkste vrouwen geworden, zo een waar je echt niet naar wilt kijken. Toen haar neus eenmaal begon te groeien, stopte hij niet meer. Misschien ben je een beetje magertjes begonnen wat uiterlijk betreft, maar je bent nu absoluut een mooie vrouw.'

'Dank je.' Clare beet op haar onderlip. 'Denk ik.'

'Graag gedaan.' Maddie zette haar glas op tafel en stond op. 'Ik moet ervandoor.'

'Echt?'

'Ik ook,' verkondigde Adele. 'Ik heb een date.'

Clare stond op. 'Daar heb je niets over gezegd.'

'Nee, maar vandaag was voor jou, en ik wilde niet over mijn afspraakje praten als jouw leven niet zo geweldig is.'

Nadat de twee vrouwen afscheid hadden genomen van Sebastian, liep Clare met ze mee naar de voordeur.

'Vertel. Wat is er tussen jou en Sebastian?' vroeg Maddie fluisterend terwijl ze de veranda op liepen.

'Niets.'

'Hij kijkt naar je alsof er meer is,' voegde Adele eraan toe. 'Toen je de kamer uit liep om een biertje voor hem te halen, volgde hij je met zijn ogen.'

Clare schudde haar hoofd. 'Dat betekent helemaal niets. Hij hoopte waarschijnlijk dat ik zou struikelen en zou vallen of zoiets gênants.'

'Nee.' Adele schudde haar hoofd terwijl ze in haar tas naar haar sleutels zocht. 'Hij keek naar je alsof hij zich voorstelde hoe je er naakt uitziet.'

Clare vertelde niet dat hij zich dat niet hoefde voor te stellen. Dat wist hij min of meer al.

'En hoewel ik dat normaal gesproken verontrustend vind in een man, was het heel opwindend toen hij dat deed.' Maddie dook ook in haar tas op zoek naar haar sleutels. 'Ik denk dus dat je ervoor moet gaan.'

Wie zijn deze vrouwen? 'Hallo. Vorige week was ik verloofd met Lonny. Weten jullie nog?'

'Je hebt een man nodig om weer op gang te komen.' Adele liep de veranda af. 'En daarvoor is hij perfect.'

Maddie knikte en volgde Adele over het voetpad naar hun auto's, die op de oprit stonden geparkeerd. 'Door naar een man te kijken kun je vaststellen of hij flink geschapen is.'

'Tot ziens,' zei Clare en ze deed de deur dicht. Maddie werd volledig in beslag genomen door mannen die flink geschapen waren, dacht Clare, waarschijnlijk omdat ze jarenlang niet in de buurt van een flinke maat was geweest. En Adele... Ze had al een tijd het vermoeden dat Adele soms in de fantasiewereld leefde waarover ze schreef.

Acht

Toen Clare de zitkamer in liep, stond Sebastian met zijn rug naar haar toe te kijken naar het portret van haar moeder en haar dat was genomen toen Clare zes was. 'Je was schattiger dan ik me herinner,' zei hij.

'Het is een paar keer geretoucheerd.'

Hij grinnikte terwijl hij zijn aandacht richtte op een foto van Cindy, helemaal opgepoetst en opgedirkt met een roze strik in haar haar. 'Dit moet je verwijfde bastaard zijn.'

Cindy was erkend door de American Kennel Club en was lid van de yorkshireterriër Club van Amerika. Nauwelijks een bastaard dus. 'Ja. Van mij en van Lonny, maar hij heeft haar meegenomen toen hij vertrok.' Ze miste haar hond vreselijk toen ze naar de foto keek.

Hij deed zijn mond open om nog iets te zeggen, maar schudde zijn hoofd en keek in plaats daarvan door de kamer. 'Dit lijkt heel erg op je moeders huis.'

Haar huis leek helemaal niet op dat van haar moeder. Haar smaak was victoriaans, terwijl de smaak van haar moeder naar Frans klassiek neigde. 'In welk opzicht?'

'Veel spullen.' Zijn blik bleef op haar hangen. 'Maar jouw huis is meisjesachtiger. Net als jij bent.'

Hij zette zijn biertje op de schoorsteenmantel. 'Ik heb iets voor je, iets wat ik je niet wilde geven in het bijzijn van je vriendinnen. Voor het geval je niets hebt verteld over de nacht in het Double Tree.' Hij greep in de voorzak van zijn cargobroek. 'Ik geloof dat dit van jou is.'

Hij hield haar diamanten oorbel tussen zijn vingers. Clare wist niet wat verbazingwekkender was: het feit dat hij de oorbel had gevonden en terugbracht, of dat hij er in het bijzijn van haar vriendinnen niet over had gepraat. Beide gebaren waren onkarakteristiek attent. Aardig zelfs.

Hij pakte haar hand in de zijne en legde de diamanten oorbel in haar palm. De hitte van zijn hand trok in haar huid en verspreidde zich naar de toppen van haar vingers. De sensatie was verontrustend, en net zo ongewild als de herinnering aan wat hij had gedragen, of liever gezegd, wat hij niet had gedragen, die in haar hoofd doordrong en in haar hersenen bleef steken. 'Ik dacht dat ik hem voorgoed kwijt was.' Ze keek in zijn ogen. Er was iets puur fysieks aan Sebastian. Een combinatie van koele kracht en warme seksuele energie die onmogelijk te negeren was. 'Het zou moeilijk zijn geweest om er een passende oorbel bij te vinden.'

'Ik vergat steeds hem aan je te geven als je bij je moeder was.'

Zijn duim raakte de hare en de warmte verspreidde zich over haar handpalm. Ze kneep haar hand tot een vuist om de hete prikkels tegen te houden, en ze duwde haar vingers strak tegen elkaar om te voorkomen dat het gevoel zich via haar pols naar haar borstkas verspreidde. Te laat, ze trok haar hand weg. Ze was oud genoeg om de warmte die haar huid raakte te herkennen. Ze wilde niets voelen voor Sebastian, of voor welke andere man dan ook. Niets. Ze had net een twee jaar durende relatie achter de rug. Het was te vroeg, maar dit gevoel had niets te maken met diepe emoties en alles met begeerte. 'Vertel me wat er zaterdagavond in het Double Tree is gebeurd.'

'Dat heb ik gedaan.'

Ze deed een stap naar achteren. 'Nee. Je hebt niet alles verteld. Vanaf het moment dat je me op een barkruk zag praten met een tandeloze man in een mouwloos shirt tot het moment dat ik naakt wakker werd, moet er meer zijn gebeurd.'

Hij glimlachte alsof ze iets grappigs had gezegd. De glimlach doofde het warme gevoel van begeerte. 'Ik vertel het als je mij vertelt wat jij en je vriendinnen te vieren hadden.'

'Waarom denk je dat we iets vierden?'

Hij wees naar de champagne. 'Ik denk dat die fles rond de honderddertig dollar heeft gekost. Niemand drinkt zomaar Dom Perignon. En bovendien, ik heb je vriendinnen net ontmoet, dus ik wil geen onzin meer horen over een godsdienstige kring.'

'Hoe weet je hoeveel de champagne heeft gekost?'

'Ik ben journalist. Ik ben heel goed in het opmerken van details. Je vriendin met het gekrulde haar zei dat het vandaag jouw dag was. Laat me dus niet zo hard zwoegen om een antwoord te krijgen, Clare.'

Ze vouwde haar armen over elkaar. Wat kon het haar schelen als hij het wist over de hiv-test? Hij wist al dat ze van plan was geweest zich te laten testen. 'Ik ben vandaag bij de dokter geweest en... Herinner je je dat ik je maandag vertelde dat ik me zou laten testen?'

'Op hiv?'

'Ja.' Ze vond het moeilijk om in zijn ogen te kijken, dus liet ze haar blik naar de zonnebril dalen die aan de hals van zijn T-shirt hing. 'Ik hoorde vandaag dat ik negatief was.'

'Dat is goed nieuws.'

'Ja.'

Hij legde zijn vingers onder haar kin en dwong haar naar hem te kijken. 'Niets.'

'Wat?'

'We hebben niets gedaan. Niets leuks in elk geval. Je hebt gehuild tot je in slaap viel, en ik heb je minibar geplunderd.'

'Dat is het? En hoe ben ik dan naakt geëindigd?'

'Ik dacht dat ik dat had verteld.'

Hij had zoveel dingen verteld. 'Vertel het me nog maar een keer.'

Hij haalde zijn schouders op. 'Je stond op, trok je kleren uit en kroop weer in bed. Het was nogal een show.'

'Is er meer?'

Hij glimlachte een beetje. 'Ja. Ik heb gelogen over de man in de bar van het Double Tree. Die met de baseballpet en het mouwloze shirt.'

'Over het drinken van Jägermeister?' vroeg ze hoopvol.
'Nee, dat niet. Je sloeg echt Jägermeisters achterover, maar hij miste geen tanden en hij had geen neusring.'
Dat luchtte niet bepaald op. 'Is dat alles?'
'Ja.'
Ze wist niet of ze hem geloofde. Hoewel hij haar oorbel had teruggebracht en haar een vernederende uitleg aan haar vriendinnen had bespaard, dacht ze niet dat hij had gelogen om haar gevoelens te sparen. God wist dat hij dat in het verleden ook nooit had gedaan. Haar hand verstrakte rond de diamant in haar handpalm. 'Goed, bedankt dat je de oorbel hebt teruggebracht.'
Hij grinnikte. 'Ik heb een achterliggend motief.'
Natuurlijk had hij dat.
'Je kijkt bezorgd.' Hij stak zijn handen in de lucht alsof hij zich overgaf. 'Ik beloof je dat het geen pijn doet.'
Ze draaide zich om en legde de oorbel in de goudkleurige emaillen schaal op de salontafel. 'De laatste keer dat je dat zei, heb je me overgehaald om doktertje te spelen.' Ze ging rechtop staan en wees naar haar borstkas. 'Ik eindigde spiernaakt.'
'Ja,' zei hij lachend. 'Ik herinner het me, maar het was niet zo dat je niet wilde spelen.'
Nee zeggen was altijd haar probleem geweest. Maar nu niet meer. 'Nee.'
'Je weet niet eens wat ik je wil vragen.'
'Ik hoef het niet te weten.'
'En als ik beloof dat je dit keer niet naakt eindigt?' Zijn blik gleed van haar mond langs haar keel naar haar vinger, die tussen haar borsten op haar jurk rustte. 'Behalve als je erop staat.'
Ze pakte de drie lege glazen en de champagnefles. 'Vergeet het maar,' zei ze zuchtend terwijl ze de kamer uit liep.
'Het enige wat ik nodig heb zijn een paar ideeën over wat ik mijn vader zaterdag voor het feest moet geven.'
Ze keek naar hem. 'Is dat alles?' Er moest meer zijn.
'Ja. Omdat ik de oorbel moest brengen, dacht ik dat je me een

tip kon geven. Me wat ideeën aan de hand doen. Mijn vader en ik proberen elkaar beter te leren kennen, maar jij kent hem beter dan ik.'

Juist, nu voelde ze zich dus rot. Ze had een oordeel over hem klaar gehad en dat was niet eerlijk. Hij was als kind een gladde praatjesmaker geweest, maar dat was een hele tijd geleden. Zij wilde ook niet worden beoordeeld op de dingen die ze had gezegd en gedaan toen ze een meisje was. 'Ik heb een antieke houten eend voor hem gekocht,' antwoordde ze terwijl ze de keuken in liep. De hakken van haar sandalen tikten op de hardhouten vloer. 'Misschien kun je een boek over houtsnijden voor hem kopen.'

'Een boek zou goed zijn.' Sebastian liep achter haar aan. 'En wat denk je van een nieuwe vishengel?'

'Ik wist niet dat hij nog viste.' Clare zette de glazen en de fles op het granieten kookeiland in het midden van de keuken.

'We hebben vanmiddag een paar forellen uit het stuwmeer gehaald.' Hij leunde tegen het aanrecht en vouwde zijn armen over elkaar. 'Zijn hengel is behoorlijk gedateerd, dus ik dacht erover om hem een nieuwe te geven.'

'Dan moet je wel op het merk letten.'

'Daarom dacht ik dat jij me kon helpen. Ik heb opgeschreven wat we nodig hebben.'

Ze zweeg en draaide zich langzaam naar hem om. 'We?'

Hij haalde zijn schouders op. 'Natuurlijk. Je gaat toch mee?'

Er klopte iets niet helemaal. Hij keek niet in haar ogen en... Ze ademde in en plotseling was de echte reden voor zijn onaangekondigde bezoek kristalhelder. 'Er is geen we, hè? Je bent hiernaartoe gekomen om ervoor te zorgen dat ik een hengel voor je vader ga kopen. Alleen.'

Hij keek naar haar en schonk haar zijn allercharmantste glimlach. 'Schatje, ik weet niet waar de goede sportwinkels in deze stad zijn. En het heeft geen nut als we allebei gaan.'

'Noem me geen schatje.' Ze was zó stom geweest. Ze had hem het voordeel van de twijfel gegeven, ze had zich rot gevoeld omdat ze hem verkeerd had beoordeeld, en daar stond hij, in haar keuken, in een poging haar te manipuleren. Ze vouwde haar armen over elkaar. 'Nee.'

'Waarom niet?' Hij liet zijn handen langs zijn zij vallen. 'Vrouwen vinden winkelen heerlijk.'

'Als het om schoenen gaat. Niet om vishengels. Duh!' Ze kreunde inwendig en deed haar ogen dicht. Had ze daarnet echt *duh* gezegd? Alsof ze tien jaar was?

Sebastian begon duidelijk geamuseerd te lachen. 'Duh? Wat komt hierna? Ga je me een lamme zak noemen?'

Ze haalde diep adem en deed haar ogen open. 'Tot ziens, Sebastian,' zei ze terwijl ze naar de deuropening van de keuken liep. Ze bleef staan en wees naar de voordeur. 'Je staat er alleen voor.'

Hij zette zich af tegen het aanrecht en liep naar haar toe. Langzaam en op zijn gemak, alsof hij helemaal geen haast had om aan haar eis gehoor te geven. 'Je vriendinnen hebben gelijk, weet je.'

Lieve hemel! Had hij hun gesprek over flink geschapen mannen gehoord?

Hij liep langs haar, bleef heel even staan en zei vlak bij haar oor: 'Je was misschien niet het mooiste kleine meisje in je lakleren schoenen, maar je bent uitgegroeid tot een prachtige vrouw. Vooral als je je zo opwindt.'

Hij rook goed, en als ze haar hoofd maar een klein stukje draaide kon ze haar neus in zijn nek begraven. Het verlangen om dat te doen alarmeerde haar en ze bleef zo stil mogelijk staan. 'Vergeet het maar. Ik ga niet voor je winkelen.'

'Alsjeblieft?'

'Absoluut niet.'

'Stel voor dat ik verdwaal?'

'Koop een plattegrond.'

'Dat hoef ik niet. De Land Cruiser heeft een navigatiesysteem.' Hij grinnikte en deed een stap naar achteren. 'Je was grappiger als kind.'

'Ik was lichtgeloviger. Ik ben geen klein meisje meer en je kunt me niet meer manipuleren, Sebastian.'

'Clare, je wilde dat ik je manipuleerde.' Hij glimlachte en liep naar de voordeur. 'En dat is nog steeds zo,' zei hij en hij was verdwenen voordat ze ertegenin kon gaan of 'tot ziens' of 'godzijdank' kon zeggen.

Ze liep terug naar de keuken, pakte de champagneglazen en zette ze naast de gootsteen. Belachelijk. Ze had niet gewild dat hij haar manipuleerde. Ze had gewoon gewild dat hij haar aardig vond. Ze draaide de kraan open en kneep een paar druppels afwasmiddel met citroengeur in de gootsteen. Ze had gewoon gewild dat hij haar aardig vond. Ze was bang dat dat het verhaal van haar leven was. Verdrietig en een beetje pathetisch, maar waar.

Het water stroomde even voordat ze de kraan uitzette en de glazen in het warme sop legde. Als ze eerlijk was en goed naar haar verleden keek, kon ze dezelfde destructieve patronen ontdekken. Als ze eerlijk was, het soort eerlijk dat pijnlijk was om naar te kijken, moest ze toegeven dat ze haar volwassen leven liet beïnvloeden door haar jeugd.

Dat toegeven kostte moeite, maar het was te duidelijk om te negeren. Ze weigerde al zo lang resoluut om het in overweging te nemen omdat het een cliché was, en ze haatte clichés. Ze haatte het om ze te schrijven, maar ze haatte het nog meer dat ze er zelf één was.

Op de universiteit had ze sociologiecolleges gevolgd en ze had de onderzoeken gelezen die waren uitgevoerd bij kinderen die waren opgevoed in eenoudergezinnen. Ze had gedacht dat ze was ontsnapt aan de statistieken waaruit bleek dat meisjes die zonder vader waren opgegroeid de kans liepen om vaker en vroeger seksueel actief te zijn en dat het risico groter was dat ze zelfmoord pleegden of in de criminaliteit terechtkwamen. Ze had nooit ook maar één gedachte besteed aan zelfmoord, ze was nooit gearresteerd en ze was pas als eerstejaarsstudent haar maagdelijkheid kwijtgeraakt. Haar vriendinnen uit tweeoudergezinnen waren op de middelbare school al geen maagd meer geweest. Daarom had ze zichzelf ervan overtuigd dat zij de klassieke 'vaderkwesties' niet had.

Nee, ze had geen willekeurige seksuele relaties gehad. Ze was alleen emotioneel leeg en onbewust op zoek naar mannelijke goedkeuring om zich compleet te voelen.

Clare waste de glazen af en zette ze op een handdoek om te drogen. Ondanks alle intenties en plannen was ze zonder vader opgegroeid. Als ze bij haar vader op bezoek was, woonde er altijd een mooie vrouw bij hem. Een nieuwe mooie vrouw. Al die mooie vrouwen hadden het kleine meisje met de dikke bril en de brede mond die niet bij haar gezicht paste nog onzekerder gemaakt en hadden haar het gevoel gegeven dat ze onaantrekkelijk was. Het was hun schuld niet geweest. De meeste vrouwen waren vriendelijk tegen haar. Het was haar schuld ook niet geweest. Ze was een kind geweest – zo was het leven gewoon, haar leven – en die oude onzekerheden beïnvloedden haar relaties met mannen nog steeds. Na al die jaren.

Clare deed de la open en haalde er een handdoek uit. Terwijl ze haar handen afdroogde, kwam ze tot een pijnlijke conclusie. Ze had genoegen genomen met mannen voor wie ze te goed was omdat ze diep vanbinnen blij was dat ze voor haar hadden gekozen. Het was niet precies het ta-da-moment waarop ze had gewacht om haar relatie met Lonny te verklaren. Het gaf geen antwoord op de vraag waarom ze niet had gezien wat voor alle anderen zo duidelijk was geweest, maar het verklaarde wel waarom ze genoegen had genomen met een man die nooit van haar kon houden op een manier waarop elke vrouw recht had.

De telefoon die naast de porseleinen bus stond ging over en ze keek naar de display. Het was Lonny. Hij had haar elke dag gebeld sinds ze hem eruit had gegooid. Ze nam nooit op en hij liet nooit een bericht achter. Dit keer besloot ze op te nemen. 'Ja.'

'O, je bent thuis.'

'Ja.'

'Hoe is het met je?'

Alle lege plekken binnen in haar deden pijn doordat ze zijn stem hoorde. 'Goed.'

'Ik dacht we misschien met elkaar konden afspreken om te praten.'

'Nee. Er valt niets te zeggen.' Ze deed haar ogen dicht en duwde de pijn weg. De pijn van het verlies en van het houden van een man die niet bestond. 'Het is het beste als we allebei gewoon verdergaan.'

'Ik heb je nooit pijn willen doen.'

Ze deed haar ogen open. 'Ik heb nooit begrepen wat daarmee wordt bedoeld.' Ze lachte zonder echt vrolijk te zijn. 'Je bent met me uitgegaan, je bent met me naar bed geweest, je hebt me gevraagd of ik met je wilde trouwen, maar je voelde je niet fysiek tot me aangetrokken. Welk deel daarvan was bedoeld om me geen pijn te doen?'

Het was een tijdje stil. 'Je bent sarcastisch.'

'Nee. Ik wil echt weten hoe je twee jaar lang tegen me hebt kunnen liegen, en hoe je nu kunt beweren dat je me nooit pijn hebt willen doen.'

'Het is waar. Ik ben geen homo,' zei hij, waarmee hij niet alleen tegen haar maar ook tegen zichzelf loog. 'Ik heb altijd een vrouw en kinderen en een huis met een tuin gewild. Dat wil ik nog steeds. Dat maakt me een normale man.'

Ze had bijna medelijden met hem. Hij was nog meer in de war dan zij was. 'Dan ben je een man die probeert zich te gedragen als iemand die hij niet is.'

'Wat maakt het eigenlijk uit? Homo of hetero, mannen gaan voortdurend vreemd.'

'Dat maakt het nog niet goed, Lonny. Zij zijn net zo schuldig aan liegen en bedriegen als jij bent.'

Toen ze ophing wist ze dat ze voor het laatst afscheid van hem had genomen. Hij zou niet meer bellen en er was een deel van haar dat hem miste. Dat nog steeds van hem hield. Hij was niet alleen haar verloofde geweest, maar hij was een van de beste mannelijke vrienden die ze ooit had gehad, en ze zou die vriendschap nog een hele tijd missen.

Ze droogde de glazen af en zette ze in de porseleinkast in de eetkamer. Haar gedachten keerden terug naar Sebastian en zijn irritante stiekeme gedrag. En naar de feromonen die hij uitwasemde als de hete lucht die vlak boven de Mojavewoestijn zinderde. Die feromonen hadden Maddie en Adele bedwelmd en verdoofd achtergelaten. En hoe ze het ook haatte om toe te geven, ze kon niet ontkennen dat zij zich ook erg bewust van hem was. De manier waarop hij keek en rook, het gevoel van zijn hand op de hare.

Wat was er mis met haar? Ze had net een serieuze relatie achter de rug en ze dacht alweer aan het gevoel dat de aanraking van een andere man haar bezorgde. Maar nu ze er rationeel over nadacht, realiseerde ze zich dat haar reactie op Sebastian waarschijnlijk te maken had met het feit dat ze al eeuwen geen goede seks meer had gehad, en niet zozeer met de man zelf.

Hij wil je, had Maddie gezegd, en Adele had eraan toegevoegd: *Je hebt een man nodig om weer op gang te komen.* Ze hadden het mis. Allebei. Het laatste wat ze nodig had was een man, tijdelijk of permanent, hoe lang het ook geleden was dat ze goede seks had gehad. Nee, ze moest eerst goed in haar vel zitten voordat ze er zelfs maar aan dacht om een man in haar leven toe te laten.

Tegen de tijd dat ze die avond in bed stapte, was Clare ervan overtuigd dat haar reactie op Sebastian puur fysiek was. Het was de reactie die iedere vrouw op een knappe man had. Dat was alles. Normaal. Natuurlijk. En het zou voorbijgaan.

Ze deed het bedlampje uit en grinnikte in de duisternis. Hij had gedacht dat hij naar haar huis kon komen en haar zover kon krijgen dat ze zijn boodschappen voor hem deed. Dat hij haar net zoals in het verleden kon charmeren.

'Wie is er nu een sukkel?' fluisterde ze. Voor het eerst in haar leven had ze zich niet door Sebastian laten manipuleren.

Maar de volgende ochtend, toen ze koffie zette en ze haar voordeur opendeed om haar krant te halen, viel er een hengel haar huis binnen. In een van de ogen van de hengel was een Burger King-servet gestopt waarop een krabbel stond:

Clare,

Kun je deze alsjeblieft inpakken en morgenavond meenemen naar het feest? Ik ben verschrikkelijk in dit soort dingen en ik wil mijn vader niet in verlegenheid brengen in het bijzijn van zijn vrienden. Ik weet zeker dat jij het fantastisch zult doen.

Dank,
Sebastian

Negen

Ze had de hengel en haspel in roze linten en glitterstrikken verpakt. Het was zo meisjesachtig en opzichtig dat Sebastian het cadeau achter de bank in het koetshuis had verstopt, waar niemand het zou zien.

'Wat is het toch een lief meisje.'

Sebastian stond onder een groot zonnescherm dat was opgezet in de achtertuin van de Wingates. Er waren ongeveer vijfentwintig gasten en Sebastian had geen van hen ooit ontmoet. Hij was aan iedereen voorgesteld en herinnerde zich de meeste namen. Na jaren van journalistiek had hij een tic ontwikkeld om zich mensen en gebeurtenissen te herinneren.

Roland Meyers, een van Leo's oudste vrienden, stond naast hem en at van de foie gras. 'Wie?' vroeg Sebastian.

Roland wees naar een grote groep mensen aan de andere kant van het gazon, die door de ondergaande zon in feloranje werden gedompeld. 'Clare.'

Sebastian prikte een klein worstje aan een cocktailprikker en legde het naast de met krab gevulde camembert op zijn bord. 'Dat heb ik gehoord.'

Zijn vader droeg een donkergrijze broek, een chic wit overhemd en een afgrijselijke stropdas met een huilende wolf erop.

'Clare en Joyce hebben dit allemaal voor je vader georganiseerd.' Roland pakte een drankje met ijsblokjes en voegde eraan toe: 'Ze zijn als familie voor hem geweest. Ze hebben altijd heel goed voor hem gezorgd.'

Sebastian merkte een zweem van afkeuring. Het was niet de

eerste keer die avond dat hij het gevoel had dat hij een beleefd standje kreeg omdat hij niet eerder op bezoek was gekomen, maar hij kende Roland niet goed genoeg om er zeker van te zijn.

Rolands volgende woorden namen elke twijfel echter weg. 'Ze hadden het nooit te druk voor hem. Heel anders dan zijn familie.'

Sebastian glimlachte. 'De snelweg is geen eenrichtingsverkeer, meneer Meyers.'

De oude man knikte. 'Dat is waar. Ik heb zes kinderen en ik kan me niet voorstellen dat ik een van hen tien jaar lang niet zou zien.'

Het was eerder veertien jaar, maar wie hield dat bij. 'Wat doet u voor werk?' vroeg Sebastian om van onderwerp te veranderen.

'Ik ben dierenarts.'

Sebastian liep langs de tafel die vol stond met hors-d'oeuvres. Recht achter hem stroomde jarenzestigmuziek uit de geluidsboxen, die verborgen waren achter bloembakken gevuld met grote grassen en lisdodden. Een van de sterkste herinneringen die Sebastian aan zijn vader had was zijn voorliefde voor de Beatles, Dusty Springfield en vooral Bob Dylan. En dat hij *Fantastic Four*-stripboeken las en naar *Lay Lady Lay* luisterde.

Sebastian at de camembert op dunne crackers en nam daarna een paar gevulde champignons. Hij liet zijn blik rusten op de mensen die op het gazon rondliepen, tussen brandende fakkels en kaarsen die in de fonteinen dreven. Zijn ogen gingen naar de groep mensen die bij een fontein met een nimf stond, en vooral naar een brunette. Clare had haar steile haar gekruld. De ondergaande zon scheen op de weelderige krullen en raakte de zijkant van haar gezicht. Ze droeg een strakke blauwe jurk met kleine witte bloemen die tot net boven haar knie kwam. De dunne bandjes van de jurk zagen eruit als bh-bandjes, en een wit lint omsloot haar ribben en was vastgeknoopt onder haar borsten.

Voordat de gasten die avond waren gearriveerd, had hij toegekeken hoe de cateraar alles had opgesteld terwijl Clare en Joyce Leo's houtsnijwerk op de tafels en tussen de lisdodden hadden gezet. Roland had gelijk gehad. De Wingate-vrouwen zorgden goed voor zijn vader. Hij voelde een steek van schuld. Wat hij tegen Roland had gezegd, was waar. De snelweg was geen eenrichtingsverkeer en hij had tot een week geleden nooit de moeite genomen om naar zijn vader toe te rijden. Ze hadden hun relatie laten doodbloeden, en het leek niet belangrijk of het de schuld van zijn vader was of van hem.

Het vissen met zijn vader was geweldig geweest en Sebastian had voor het eerst een zweem van optimisme gevoeld. Als geen van tweeën iets deed om de boel te verzieken, hadden ze nu misschien een soort raamwerk waarop ze konden bouwen. Het was grappig dat hij tot maar een paar maanden geleden een 'barst maar'-houding naar zijn vader toe had gehad. Dat was voordat hij in het mortuarium had gestaan om een kist voor zijn moeder uit te zoeken. Die dag was zijn wereld verschoven; hij was honderdtachtig graden gedraaid en veranderd, of hij dat wilde of niet. Hij wilde zijn vader leren kennen voordat het te laat was. Voordat hij opnieuw een beslissing moest nemen over kersenhout of brons. Crêpe of fluweel. Cremeren of begraven.

Hij schoof de laatste hors-d'oeuvre in zijn mond en gooide zijn bord bij het afval. Misschien was zijn vader degene die, met het oog op zijn werk, dat soort beslissingen voor hem moest nemen. Hij werd liever gecremeerd dan begraven en hij wilde dat zijn as werd verstrooid in plaats van dat die werd bewaard in een urnenbewaarplaats of op een schoorsteenmantel. In zijn leven was er heel wat keren op hem geschoten, hij had jacht gemaakt op verhalen en er was jacht gemaakt op hem; hij had geen illusies over zijn eigen sterfelijkheid.

Na die vrolijke beschouwing bestelde hij een whisky met ijs bij de openluchtbar en liep daarna naar zijn vader toe. Toen hij had gepakt voor zijn plotselinge trip naar Boise, had hij jeans, een paar cargobroeken en voor een week voldoende T-shirts in een koffer gegooid. Het was niet bij hem opgekomen om iets in te pakken wat hij naar een feest kon dragen. Eerder die middag had zijn vader hem een blauw-wit gestreept overhemd en een effen rode das gebracht. Hij had de stropdas op de ladekast laten liggen, maar hij had dankbaar gebruikgemaakt van het overhemd, waarvan hij de slippen in zijn nieuwste Levi's had gestopt. Af en toe ving hij de geur op van het wasmiddel van zijn vader en dan realiseerde hij zich dat het van hem afkomstig was – een beetje verwarrend na al die jaren, maar prettig.

Toen Sebastian naar hem toe kwam, maakte zijn vader plaats voor hem. 'Vermaak je je?' vroeg Leo.

Zich vermaken? Nee. Zich vermaken had een heel andere betekenis in Sebastians persoonlijke vocabulaire en hij had dat soort vermaak al maanden niet gehad. 'Zeker. Het eten is goed.' Hij bracht zijn glas naar zijn mond. 'Maar sla de kaasbal met stukjes maar over,' adviseerde hij van achter zijn glas.

Leo glimlachte en vroeg fluisterend: 'Wat zijn het voor stukjes?'

'Noten.' Sebastian nam een slok en zijn blik gleed naar Clare, die anderhalve meter van zijn vader vandaan stond te praten met een man in een groen-blauwe tartan die achter in de twintig leek. 'En een soort fruit.'

'Aha, Joyce' ambrozijnen kaasbal. Die maakt ze ook met Kerstmis. Vreselijk spul.' Leo glimlachte. 'Vertel het haar maar niet. Ze denkt dat iedereen het heerlijk vindt.'

Sebastian grinnikte en liet zijn glas zakken.

'Excuseer me, ik ga nog wat van de camembert pakken voordat het allemaal op is,' zei zijn vader, waarna hij regelrecht op het buffet afstevende.

Sebastian zag zijn vader weglopen, zijn pas iets langzamer dan anders. Het liep tegen zijn bedtijd.

'Ik wed dat Leo ontzettend gelukkig is dat je eindelijk hier bent,' zei Lorna Devers, de buurvrouw die achter de haag woonde.

Sebastian keek haar aan. 'Ik weet niet of hij daar gelukkig mee is.'

'Natuurlijk is hij dat.' Mevrouw Devers was een vijftiger, hoewel het moeilijk te zeggen was hoe oud ze precies was, aangezien haar gezicht bevroren was door de botox. Sebastian had geen uitgesproken mening over plastische chirurgie, hij vond alleen dat het niet zo duidelijk moest zijn voor de toevallige toeschouwer dat iemand een gezicht had laten liften, een borstvergroting had genomen, vet had laten afzuigen of botox had laten injecteren. Het voorbeeld had hij recht voor zich, in de vorm van Lorna's borsten met Pamela Anderson-omvang. Het was niet zo dat hij iets tegen groot had, of zelfs tegen namaak. Hij hield alleen niet van zo groot en zo namaak bij een vrouw van die leeftijd.

'Ik ken je vader al twin... een paar jaar,' zei ze, en daarna praatte ze over zichzelf en haar poedels, Missy en Poppet. Voor zover het Sebastian betrof, waren dat afknapper drie en vier. Hij had niets tegen poedels, hoewel hij zelf niet zo'n beest zou willen hebben, maar Missy en Poppet? Jezus, alleen de klank van die twee namen deed zijn testosteron al verdwijnen. Als hij nog langer luisterde, was hij bang dat hij een vagina zou krijgen. Om zijn verstand en zijn mannelijkheid te bewaren, luisterde Sebastian naar de verschillende gesprekken rondom hem terwijl Lorna doorratelde.

'Ik zal een van je boeken moeten kopen,' zei de man naast Clare. 'Misschien leer ik nog het een en ander.' Hij lachte om zijn eigen grapje en leek niet te merken dat hij de enige was die lachte.

'Rich, dat zeg je altijd,' zei Clare poeslief. Het licht van de fakkels scheen door haar zachte, donkere krullen en raakte de hoeken van haar erg onoprechte glimlach.

'Ik ga het dit keer doen. Ik heb gehoord dat ze heel sexy zijn. Als je research moet doen, bel je me maar.'

Als Rich het zei, klonk het op de een of andere manier heel ranzig. Totaal anders dan wanneer Sebastian het zei. Hoewel... misschien klonk het net zo ranzig, maar wilde hij niet denken dat hij hetzelfde niveau had als Rich.

Clares onoprechte glimlach werd nog wat breder, maar ze gaf geen antwoord.

Recht tegenover Sebastian stond Joyce te praten met een paar vrouwen die van haar leeftijd leken. Hij betwijfelde of ze vriendinnen van zijn vader waren. Daarvoor zagen ze er te rijk en te oude-garde-Junior-League uit.

'Betty McLeod vertelde me dat Clare liefdesromans schrijft,' zei een van hen. 'Ik ben gek op kitscherige romans, hoe kitscheriger hoe beter.'

In plaats van Clare te verdedigen, beweerde Joyce met een stem die geen tegenspraak duldde: 'Nee, Claresta schrijft vrouwenfictie.' Sebastian zag Clares onoprechte glimlach in het licht van de fakkels verdwijnen. Haar ogen vernauwden terwijl ze zich bij Rich verontschuldigde, het gazon overstak en achter de potten met lange grassen en lisdodden verdween.

'Excuseer me, Lorna,' zei hij, waarmee hij de fascinerende verhalen over de voorliefde van Missy en Poppet voor autoritjes onderbrak.

'Blijf de volgende keer niet zo lang weg,' riep ze hem na.

Sebastian volgde Clare en vond haar bij de stapel cd's naast de geluidsinstallatie. Het licht van de fakkels scheen ternauwernood door de grassen en ze las de titels bij het blauwe lcd-licht.

'Wat ga je nu opzetten?' vroeg hij.

'AC/DC.' Ze keek even op en richtte haar blik daarna weer op de cd in haar hand. 'Mijn moeder haat herrie.'

Sebastian grinnikte en kwam achter haar staan. *Shoot to Thrill* zou Joyce' bloeddruk waarschijnlijk omhoog laten schieten en haar een hartaanval bezorgen. Hoewel dat grappig zou zijn, zou het Leo's feest verpesten. Hij keek over Clares schouder naar de stapel muziek. 'Ik heb Dusty Springfield in geen jaren gehoord. Waarom zet je die niet op?'

'Goed, spelbreker,' zei Clare terwijl ze Dusty's cd oppakte. 'Hoe vond Leo de hengel?'

Hij zou nog liever gemarteld worden dan toegeven dat hij hem nog niet had gegeven. 'Hij vond hem fantastisch. Bedankt voor het inpakken.'

'Graag gedaan,' zei ze. Sebastian kon de lach in haar stem horen terwijl ze de cd in de stereo-installatie stopte. 'Jullie moeten hem samen uitproberen nu je hier bent.'

'Dat zal moeten wachten. Ik vertrek morgen. Ik moet weer aan het werk.'

Ze keek over haar schouder naar hem. 'Wanneer kom je terug?'

'Ik weet het niet.' Zodra hij het artikel over de uitbraak van zwarte koorts in Rajwara klaar had, zou hij naar de grens tussen Arizona en Mexico gaan om een vervolgartikel te schrijven over de illegalen die daar het land binnenkwamen. Daarna vertrok hij naar New Orleans om een aanvulling te schrijven op de omstandigheden en vooruitgang in de 'Big Easy'. Op een bepaald moment zou hij ook het leeghalen van zijn moeders huis moeten regelen, maar hij nam aan dat dat kon wachten. Daar was geen haast bij.

'Ik zag Leo's nieuwe Lincoln op de oprit staan. Ik neem aan dat de oude de vijftig heeft gehaald?'

'Inderdaad. Hij heeft de nieuwe Town Car vandaag bij een dealer in Nampa gekocht,' zei hij terwijl de delicate geur van haar parfum hem omringde en hij het verlangen voelde om zijn gezicht naar de zijkant van haar hals te brengen. 'Je weet veel over mijn vader.'

'Natuurlijk.' Ze haalde haar schouders op en het dunne bandje gleed langs haar arm. 'Ik ken hem al bijna mijn hele leven.' Ze drukte op *play* en Dusty Springfields weelderige, gevoelige stem stroomde als een sexy fluistering uit de geluidsboxen. Ze schudde haar hoofd, zodat haar krullen haar blote schouders raakten. Sebastian voelde opnieuw een sterk verlangen om zijn hand op te tillen en een van de krullen die tegen haar huid lagen aan te raken. Om de structuur met zijn vingers te voelen. Hij deed een paar stappen naar achteren en trok zich dieper terug in de duisternis. Weg van de geur van haar hals en de onverklaarbare drang om haar haren aan te raken.

'Zolang ik me kan herinneren heeft hij in de achtertuin van mijn moeder gewoond,' ging ze verder terwijl Dusty zong over een beetje liefde krijgen in de ochtend. Ze draaide zich om en keek door de gevlekte schaduwen naar hem. 'Ik ken hem in veel opzichten beter dan mijn eigen vader. Ik heb in ieder geval veel meer tijd met hem doorgebracht.'

Hij nam aan dat Clare zijn binnenste in hete lava veranderde omdat hij al maanden geen seks meer had gehad. Dat moest de reden zijn. Door zijn moeders begrafenis en alle andere dingen die speelden, had hij zijn seksleven opzijgezet. Zodra hij thuis was, moest hij daar wat aan doen. 'Maar hij is je vader niet.'

'Ja. Dat weet ik.'

Een man moest seks niet opzijzetten. Vooral niet als hij niet gewend was om het zonder te doen. Hij bracht zijn glas naar zijn lippen en dronk de laatste slok whisky. 'Als kind vroeg ik me dat af.'

'Of ik wist dat Leo mijn vader niet was?' Ze lachte, een hese, geamuseerde lach, en deed een stap in zijn richting. 'Ja. Dat wist ik. De term "seriebedrieger" is uitgevonden voor mijn vader. Elke keer als ik bij hem op bezoek was, had hij een nieuwe vrouw. Dat is nog steeds zo, en hij is nu zeventig.' Een lichtstraal die door de duisternis scheen verlichtte Clares decolleté, maar haar gezicht bleef in de inktachtige duisternis verborgen.

De herinnering dat hij haar naakt had gezien, behalve haar kleine roze string, schoot door zijn hoofd en raakte verstrengeld met de vrouw die voor hem stond. Verlangen kroop naar zijn buik en verstrakte zijn kruis. Hij keek weg van haar decolleté en keek achter zich. Het laatste wat hij nodig had om zijn leven ingewikkeld te maken was Clare Wingate.

'Hij denkt nog steeds dat hij een grote versierder is,' zei ze met haar hese lach.

Hij draaide zich om en liep naar een smeedijzeren bank die een paar meter verder onder een gesnoeide kornoelje stond. 'Ik weet niet eens of mijn vader een vriendin of een speciale vrouw in zijn leven heeft.' Hij ging zitten en leunde tegen het koele metaal.

'Hij heeft er een paar gehad. Niet veel.' Dusty's gevoelige stem dreef op de warme avondbries.

'Ik heb me altijd afgevraagd of er iets was tussen jouw moeder en mijn vader.'

Ze lachte haar hese lach. 'Niets romantisch.'

'Omdat hij de tuinier is?'

'Omdat zij frigide is.'

Dat geloofde hij meteen. Nog een ding dat moeder en dochter niet gemeen hadden.

'Ga je niet terug naar het feest?' vroeg ze.

'Nog niet. Als ik nog één seconde moet luisteren naar Lorna Devers, ben ik bang dat ik een van de fakkels pak en mezelf in brand steek.' Mevrouw Devers was niet de enige reden dat hij nog niet van plan was terug te gaan naar het feest. De andere reden droeg een blauw-witte jurk en stalkte hem.

'Au.' Clare lachte en liep naar hem toe.

'Geloof me, het zal minder pijnlijk zijn dan naar de belachelijke verhalen over Missy en Poppet te moeten luisteren.'

'Ik weet niet wie erger is, Lorna of Rich.'

'Haar zoon is een idioot.'

'Rich is haar zoon niet.' Ze ging naast hem op de bank zitten. Sebastian gaf het op en berustte in zijn afschuwelijke lot. 'Hij is haar vijfde echtgenoot.'

'Je meent het?'

'Ik meen het.' Ze ging achteroverzitten en de nacht slokte haar bijna op. 'Als ik mijn moeder nog één keer tegen iemand hoor zeggen dat ik vrouwenfictie schrijf, ben ik bang dat ik een van de fakkels pak en haar in brand steek.'

'Is het zo erg dat ze zegt dat je vrouwenfictie schrijft?' Het maanlicht filterde door de kornoelje en gleed over haar neus en mond. Die fantastische mond waarvan hij zich afvroeg of hij net zo heerlijk zou smaken als hij eruitzag.

'Het is de reden waarom ze het zegt. Ze schaamt zich voor me.' Clare glimlachte. 'Wie zullen we verder nog op de brandstapel gooien? Behalve Lorna en mijn moeder?'

Hij boog naar voren en leunde met zijn ellebogen op zijn knieën. Hij zette zijn glas op de grond en keek door de duisternis voor zich uit. Hij kon de omtrek van zijn vaders huis en het verandalicht boven de rode deur net onderscheiden. 'Iedereen die de tijd heeft genomen om me erop te wijzen dat mijn relatie met mijn vader waardeloos is.'

'Je relatie met Leo is ook waardeloos. Daar moet je aan proberen te werken. Hij wordt er niet jonger op.'

Hij keek naar de hypocriet die naast hem op de ijzeren bank zat. 'Hallo, pot? Je spreekt met de ketel.'

'Wat bedoel je daarmee?'

'Dat je, voordat je advies gaat geven, eerst eens goed naar je relatie met je moeder moet kijken.'

Clare vouwde haar armen over elkaar en keek naar de man naast haar; de witte strepen van zijn overhemd waren het meest zichtbaar. 'Mijn moeder is een onmogelijke vrouw.'

'Onmogelijk? Als er één ding is dat ik de afgelopen paar dagen heb geleerd, is dat er altijd een manier is om toenadering te zoeken.'

Ze opende haar mond om tegen hem in te gaan, maar deed hem weer dicht. Ze was jaren geleden gestopt met toenadering zoeken. 'Het heeft geen zin. Ik kan haar niet tevredenstellen. Ik heb het mijn hele leven geprobeerd en ik heb haar mijn hele leven teleurgesteld. Ik ben gestopt met de Junior League omdat ik er geen tijd voor had, en ik zit niet meer bij een van de andere liefdadigheidsinstellingen. Ik ben drieëndertig, single, en ik heb nog geen kleinkind geproduceerd. Voor haar is dat een verspilling van het leven. Eigenlijk is mijn verloving met Lonny het enige wat ik in haar ogen ooit goed heb gedaan.'

'Aha, dat is dus de reden.'

'Wat?'

'Ik heb erover nagedacht waarom een vrouw ervoor kiest om een relatie met een homo te hebben.'

Ze haalde haar schouders op en het andere bandje van haar jurk gleed ook langs haar arm. 'Hij loog tegen me.'

'Misschien wilde je die leugen geloven om je moeder een plezier te doen.'

Ze dacht even na. Het was niet de goddelijke openbaring waarop ze had gewacht, maar er zat een stukje waarheid in. 'Ja, misschien wel.' Ze schoof de bandjes terug. 'Maar dat betekent niet dat ik niet van hem hield en dat het minder pijn doet omdat hij me niet ontrouw is geweest met een vrouw.' Ze voelde het branden achter haar ogen. Ze had de hele week nog geen goede huilbui gehad, en ze kon het zich absoluut niet veroorloven om die nu te krijgen. 'Het betekent niet dat alle hoop die ik voor de toekomst had plotseling verdwijnt en dat ik me opgelucht voel.

Dat ik denk: pff, die kogel heb ik ontweken. Misschien zou ik dat moeten doen, maar...' Haar stem brak en ze kwam overeind alsof iemand haar omhoog sleurde.

Clare liep verder bij het feest vandaan en stopte onder een oude eik. Ze legde haar hand op de ruwe ongelijke bast en staarde door snel wazig wordende ogen naar de verwilderde begroeiing in de verte. Was het nog maar een week geleden? Het leek langer, en toch... Het leek ook alsof het gisteren was gebeurd. Ze wreef onder haar ogen en veegde de tranen weg. Ze was in het openbaar. Ze huilde niet in het openbaar.

Waarom trof de huilbui haar nu? Uitgerekend hier? Ze haalde diep adem en liet de lucht langzaam ontsnappen. Misschien omdat ze zichzelf druk bezig had gehouden. Ze had zich zorgen gemaakt over de hiv-test, en het plannen van Leo's feest had veel mentale en fysieke energie gekost. Nu die zorgen haar emoties niet meer blokkeerden, stortte ze in.

En dat kwam verdomd ongelegen.

Ze voelde dat Sebastian achter haar kwam staan. Hij raakte haar niet aan, maar stond zo dichtbij dat ze de warmte van zijn lichaam voelde.

'Huil je?'

'Nee.'

'Jawel.'

'Als je het niet erg vindt, wil ik gewoon even alleen zijn.'

Natuurlijk ging hij niet weg. In plaats daarvan legde hij zijn handen op haar schouders. 'Niet huilen, Clare.'

'Goed.' Ze veegde het vocht van haar wangen. 'Ik ben weer in orde. Je kunt naar het feest teruggaan. Leo vraagt zich waarschijnlijk af waar je bent.'

'Je bent niet in orde en Leo weet dat ik een grote jongen ben.' Hij liet zijn handen over haar naakte armen naar haar ellebogen glijden. 'Je moet niet huilen om iemand die het niet waard is.'

Ze keek naar haar gepedicuurde voeten, die nauwelijks zichtbaar waren in het donker. 'Ik weet dat je denkt dat ik er niet zo zwaar aan moet tillen omdat ik het juiste gereedschap niet heb, maar je begrijpt niet dat ik van Lonny hield. Ik dacht dat hij de man was met wie ik de rest van mijn leven zou doorbrengen. We hadden veel overeenkomsten.' Een traan rolde langs haar wang en viel op zijn borst.

'Behalve seks.'

'Ja, behalve dat, maar seks is niet alles. Hij ondersteunde mijn carrière en we zorgden voor elkaar op elke manier die echt belangrijk was.'

Zijn warme ruwe handpalmen gleden langs haar armen naar haar schouders. 'Seks is belangrijk, Clare.'

'Ik weet het, maar het is niet het belangrijkste in een relatie.' Sebastian maakte een spottend geluid, maar ze negeerde het. 'We waren van plan om naar Rome te gaan op huwelijksreis, zodat ik onderzoek kon doen voor een boek, maar dat is nu allemaal weg. En ik voel me belachelijk en... leeg.' Haar stem brak en ze veegde met haar hand over haar ogen. 'Hoe kun je de ene dag van iemand houden en de volgende dag niet meer? Ik wilde dat ik dat w-w-wist.'

Sebastian draaide haar om en legde zijn handen tegen de zijkanten van haar gezicht. 'Niet huilen,' zei hij terwijl hij met zijn duimen over haar natte wangen streek.

Het afgelegen geluid van de krekels vermengde zich met *Son of a Preacher Man*, dat zachtjes uit de geluidsboxen stroomde. Clare keek naar Sebastians vage donkere omtrek. 'Ik ben zo meteen weer in orde,' loog ze.

Hij liet zijn gezicht dalen en de lichte aanraking van zijn lippen zorgde ervoor dat de adem in haar keel stokte. 'Sst,' fluisterde hij bij haar mondhoek. Zijn handen gleden naar de achterkant van haar hoofd en zijn vingers woelden door haar haren. Hij plantte zachte kussen op haar wangen, haar slapen en haar voorhoofd. 'Niet meer huilen, Clare.'

Ze betwijfelde of ze het nog kon, zelfs als ze wilde. Terwijl Dusty zong over de enige jongen die het haar ooit kon leren, verkrampte de schok Clares borstkas en kon ze nauwelijks nog ademhalen.

Hij kuste haar neus en zei daarna vlak boven haar mond: 'Je hebt iets anders nodig om aan te denken.' Hij trok haar hoofd zachtjes naar achteren en haar lippen gingen een stukje uit elkaar. 'Bijvoorbeeld hoe het is om vastgehouden te worden door een man die hem omhoog kan krijgen voor een vrouw.'

Clare legde haar handen op zijn borstkas en voelde de stevige spieren onder het dure overhemd. Dit kon niet gebeuren. Niet met Sebastian. 'Nee, dat hoeft niet,' verzekerde ze hem een beetje wanhopig. 'Ik herinner het me.'

'Ik denk dat je het vergeten bent.' Zijn lippen duwden tegen de hare en trokken zich toen een fractie terug. 'Je hebt een klein geheugensteuntje nodig van een man die weet hoe hij zijn zuurvork moet gebruiken.'

'Ik wou dat je vergat dat ik dat heb gezegd,' zei ze moeizaam door de benauwdheid in haar borstkas.

'Nooit. Hoewel ik me niet kan voorstellen dat iets met de maat van een zuurvork veel nut voor iemand kan hebben.'

Ze snakte naar adem toen zijn mond boven de hare openging en zijn tong bij haar naar binnen schoof. Hij smaakte naar whisky en iets anders. Iets wat ze een hele tijd niet had geproefd. Seksuele begeerte. Heet en bedwelmend, rechtstreeks gericht op haar. Ze zou gealarmeerd moeten zijn, en dat was ze inderdaad een beetje. Maar ze genoot voornamelijk van de smaak in haar mond. Als iets goddelijks en rijks wat ze een tijd niet had gehad; het gevoel stroomde door haar heen en verwarmde alle lege plekken tot diep in haar buik.

Alles om haar heen week terug alsof het eb was. Het feest, de krekels, Dusty, de gedachten aan Lonny.

Sebastian had gelijk. Ze was vergeten hoe het was als een man de liefde met haar mond bedreef. Ze kon zich niet herinneren dat het ooit zo heerlijk was geweest. Of misschien was Sebastian gewoon erg goed. Haar handen gleden naar zijn schouders en de zijkanten van zijn nek terwijl zijn kundige tong haar plaagde en verleidde tot ze toegaf en hem terug zoende en de passie en het bezitterige gevoel retourneerde.

Haar tenen krulden in haar Kate Spade-pumps en ze woelde met haar vingers door het korte haar dat de kraag van zijn overhemd raakte. Zijn mond liet de hare niet los en toch voelde ze de zoen overal. Zijn natte mond op de hare maakte dat elke cel in haar lichaam gretig verlangde naar meer.

Ze ging op haar tenen staan en drukte haar lichaam tegen hem aan. Hij kreunde in haar mond, een intens geluid van begeerte en verlangen dat haar ego streelde en waardoor het vrouwelijke vuur diep binnen in haar oplaaide, het vuur dat ze had laten uitdoven tot een klein vonkje. Ze draaide haar hoofd opzij en haar mond klemde zich vast aan de zijne.

Zijn handen gleden naar haar middel en zijn duimen streelden haar buik door het dunne katoen van haar jurk. Zijn vingers duwden in haar vlees en hielden haar tegen zijn onderbuik, waar hij hard en gezwollen was. Hij wilde haar; ze was vergeten hoe heerlijk dat voelde. Ze zoende hem alsof ze hem wilde opeten, en deed het ook. Elk stukje. Op dat moment kon het haar niet schelen wie hij was, alleen hoe ze zich door hem voelde. Gewild en begeerd.

Hij trok zich terug en snakte naar adem. 'Jezus, stop!'

'Waarom?' vroeg ze, waarna ze de zijkant van zijn keel kuste.

'Omdat,' antwoordde hij met een stem die zowel rauw als gemarteld klonk, 'we allebei oud genoeg zijn om te weten waar dit toe leidt.'

Ze glimlachte tegen zijn hals. 'Waartoe dan?'

'Een vluggertje in het gras.'

Clare was niet zo ver heen. Ze liet zich op haar hielen zakken, deed een paar stappen achteruit, leunde met haar rug tegen de boom en haalde een paar keer diep adem. Ze zag hoe Sebastian met zijn vingers door zijn haar kamde en probeerde te begrijpen wat er was gebeurd. Ze had Sebastian Vaughan gekust en hoe gek het in haar hoofd ook klonk, ze had er geen spijt van. 'Je oefent al vanaf je negende,' zei ze nog steeds een beetje verdoofd door alles.

'Het had niet mogen gebeuren. Sorry, maar ik heb hieraan gedacht sinds de nacht dat je voor mijn ogen je kleren uittrok. Ik weet nog precies hoe je er naakt uitzag en het liep uit de hand en...' Hij wreef met zijn handen over zijn gezicht. 'Het zou niet gebeurd zijn als je niet was gaan huilen.'

Ze fronste haar voorhoofd terwijl ze in de donkere schaduwen staarde en bracht haar vingers naar haar lippen, die nog steeds vochtig waren van zijn kus. Ze wilde dat hij zijn verontschuldigingen niet had aangeboden. Ze wist dat ze waarschijnlijk boos of ontzet of beledigd moest zijn door de manier waarop ze zich hadden gedragen, maar dat was ze niet. Op dit moment voelde ze zich niet beledigd of ontzet en ze had zelfs geen spijt. Ze voelde gewoon dat ze leefde. 'Geef je mij de schuld? Ik ben niet degene die bezit heeft genomen van jouw mond en hem heeft aangerand.'

'Aangerand? Ik heb je niet aangerand.' Hij wees naar haar. 'Ik kan er niet tegen als ik een vrouw zie huilen. Ik weet dat het als een cliché klinkt, maar het is waar. Ik zou bijna alles hebben gedaan om je te laten stoppen.'

Ze wist zeker dat ze er later spijt van zou hebben. Als ze hem bijvoorbeeld overdag terugzag. 'Je had weg kunnen lopen.'

'Dan zou je nog steeds je ogen uit je hoofd huilen zoals die nacht in het Double Tree.' Hij haalde diep adem en liet de lucht langzaam ontsnappen. 'Ik heb je al weer een dienst bewezen.'

'Maak je een grapje?'

'Helemaal niet. Je bent gestopt met huilen, of niet soms?'

'Is dit die achterliggende-motief-onzin weer? Je hebt me gezoend om me te helpen?'

'Het is geen onzin.'

'Wow, wat nobel van je.' Ze lachte. 'Ik neem aan dat je opgewonden raakte door... Waardoor?'

'Clare,' zei hij zuchtend. 'Je bent een aantrekkelijke vrouw en ik ben een man. Natuurlijk raak ik opgewonden van je. Ik hoef geen poging te doen me voor te stellen hoe je er naakt uitziet, ik weet dat je mooi bent. Natuurlijk voelde ik iets. Als ik geen begeerte had gevoeld, zou ik me verdomd veel zorgen over mezelf moeten maken.'

Ze deed geen moeite hem erop te wijzen dat zij zijn begeerte ook had gevoeld, en dat die ongeveer twintig harde centimeters lang was. Ze wilde dat ze deugdzame verontwaardiging of boosheid kon oproepen, maar dat lukte haar niet. Als ze dat deed betekende het dat ze er spijt van moest hebben. Op dit moment had ze dat niet. Hij had haar met zijn zoen iets teruggegeven waarvan ze niet eens wist dat het verdwenen was: haar vermogen om met niets meer dan een zoen ervoor te zorgen dat een man haar wilde.

'Je moet me dankbaar zijn,' zei hij.

Natuurlijk. Ze moesten hem waarschijnlijk bedanken, maar niet om de reden die hij dacht. 'Je mag mijn kont kussen.' Hemel, dat klonk alsof ze weer tien jaar oud was, maar ze had dat gevoel niet. Dankzij de man tegenover haar.

Hij grinnikte, een laag en diep geluid.

'Voor het geval je dat in verwarring brengt, Sebastian, het was geen uitnodiging.'

'Ik weet zeker dat het klonk als een uitnodiging,' zei hij. Hij deed een paar stappen naar achteren en voegde eraan toe: 'De volgende keer dat ik hier ben, neem ik je uitnodiging misschien aan.'

'Ik weet het niet. Moet ik je daar dan voor bedanken?'

'Nee. Dat hoeft niet, maar dat doe je wel.' Hij draaide zich zonder nog een woord te zeggen om en liep weg, niet in de richting van het feest maar naar het koetshuis.

Ze kende Sebastian al haar hele leven. Sommige dingen waren niet veranderd. Zoals zijn pogingen om haar op het verkeerde been te zetten en haar te laten denken dat zwart wit was, haar allerlei onzin te vertellen en haar soms een fantastisch gevoel te geven. Zoals de keer dat hij haar had verteld dat haar ogen de kleur hadden van de irissen die in haar moeders tuin groeiden. Ze wist niet hoe oud ze was geweest, maar ze wist nog wel dat ze dagenlang op het compliment had geleefd.

Clare voelde de scherpe randen van de boom tegen haar rug terwijl ze zag dat Sebastian de veranda van het koetshuis op liep. Het licht boven zijn hoofd veranderde zijn haar in goud en het wit van zijn hemd leek bijna neon. Hij duwde de rode deur open en verdween naar binnen.

Ze bracht opnieuw haar vingers naar haar lippen; ze waren gevoelig geworden door zijn kus. Ze kende hem het grootste deel van haar leven al, maar één ding was zeker: Sebastian was niet langer een jongen. Hij was absoluut een man. Een man waar vrouwen zoals Lorna Devers watertandend naar keken, alsof ze hun tanden in hem wilden zetten, al was het maar één keer.

Clare kende het gevoel.

Tien

De tweede week van september stapte Sebastian op een internationale vlucht naar Calcutta, India. Tienduizend en nog wat kilometer en vierentwintig uur later ging hij aan boord van een kleiner vliegtuig op weg naar de vlakte van Bihar, India, waar leven en dood afhankelijk waren van de grillen van de jaarlijkse moesson en de mogelijkheid om aan een paar honderd dollar te komen om de strijd aan te gaan met *kala azar* – zwarte koorts.

Hij landde in Muzaffarpur en vertrok met een plaatselijke arts en een fotograaf voor een rit van vier uur naar het stadje Rajwara. Van een afstand leek het dorps en onaangetast door de moderne beschaving. Mannen in traditionele witte *dhoti kurta* bewerkten de velden met houten karren en waterbuffels, maar net zoals dat gold voor alle onderontwikkelde delen van de wereld waarover hij in het verleden had geschreven, wist Sebastian dat deze vredige scène een illusie was.

Terwijl hij samen met de twee andere mannen door de stoffige straten van Rajwara liep, werden ze omringd door groepen opgewonden kinderen die overal stof opwierpen. Een Seattle Mariners-baseballpet beschermde zijn gezicht tegen de zon, de zakken van zijn cargobroek zaten vol extra batterijen voor zijn cassetterecorder. De dokter was goed bekend in het dorp, en vrouwen in felle sari's kwamen tevoorschijn uit hun met riet bedekte hutten en begonnen in snel Hindi te praten. Sebastian had de dokter niet als vertaler nodig om te weten wat er werd gezegd. Het geluid van de armen die smeken om hulp was een universele taal.

Door de jaren heen had Sebastian geleerd om een professionele muur te bouwen tussen hem en wat er om hem heen gebeurde. Om erover te rapporteren zonder in de zwarte mist van een hopeloze depressie weg te zakken. Maar het was nog steeds moeilijk om met dit soort taferelen geconfronteerd te worden.

Hij bleef drie dagen op de vlakte van Bihar en interviewde hulpverleners van One World Health en Artsen zonder Grenzen. Hij bezocht ziekenhuizen en sprak met een farmaceutisch scheikundige uit Amerika die een sterker en effectiever antibioticum had ontwikkeld, maar zoals altijd bij medicijnontwikkeling was geld de sleutel tot het succes ervan. Hij bezocht opnieuw een kliniek en liep tussen de opeengepakte rijen bedden door voordat hij terugreisde naar Calcutta.

Hij had een vroege ochtendvlucht en was er heel erg aan toe om te ontspannen in de hotellounge, ver weg van de krioelende stad, de overweldigende geuren en het voortdurende lawaai. India bezat de meest verbazingwekkende schoonheid ter wereld en de meest ontstellende armoede. Op sommige plekken leefden deze twee zij aan zij, en nergens was dat duidelijker dan in Calcutta.

Er was een tijd geweest dat hij de journalisten die hij als watjes beschouwde minachtte – oude kerels die zich ontspanden in comfortabele hotelrestaurants en hotelvoedsel bestelden. Als jonge journalist had hij het gevoel gehad dat de beste verhalen op straat lagen, in de loopgraven en op het slagveld, in de goedkope hotels en achterbuurten, wachtend om verteld te worden. Hij had gelijk gehad, maar het waren niet de enige, waardevolle verhalen en niet altijd de belangrijkste. Hij had geloofd dat hij de kogels langs zijn hoofd moest horen fluiten, maar hij had geleerd dat een journalist zijn gevoel voor de juiste verhoudingen kon kwijtraken door die verslaggeving met hoog octaangehalte. De drang om te rapporteren kon leiden tot een gebrek aan objectiviteit. Sommige van de beste artikelen kwamen voort uit een grondige en onpartijdige kijk op de zaak. Door de jaren heen had hij dit soms razend moeilijke journalistieke evenwicht geperfectioneerd.

Op zijn vijfendertigste had Sebastian verschillende aanvallen van diarree doorstaan, hij was beroofd, had in stromende, open rioleringen gestaan en had voor de rest van zijn leven genoeg dood gezien. Hij was er geweest en had het gedaan, en hij had er veel succes mee gehad. Hij hoefde niet meer te vechten voor een naamregel. Na jaren van werken op volle toeren en maximaal jacht maken op verhalen en hoofdartikelen, had hij zijn ontspanning in een hotel met airco verdiend.

Hij bestelde een Cobra-bier en kip tandoori terwijl hij zijn e-mail checkte. Halverwege zijn maaltijd werd hij ontdekt door een collega.

'Sebastian Vaughan.'

Sebastian keek op en een glimlach verspreidde zich over zijn gezicht toen hij de man herkende die naar hem toe liep. Ben Landis was kleiner dan Sebastian, met dik zwart haar en een open, vriendelijk gezicht. De laatste keer dat Sebastian hem had gezien, was Ben correspondent voor USA *Today* en zaten ze samen in een Koeweits hotel in afwachting van de invasie in Irak. Sebastian stond op en gaf Ben een hand. 'Waarom ben jij hier?' vroeg hij.

Ben ging tegenover hem zitten en gebaarde dat hij een biertje wilde. 'Ik schrijf een stuk over de Missionarissen van Naastenliefde, tien jaar na de dood van moeder Teresa.'

Sebastian had in 1997 een stuk over de Missionarissen van Naastenliefde geschreven, een paar dagen na de dood van de katholieke non. Het was de laatste keer dat hij in Calcutta was geweest. Er was weinig veranderd, maar dat was geen verrassing. Veranderingen gingen langzaam in India. Hij pakte zijn biertje en nam een slok. 'Hoe gaat het?' vroeg hij.

'Ach, je weet hoe de dingen hier vooruitgaan. Alles lijkt stil te staan, behalve als je in een taxi zit.'

Sebastian zette zijn flesje op tafel en de twee praatten bij, wisselden oorlogsverhalen uit en bestelden nog een biertje. Ze praatten erover hoe vreselijk het was geweest om zwetend van de hitte een pak te moeten aantrekken dat tegen chemische stoffen beschermde, elke keer dat er een chemische dreiging was tijdens de opmars in Irak. Ze lachten om 'de ongelooflijke blunder van de marine', toen ze mosgroene pakken naar de troepen hadden gestuurd in plaats van zandstormbeige, hoewel het op dat moment niet om te lachen was geweest. Ze herinnerden zich dat ze elke ochtend wakker werden in een ondiep gat met fijn stof dat hun gezicht bedekte, en lachten om de knokpartij tussen een Canadese vredesactivist die Rumsfeld een oorlogsaanstichter had genoemd, en een Amerikaanse radioverslaggever die daar aanstoot aan had genomen. Het gevecht was redelijk gelijk op gegaan tot twee vrouwen van Reuters zich in de strijd wierpen en er een eind aan maakten.

'Herinner je je die Italiaanse journaliste nog?' vroeg Ben glimlachend. 'Die vrouw met de rode lippen en...' Hij hield zijn handen voor zijn borstkas alsof hij meloenen vasthield. 'Wat was haar naam ook alweer?'

'Natala Rossi.' Sebastian bracht het flesje naar zijn mond en nam een slok.

Natala was journalist voor *Il Messaggero* geweest en haar borsten, die de zwaartekracht tartten, waren een voortdurende bron van fascinatie en speculatie voor haar mannelijke collega's geweest.

'Die moesten namaak zijn,' zei Ben terwijl hij een grote slok bier nam. 'Dat moest wel.'

Sebastian had duidelijkheid voor hem kunnen scheppen. Hij had een lange nacht met Natala doorgebracht in een Jordaans hotel en hij had kennis uit de eerste hand – letterlijk – dat haar prachtige borsten echt waren. Hij begreep heel weinig Italiaans en zij sprak erg slecht Engels, maar het ging ze niet om de conversatie.

'Het gerucht ging dat ze jou heeft meegenomen naar haar hotelkamer.'

'Interessant.' Hij was nooit een man geweest die roddelde. Zelfs niet als het navertellen een heel sappig verhaal opleverde. 'Vermeldde het gerucht ook of ik een prettige tijd heb gehad?' Als hij terugdacht aan die nacht kon hij zich Natala's gezicht of haar gepassioneerde kreten nauwelijks voor de geest halen. Om een reden die hij niet kon bevatten, kwam er een andere brunette in zijn gedachten op en bleef daar zitten.

'Het gerucht is dus niet waar?'

'Nee,' loog hij. Hij was niet van plan om een uitgebreide beschrijving te geven van zijn nacht met de Italiaanse journaliste. Terwijl de herinnering aan Natala verbleekt was, leek de herinnering aan Clare in haar roze string en de zoen die ze hadden gedeeld met elke dag die voorbijging levendiger te worden. Hij kon zich de zachte rondingen van haar lichaam dat tegen hem aan duwde glashelder herinneren, de zachte structuur van haar weelderige lippen onder de zijne en de warmte van haar soepele mond. Hij had heel wat vrouwen gekust in zijn leven; goed, slecht, en heet als de hel. Maar geen vrouw had hem ooit zo gekust als Clare. Alsof ze zijn mond gebruikte om zijn ziel uit zijn lichaam te zuigen. En het verwarrende was dat hij haar dat wilde laten doen. Toen ze tegen hem zei dat hij haar mooie kleine kont kon kussen, wist hij precies op welk plekje hij dat wilde doen.

'Ik heb gehoord dat je getrouwd bent,' zei hij in een poging om van onderwerp te veranderen en zijn gedachten op iets anders te brengen dan op Clare, haar gladde billen en haar zachte mond. 'Gefeliciteerd.'

'Dat klopt. Mijn vrouw verwacht elk moment ons eerste kind.'

'En jij zit hier te wachten tot je met de nonnen kunt praten?'

'Ik moet werken voor de kost.' Een ober zette een derde biertje voor Ben op tafel en verdween. 'Je weet hoe het gaat.'

Ja, hij wist het. Het vereiste heel hard werken en heel veel geluk om te kunnen leven van de journalistiek. Vooral als freelance verslaggever.

'Je hebt nog niet verteld wat je in Calcutta doet,' zei Ben terwijl hij naar het flesje greep.

Sebastian vertelde dat hij naar de vlakte van Bihar was geweest om een verslag te maken over de recente uitbraak van zwarte koorts. De twee mannen kletsten nog een uur, daarna hield Sebastian het voor gezien.

Tijdens zijn vlucht naar huis de volgende dag luisterde hij naar de interviews die hij had opgenomen en las hij de aantekeningen door die hij had gemaakt. Terwijl hij een synopsis schreef, dacht hij terug aan de troosteloze uitzichtloosheid die hij op de gezichten van de plattelandsbewoners had gezien. Hij wist dat hij niets kon doen, behalve hun verhaal vertellen en bekendheid geven aan de epidemie die de regio teisterde. Hij wist ook dat er volgende maand een nieuwe ramp of epidemie zou plaatsvinden waarover bericht zou worden. Vogelgriep, malaria, hiv en aids, cholera, droogte, orkanen, vloedgolven, hongersnood. Noem het maar op. Oorlogen en rampen waren een nooit eindigende cirkel en een voortdurende werkgever. Elke dag waren er nieuwe wantoestanden, veroorzaakt door een kleine dictator, een terroristische leider of een afvallige padvinder, die ergens op de planeet rotzooi trapten.

Tijdens een twee uur durende tussenstop in Chicago haalde hij iets te eten in een sportcafé en pakte zijn laptop. Net als hij al honderden keren had gedaan, schreef hij een inleiding terwijl hij een broodje pastrami at. Hij worstelde er een beetje mee, maar het was niets vergeleken met wat hij had doorgemaakt toen hij het artikel over het terrorisme van eigen bodem schreef.

Op de vlucht vanaf O'Hare haalde hij wat slaap in en hij werd wakker op het moment dat de Boeing 787 op Sea-Tac landde. Regen plensde op de landingsbaan neer en het water stroomde van de vleugels van het grote vliegtuig. Het was tien uur 's ochtends plaatselijke tijd toen hij het vliegtuig uit liep. Hij bewoog zich vertrouwd door de luchthaven naar zijn Land Cruiser, die bij lang parkeren stond. Hij wist met geen mogelijkheid hoe vaak hij de afgelopen jaren door Sea-Tac was gelopen. Te vaak om te tellen, maar dit keer was het anders. Om de een of andere reden wist hij dat dit zijn laatste internationale vlucht was. De halve aarde over vliegen om een artikel te schrijven trok hem niet meer aan zoals het dat voorheen had gedaan, en op dit moment dacht hij aan Ben Landis en zijn zwangere vrouw.

Toen hij de snelweg op draaide, knaagde er een irritante kleine steek van eenzaamheid aan hem. Voor de dood van zijn moeder was hij nooit eenzaam geweest. Hij had vrienden en vriendinnen en vrouwen die hij kon bellen en met wie hij kon afspreken voor een drankje of al het andere dat hij wilde.

Zijn moeder was er niet meer, maar hij had een goed leven, precies het leven dat hij wilde, precies het leven zoals hij zich dat altijd had voorgesteld. Maar met elke veeg van zijn ruitenwissers sneed het gevoel een stukje dieper. Hij nam aan dat het de jetlag was en dat het gevoel verdwenen zou zijn als hij eenmaal in zijn appartement was en zich ontspande.

Hij had het appartement twee jaar nadat zijn boek op nummer één van de bestsellerlijsten van *The New York Times* en USA *Today* was terechtgekomen, gekocht. Het boek had veertien maanden op de bestsellerlijsten gestaan en hij had er meer geld mee verdiend dan hij ooit had gedaan of had gehoopt te verdienen als journalist. Hij had het geld geïnvesteerd in onroerend goed, luxeartikelen en een paar risicovolle technische aandelen die aardig wat opleverden. Daarna was hij verhuisd van een kleine flat in Kent naar een luxeappartement in het Queen Anne District van Seattle. Hij had een fantastisch uitzicht over de baai, de bergen en de Puget Sound. Het appartement was ruim tweehonderd vierkante meter, had twee slaapkamersuites met een douchecabine en een verzonken whirlpool in elke badkamer. Alles, vanaf de keramische tegels en hardhouten vloeren tot het luxueuze tapijt en de leren meubelen, was in rijke aardeschakeringen. Het glanzende chroom en glas waren een symbool van zijn succes.

Sebastian draaide zijn SUV de parkeerplek op en liep daarna naar de lift. Een vrouw in een zakenpakje en een jongen met een hagedis op zijn T-shirt wachtten bij de deuren en stapten samen met hem in de lift. 'Welke verdieping?' vroeg hij terwijl de deuren dichtgingen.

'De zesde.' Hij drukt op de knoppen voor zes en acht, en leunde daarna tegen de muur.

'Ik ben ziek,' zei het jongetje tegen hem.

Sebastian keek naar het bleke gezicht van het kind. 'Waterpokken,' zei de vrouw. 'Ik hoop dat je ze al hebt gehad.'

'Toen ik tien was.' Zijn moeder had hem net zo lang ingesmeerd met zinkcarbonaatpoeder tot hij roze zag.

De lift stopte en de vrouw legde haar hand op het achterhoofd van haar zoon en ze stapten de hal in. 'Ik maak soep voor je en ik zet een bed voor de televisie. Daar kun je dan lekker met de hond liggen en de hele dag tekenfilms kijken,' zei ze terwijl de deuren dichtgingen.

Sebastian ging nog twee verdiepingen met de lift naar boven, stapte uit, betrad het appartement aan zijn linkerhand en liet zijn bagage in de hal vallen. Het geluid klonk buitensporig hard op de betegelde vloer. Er was niets wat de stilte verbrak door hem te begroeten. Zelfs geen hond. Hij had nooit een hond gehad, niet eens als kind. Hij vroeg zich af of hij er een moest nemen. Misschien een gespierde bokser.

Het zonlicht stroomde door de enorme ramen naar binnen terwijl hij van de zitkamer naar de keuken liep en zijn laptop op het marmeren aanrechtblad legde. Hij zette koffie en probeerde zijn plotselinge interesse in een hond weg te redeneren. Hij was moe. Dat was het probleem. Het laatste wat hij kon gebruiken was een hond. Hij was niet eens vaak genoeg thuis om voor een plant te zorgen, laat staan voor een dier. Er ontbrak niets aan zijn leven en hij was niet eenzaam.

Hij liep van de keuken naar de slaapkamer en dacht dat het misschien door het appartement kwam. Misschien had hij iets meer... huiselijkheid nodig. Geen hond, maar iets. Misschien moest hij verhuizen. Misschien leek hij meer op zijn moeder dan hij ooit had gedacht en moest hij een stuk of vijf huizen proberen voordat hij er een vond dat precies goed aanvoelde.

Sebastian ging op de rand van zijn bed zitten en deed zijn laarzen uit; het stof van de straten van Rajwara kleefde nog steeds aan de schoenveters. Hij deed zijn sokken uit en zijn horloge af terwijl hij naar de badkamer liep.

Een paar jaar geleden had hij geprobeerd zijn moeder over te halen met pensioen te gaan en naar een comfortabeler huis te verhuizen. Hij had aangeboden om een nieuwere en luxere woning voor haar te kopen, maar ze had categorisch geweigerd. Ze hield van haar huis. 'Het heeft me twintig jaar gekost om een plek te vinden waar ik me thuis voel,' had ze tegen hem gezegd. 'Ik ga hier niet weg.'

Sebastian trok zijn kleren uit en stak zijn hand in de douchecabine. De koperen leiding voelde koel aan toen hij de kraan opendraaide en de glazen cabine in stapte. Het had zijn moeder twintig jaar gekost om een fijne plek te vinden, hij nam aan dat hij dus nog best een paar jaar kon zoeken. Het warme water liep over zijn hoofd en zijn gezicht. Hij deed zijn ogen dicht en voelde de spanning wegspoelen. Er waren veel dingen om gestrest over te zijn, en op dit moment was de plek waar hij woonde daar niet één van.

Hij moest zijn moeders huis verkopen. Haar beste vriendin en zakenpartner, Myrna, had de kappersartikelen uit de salon gehaald en had alle planten meegenomen. Ze had de blikjes en droge waren aan de plaatselijke voedselbank gedoneerd en het enige wat hij nog moest doen, was bedenken wat hij met de rest van zijn moeders spullen ging doen. Als hij dat eenmaal achter de rug had, zou zijn leven weer normaal zijn.

Hij pakte de zeep, zeepte zijn handen in en waste zijn gezicht. Hij dacht aan zijn vader en vroeg zich af waar die mee bezig was. Waarschijnlijk rozen snoeien. Daarna dacht hij aan Clare, en vooral aan de avond waarop hij haar had gekust. Wat hij Clare had verteld, was de waarheid geweest. Hij zou er alles voor over hebben gehad om ervoor te zorgen dat ze stopte met huilen. De tranen van een vrouw waren zowat het enige ter wereld waardoor hij zich hopeloos voelde. En, redeneerde hij, Clare kussen had een beter idee geleken dan haar slaan of een kever in haar haar gooien, zoals hij als kind had gedaan.

Hij draaide zijn gezicht naar het plafond en spoelde de zeep weg. Hij had tegen haar gelogen. Toen hij zich verontschuldigde voor de kus had hij er helemaal geen spijt van gehad. Geen greintje spijt. Een van de moeilijkste dingen die hij ooit had gedaan, was zich omdraaien en haar in de schaduw laten staan. Een van de moeilijkste, maar de verstandigste. Van alle single vrouwen die hij kende, was Clare Wingate degene die het minst geschikt was voor zoenen en aanraken en naakt rondrollen. In elk geval voor hem.

Maar dat weerhield hem er niet van om aan haar te denken.

Aan haar ronde borsten en donkerroze tepels. Begeerte kronkelde in zijn onderbuik terwijl hij zijn ogen dichtdeed en eraan dacht hoe hij haar tepels hard zou maken door met zijn vingers de rand van haar roze string te volgen, langs haar heup naar het zijden driehoekje dat haar kruis bedekte.

Zijn ballen verstrakten en hij werd keihard. Hij dacht eraan hoe ze haar mooie mond op hem gebruikte en de seksuele begeerte stroomde door zijn aderen, maar er was niemand die de douche in zou glippen om die behoefte voor hem te bevredigen. Hij kon iemand bellen om naar hem toe te komen, dacht hij, maar het voelde niet goed om de ene vrouw te vragen iets af te maken wat de andere vrouw was begonnen. Met Clare in zijn gedachten zorgde hij voor zichzelf.

Na zijn douche sloeg Sebastian een handdoek om zijn middel en liep naar de keuken. Het was een beetje een raar idee dat hij daarnet over Clare had gefantaseerd. Niet alleen was zij het vreemde meisje uit zijn jeugd, maar ze mocht hem niet eens. Gewoonlijk probeerde hij te fantaseren over vrouwen die hem geen idioot vonden.

Hij schonk een kop koffie in en pakte de telefoon die op het aanrecht stond. Hij koos een nummer en wachtte terwijl hij overging.

'Hallo,' antwoordde Leo na de vijfde keer overgaan.

'Ik ben terug,' zei hij terwijl hij de gedachte aan Clare verdrong. Zelfs na alle tijd die ze onlangs samen hadden doorgebracht, was het nog steeds een beetje een vreemd gevoel om zijn vader te bellen.

'Hoe was je reis?'

Sebastian pakte zijn beker. 'Goed.'

Ze praatten wat over het weer en toen vroeg Leo: 'Kom je binnenkort weer deze kant op?'

'Ik weet het niet. Ik moet mijn moeders huis leeghalen en het in orde maken voor de verkoop.' Op het moment dat hij dat zei, kromp een deel van hem in elkaar bij de gedachte dat hij zijn moeders leven in dozen moest verpakken. 'Ik heb het uitgesteld.'

'Het zal zwaar zijn.'

Dat was een understatement en Sebastian lachte zonder er echt de humor van in te zien. 'Ja.'

'Wil je dat ik je help?'

Hij deed zijn mond open voor een automatische weigering. Hij kon best een paar dozen inpakken. Dat was geen enkel probleem. 'Bied je het aan?'

'Als je me nodig hebt.'

Het waren gewoon spullen. Zijn moeders spullen. Ze had absoluut niet gewild dat Leo in haar huis rondliep, maar zijn moeder was er niet meer en zijn vader bood aan hem te helpen. 'Dat zou ik op prijs stellen.'

'Ik zal tegen Joyce zeggen dat ik een paar dagen weg ben.'

De keuken inpakken was gemakkelijker dan Sebastian had verwacht. Hij was in staat om zich af te sluiten terwijl Leo en hij naast elkaar aan het werk waren. Zijn moeder had nooit van porselein of kristal gehouden. Ze had gegeten van een eenvoudig wit Corelle-servies, zodat ze een bord kon vervangen als het brak. Ze had haar glazen bij Wal-Mart gekocht, zodat het geen ramp was als ze er een liet vallen. Haar schalen en pannen waren oud en in redelijk goede staat omdat ze nauwelijks kookte, vooral niet toen Sebastian het huis uit was gegaan.

Maar hoewel zijn moeder niet materialistisch was geweest, was ze tot de dag dat ze stierf wel heel nauwgezet over haar uiterlijk geweest. Ze was kieskeurig geweest over haar haar, de kleur van haar lippenstift en of haar schoenen bij haar tas pasten. Ze hield ervan om oude Judy Garland-nummers te zingen, en als ze in de stemming was om met geld te smijten kocht ze een sneeuwbol. Ze had er zoveel dat ze Sebastians oude slaapkamer had omgebouwd tot een showroom voor haar collectie. Ze had de muren bedekt met op maat gemaakte planken en Sebastian had haar er altijd van verdacht dat ze dat had gedaan zodat hij niet meer thuis kon komen wonen.

Nadat Leo en Sebastian de keuken hadden uitgeruimd, pakten ze wat kranten en kartonnen dozen en liepen naar Sebastians oude slaapkamer. De houten vloer kraakte onder hun voeten en het zonlicht dat door de witte vitrage naar binnen stroomde, scheen op de rijen sneeuwbollen. Hij verwachtte half haar daar te zien staan, de planken afstoffend met een roze plumeau in haar hand.

Sebastian zette twee dozen op de tafel en een stapel kranten op de vouwstoel die hij eerder had neergezet. Hij sloot de herinnering aan zijn moeder met haar plumeau in haar hand bewust buiten. Hij pakte een sneeuwbol die hij voor haár uit Rusland had meegenomen en draaide hem in zijn hand. Witte sneeuwvlokken dwarrelden rond de Basiliuskathedraal op het Rode Plein.

'Wel heb ik ooit... Wie had gedacht dat Carol dit ding al die jaren had bewaard.'

Sebastian keek naar Leo, die een oude sneeuwbol oppakte van Cannon Beach, Oregon. Een zeemeermin zat op een rots en kamde haar blonde haar terwijl er stukjes glitter en schelp om haar heen dreven.

'Ik heb deze tijdens onze huwelijksreis voor je moeder gekocht.'

Sebastian pakte een stuk krant en wikkelde de Russische sneeuwbol erin. 'Dat is een van haar oudste. Ik wist niet dat jij die aan haar had gegeven.'

'Ja. Ik vond dat de zeemeermin op haar leek.' Zijn vader keek op. De diepe lijnen rond zijn ooghoeken werden nog dieper en er speelde een vage glimlach rond zijn mond. 'Behalve dat je moeder zeven maanden zwanger was van jou.'

'Dat wist ik wel.' Hij stopte de sneeuwbal in de doos.

'Ze was ontzettend mooi en vol levenslust. Een echte schoonheid.' Leo bukte zich en pakte een stuk papier. 'Ze wilde alles op volle kracht, alsof ze in een achtbaan zat, en ik...' Hij zweeg en schudde zijn hoofd. 'Ik hield van kalmte.' Hij pakte de sneeuwbol in. Boven het geluid van het papier zei hij: 'Nog steeds, denk ik. Je lijkt meer op je moeder dan op mij. Jij houdt ervan om opwinding na te jagen.'

Niet meer zoveel. In elk geval niet meer zoals hij een paar maanden geleden had gedaan. 'Misschien ga ik het iets rustiger aan doen.'

Leo keek naar hem.

'Na deze laatste reis denk ik er serieus over na om mijn paspoort aan de wilgen te hangen. Ik heb nog een paar opdrachten en daarna wil ik alleen als freelancer gaan werken. Misschien neem ik zelfs een tijdje vrij.'

'Wat wil je dan gaan doen?'

'Ik weet het niet zeker. Ik weet alleen dat ik geen buitenlandse opdrachten meer wil aannemen. In elk geval voorlopig.'

'Kun je dat doen?'

'Natuurlijk.' Praten over zijn werk hield zijn gedachten weg bij wat hij aan het doen was. Hij pakte een sneeuwbol uit Reno, Nevada, en wikkelde hem in een stuk papier. 'Hoe is de nieuwe Lincoln?'

'Die rijdt als een zonnetje.'

'En hoe is het met Joyce?' vroeg hij. Het kon hem geen zier schelen, maar denken aan Joyce was beter dan denken aan wat hij aan het doen was.

'Ze is een lijst met voorbereidingen voor Kerstmis aan het samenstellen. Dat maakt haar altijd gelukkig.'

'Het is nog niet eens oktober.'

'Joyce houdt ervan om vooruit te plannen.'

Sebastian legde de ingepakte sneeuwbol in de doos. 'En Clare? Heeft ze het verbreken van haar relatie met die homoseksuele vent verwerkt?' vroeg hij, gewoon om te blijven praten.

'Ik weet het niet. Ik heb haar de laatste tijd niet zo vaak gezien, maar ik betwijfel het. Ze is een erg gevoelig meisje.'

Dat was nog een extra reden om bij haar uit de buurt te blijven. Gevoelige meisjes hielden van langdurige relaties. En hij was nooit een man geweest die ergens langdurig bij betrokken was. Hij pakte een Tovenaar van Oz-sneeuwbol met Dorothy en Toto die de weg van gele stenen volgen. Hoewel het nooit zou gebeuren, dwaalden zijn gedachten af naar de mogelijkheid om een of twee nachten met Clare door te brengen. Hij zou het niet erg vinden om haar naakt te zien, en hij wist zeker dat ze baat zou hebben bij een paar rondjes seks. Het zou haar ontspannen en een opkikker geven. Het zou wekenlang een glimlach op haar gezicht toveren.

In zijn hand klonken de eerste tonen van *Somewhere over the Rainbow* uit het muziekdoosje aan de onderkant van de sneeuwbol. De klassieker van Judy Garland was de favoriet van zijn moeder geweest, en alles binnen in Sebastian stopte. Duizend tintelingen liepen over zijn ruggengraat naar boven en verstrakten zijn hoofdhuid. De sneeuwbol viel uit zijn handen en sloeg stuk op de grond. Sebastian keek naar het water dat op zijn schoenen spatte, en naar Dorothy, Toto en een stuk of tien kleine vliegende apen die over de vloer schoven. De muur die hij rond zijn ziel had opgebouwd, versplinterde net als het gebroken glas aan zijn voeten. Het enige vaste anker in zijn leven was weg. Weg, en ze kwam niet terug. Ze zou haar sneeuwbollen nooit meer afstoffen of zich druk maken over bijpassende schoenen. Hij zou haar nooit meer horen zingen met haar matige sopraanstem of tegen hem zeuren dat hij langs moest komen zodat ze zijn haar kon knippen.

'Verdomme.' Hij liet zich op de stoel zakken. 'Ik kan dit niet.' Hij was op hetzelfde moment verdoofd en opgeladen, alsof hij een sleutel in het stopcontact had gestoken. 'Ik dacht dat ik het kon, maar ik kan haar leven niet inpakken alsof ze nooit terugkomt.' Hij voelde een steek achter zijn ogen en hij slikte hard. Hij zette zijn ellebogen op zijn knieën en bedekte zijn gezicht met zijn handen. Een geluid als van een goederentrein dreunde in zijn oren, en hij wist dat het de druk was om zich overal van af te sluiten. Hij zou niet gaan huilen als een hysterische vrouw. Vooral niet in het bijzijn van zijn vader. Als hij het nog een paar seconden kon tegenhouden, zou het voorbijgaan en was hij weer de oude.

'Het is geen schande dat je van je moeder houdt,' hoorde hij zijn vader boven het kabaal in zijn hoofd zeggen. 'Het is juist een teken dat je een goede zoon bent.' Hij voelde zijn vaders hand op zijn achterhoofd; een zwaar, vertrouwd en troostend gewicht. 'Je moeder en ik konden niet met elkaar overweg, maar ik weet dat ze ontzettend veel van je hield. Ze was een pitbull als het op jou aankwam. En ze zou nooit hebben toegegeven dat haar zoontje iets verkeerd had gedaan.'

Dat was waar.

'Ze heeft je voornamelijk alleen opgevoed. Dat heeft ze goed gedaan en ik ben haar daar altijd dankbaar voor geweest. God weet dat ik niet zo vaak aanwezig ben geweest als had gemoeten.'

Sebastian duwde zijn handpalmen tegen zijn ogen en liet zijn handen daarna tussen zijn knieën vallen. Hij keek naar zijn vader, die naast hem stond. Hij haalde diep adem en de steken achter zijn ogen verminderden. 'Ze heeft het je niet bepaald gemakkelijk gemaakt.'

'Maak geen verontschuldigingen voor me. Ik had kunnen vechten. Ik had terug kunnen gaan naar de rechtbank.' Hij verplaatste zijn hand naar Sebastians schouder en kneep er even in. 'Ik had een heleboel dingen kunnen doen. Ik had iets moeten doen, maar ik... ik dacht dat het niet goed was om erom te vechten en dat we voldoende tijd zouden hebben als je ouder was. Ik had het mis, en daar heb ik spijt van.'

Sebastian had zichzelf ook het een en ander te verwijten. 'We hebben allemaal spijt.' Het gewicht van zijn vaders hand voelde als een anker in een plotseling onstabiele wereld. 'Misschien moeten we daar niet bij stil blijven staan, maar gewoon verdergaan.'

Leo knikte en klopte op Sebastians rug zoals hij had gedaan toen hij een kind was. 'Waarom neem je geen Slurpee? Daar zul je je beter door voelen, en dan maak ik het hier af.'

Hij glimlachte ondanks zichzelf. 'Ik ben vijfendertig, pa. Ik drink geen Slurpees meer.'

'Ook goed, neem dan gewoon een pauze en dan ruim ik deze kamer leeg.'

Sebastian stond op en veegde zijn handen aan de voorkant van zijn spijkerbroek af. 'Nee. Ik ga een bezem en een stoffer en blik zoeken,' zei hij. Hij was dankbaar voor zijn vaders stabiele aanwezigheid in het huis.

Elf

De eerste week van december bedekte een lichte sneeuwval de straten van het centrum van Boise en de heuvels waren maagdelijk wit. Er hingen kerstkransen aan de lantaarnpalen en de etalages van de winkels waren feestelijk versierd. Het dik ingepakte winkelpubliek verdrong zich op de trottoirs.

Op de hoek van Eighth Street en Main Street klonk *Holly Jolly Christmas* zachtjes uit de Piper Pub; de gedempte achtergrondmuziek was een fractie zachter dan het voortdurende geroezemoes van stemmen. De gouden, groene en rode slingers droegen bij aan de feestelijke sfeer van het restaurant, dat twee verdiepingen besloeg.

'Prettige feestdagen.' Clare hield haar pepermuntkoffie omhoog en tikte de glazen van haar vriendinnen zachtjes aan. De vier vrouwen hadden net geluncht en genoten nu van koffie met een smaakje in plaats van een dessert.

'Prettig kerstfeest,' toostte Lucy.

'Gelukkig chanoeka,' zei Adele, hoewel ze niet joods was.

'Vrolijk Kwanzaa,' voegde Maddie eraan toe om alle delen van de wereld te dekken, hoewel ze niet Afrikaans-Amerikaans was of ooit een voet in Afrika had gezet.

Lucy nam een slok en zei terwijl ze haar glas neerzette: 'O, dat vergat ik bijna.' Ze zocht in haar tas, die aan de leuning van haar stoel hing, en haalde er een paar enveloppen uit. 'Ik heb er eindelijk aan gedacht om afdrukken mee te nemen van de foto van ons die tijdens het Halloween-feest is genomen.' Ze gaf een envelop aan Clare, die rechts van haar zat, en schoof twee andere over de tafel.

Lucy en haar echtgenoot, Quinn, hadden een gekostumeerd feest gegeven in hun nieuwe huis in Quill Rid, dat over de stad uitkeek. Clare haalde de foto uit de envelop en zag zichzelf in een bunnypakje naast haar drie vriendinnen staan. Adele was verkleed als een fee met grote gazen vleugels, Maddie was als Sherlock Holmes en Lucy had een ondeugend politiepakje gedragen. Het feest was fantastisch geweest. Net wat ze nodig had gehad na de voorgaande moeilijke maanden. Aan het eind van oktober was haar hartenpijn iets verminderd en ze was zelfs uitgevraagd door Darth Vader. Zonder zijn helm was Darth aantrekkelijk op een macho-agentachtige manier. Hij had een baan, hij had al zijn tanden en zijn haar en hij leek honderd procent heteroseksueel te zijn. De oude Clare had zijn uitnodiging voor een etentje aangenomen met de onderbewuste hoop dat de ene man het verlies van de ander kon verzachten. Maar hoewel ze gevleid was, had ze geweigerd. Het was te vroeg om afspraakjes te maken.

'Wanneer ging je ook alweer boeken signeren?' vroeg Adele aan Clare.

Ze keek op en stopte de foto in haar tas. 'Ik ben op de tiende bij Borders, en op de vierentwintigste bij Walden Books. Ik hoop te profiteren van alle mensen die op het laatste moment nog iets moeten kopen.' Het was nu bijna vijf maanden geleden dat ze Lonny met de Sears-monteur had betrapt, en ze was verdergegaan met haar leven. Ze hoefde niet meer tegen de tranen te vechten en ze voelde zich vanbinnen niet meer zo gespannen en leeg, maar ze was er nog steeds niet aan toe om afspraakjes te maken. Nog niet. Waarschijnlijk nog een hele tijd niet.

Adele nam een slok koffie. 'Ik kom naar het signeren op de tiende.'

'Ik ben er ook,' zei Lucy.

'Ik ook. Maar ik kom de vierentwintigste niet in de buurt van de winkels.' Maddie keek op van de foto. 'Als het zo overvol is, heb ik meer kans dat ik een van mijn exen tegen het lijf loop.'

Clare stak haar hand op. 'Ik ook.'

'Dat doet me eraan denken dat ik een roddel heb.' Adele zette haar glas op tafel. 'Ik ben Wren Jennings gisteren tegengekomen, en die liet zich ontvallen dat ze niemand kan vinden die geïnteresseerd is in haar volgende boek.'

Clare was niet bepaald gesteld op Wren; ze had een enorm ego en maar weinig talent om dat te rechtvaardigen. Ze had een keer boeken gesigneerd met Wren, en die ene keer was genoeg geweest. Niet alleen had Wren de complete twee uur voor zichzelf opgeëist, maar ze bleef ook vertellen aan iedereen die bij de tafel kwam staan dat zij échte historische liefdesromans schreef, geen kostuumdrama's. Daarbij keek ze nadrukkelijk naar Clare alsof deze een crimineel was. Maar dat ze geen uitgever kon vinden voor haar volgende boek was verschrikkelijk. 'Wauw, dat is angstaanjagend.'

Lucy knikte. 'Tja, niemand is in staat om onze taal zo te verkrachten als Wren, maar het lijkt me een angstig idee om geen uitgever te hebben.'

'Het is natuurlijk wel een enorme opluchting voor de milieuorganisaties. Nu hoeven er geen bomen meer te sterven voor Wrens waardeloze boeken.'

Clare keek naar Maddie en grinnikte. 'Miauw.'

'Kom op. Je weet dat die vrouw niet één intelligente zin kan samenstellen en geen fatsoenlijke plot weet te bedenken als het haar in haar kont bijt. En ze heeft een flinke kont.' Maddie fronste haar voorhoofd en keek naar haar vriendinnen. 'Ik ben niet de enige aan deze tafel die kattig is. Ik zeg gewoon wat iedereen denkt.'

Dat was waar. 'Goed,' zei Clare terwijl ze haar pepermuntkoffie naar haar mond bracht. 'Af en toe heb ik inderdaad een overweldigende behoefte om mijn poten te likken en mijn gezicht te wassen.'

'En ik verlang ernaar om de hele dag dutjes in de zon te doen,' voegde Lucy eraan toe.

Adele hapte naar adem. 'Ben je zwanger?'

'Nee.' Lucy hield haar koffie omhoog, die was opgepept met Kahlúa.

'O.' Adeles opwinding was onmiddellijk verdwenen. 'Ik hoopte erop dat een van ons opschiet en een baby krijgt. Ik begin broeds te worden.'

'Je hoeft niet naar mij te kijken.' Maddie stopte de Halloween-foto in haar tas. 'Ik heb er geen behoefte aan om kinderen te krijgen.'

'Nooit?'

'Nee. Ik denk dat ik de enige vrouw ter wereld ben die is geboren zonder het brandende verlangen zich voort te planten.' Maddie haalde haar schouders op. 'Hoewel ik het niet erg zou vinden om te oefenen met een knappe man.'

Adele tilde haar koffie op. 'Inderdaad. Seksuele onthouding is vreselijk.'

'Zeker weten,' zei Clare.

Lucy glimlachte. 'Ik heb een knappe man om mee te oefenen.'

Clare dronk haar koffie op en pakte haar tas. 'Opschepper.'

'Ik wil geen man op een permanente basis,' ging Maddie verder. 'Ze snurken en pikken de dekens in. Dat is het fijne aan Grote Carlos. Als ik klaar ben, stop ik hem terug in mijn nachtkastje.'

Lucy trok één wenkbrauw op. 'Grote Carlos? Heb je je...'

Maddie knikte. 'Ik heb altijd al een Latijnse minnaar willen hebben.'

Clare keek om zich heen om te controleren of iemand Maddie had gehoord. 'Sst, praat eens wat zachter.' Niemand van de andere bezoekers keek hun kant op, en Clare keerde zich weer naar haar vriendinnen. 'Soms ben je niet veilig in het openbaar.'

Maddie leunde over de tafel en fluisterde: 'Jij hebt er ook een.'

'Ik heb hem geen naam gegeven!'

'Wiens naam roep je dan?'

'Van niemand.' Ze was altijd heel stil geweest tijdens de seks en begreep niet hoe of waarom een vrouw haar waardigheid kon of wilde verliezen en ging schreeuwen. Ze had altijd gedacht dat ze goed was in bed. Ze probeerde dat in elk geval te zijn, maar luidruchtiger dan een zacht gemompel of gekreun werd ze niet.

'Als ik jou was, zou ik oefenen met Sebastian Vaughan,' zei Adele.

'Wie?' wilde Lucy weten.

'Clares opwindende vriend. Hij is journalist en als je hem ziet is het meteen duidelijk dat hij weet wat hij waar moet stoppen en hoe vaak hij dat moet doen.'

'Hij woont in Seattle.' Clare had Sebastian sinds de avond van Leo's feest niet meer gezien. De avond dat hij haar had gekust en haar had laten beseffen hoe het was om een vrouw te zijn. Toen hij het verlangen had laten oplaaien dat diep binnen in haar begraven zat en dat bijna was gedoofd door haar relatie met Lonny. Ze wist niet uit de eerste hand of Sebastian het wie, wat, waar, wanneer en waarom wist, maar hij wist in elk geval hoe hij een vrouw moest zoenen. 'Ik denk niet dat ik hem de komende twintig jaar of zo zie.' Leo had Thanksgiving in Seattle doorgebracht en het laatste wat Clare had gehoord, was dat hij van plan was om Kerstmis daar ook te vieren. Dat vond ze jammer. Leo had eerste kerstdag altijd met Joyce en haar gevierd. Clare zou hem missen. 'Ik moet gaan,' zei ze en ze stond op. 'Ik heb mijn moeder beloofd dat ik haar met de kerstvoorbereidingen zou helpen.'

Lucy keek op. 'Ik dacht dat je na vorig jaar weigerde om haar nog te helpen.'

'Ik weet het, maar ze heeft zich goed gedragen tijdens Thanksgiving en ze heeft Lonny's aspic niet genoemd.' Ze pakte haar wollen duffel van de stoel en trok hem aan. 'Ze bleef er bijna in, maar ze heeft Lonny helemaal niet genoemd. Dus bij wijze van beloning heb ik gezegd dat ik haar zou helpen.' Ze sloeg haar rode sjaal rond haar hals. 'Ik heb haar ook laten beloven dat ze stopt met liegen over wat ik schrijf.'

'Denk je dat ze in staat is om zich aan die belofte te houden?'

'Natuurlijk niet, maar ze zal het proberen.' Ze pakte haar rode krokodillenleren tas. 'Ik ziet jullie allemaal op de tiende,' zei ze. Daarna zei ze haar vriendinnen gedag en liep het restaurant uit.

De temperatuur was gestegen en de sneeuw op de grond begon te smelten. Koude lucht stroomde langs haar wangen terwijl ze over het terras naar de parkeergarage liep. Ze trok haar rode leren handschoenen uit haar jaszakken en trok ze aan. De hakken van haar laarzen tikten op de wit met zwarte tegels en na het Italiaanse restaurant sloeg ze rechts af. Als ze rechtdoor was gelopen, was ze uitgekomen bij de Balcony Bar – de plek waarvan Lonny haar had verzekerd dat het geen homobar was. Ze wist nu dat hij daarover had gelogen, net zoals hij over zoveel dingen had gelogen. En zij was heel erg bereid geweest om hem te geloven.

Ze duwde de deur naar de garage open en liep naar haar auto. Bij de gedachte aan Lonny verkrampte haar hart niet langer. Ze voelde voornamelijk boosheid, op Lonny omdat hij tegen haar had gelogen en op zichzelf omdat ze hem zo wanhopig graag had willen geloven.

De temperatuur in de betonnen garage was lager dan buiten, en haar adem bleef voor haar gezicht hangen terwijl ze haar Lexus van het slot deed en achter het stuur ging zitten. Als ze erover nadacht, was ze eerlijk gezegd niet meer zo heel erg boos. Het enige goede dat uit haar gestrande relatie met Lonny was voortgekomen, was dat het haar had gedwongen om een pas op de plaats te maken en eens goed naar haar leven te kijken. Eindelijk. Ze zou over een paar maanden vierendertig worden en ze had genoeg van relaties die gedoemd waren te mislukken.

Het duidelijke ta-da-moment waarop ze had gewacht en dat alle problemen zou oplossen, was nooit gekomen. Ongeveer een maand eerder, terwijl ze de was had gevouwen en naar *Guiding Light* had gekeken, had ze zich gerealiseerd dat de reden dat ze niet in staat was geweest om het grote eureka-moment mee te maken was dat er gewoon niet zo'n moment was – het waren er verschillende. Haar relatie met haar vader liep naadloos over in haar onderbewuste verlangen om haar moeder ofwel op stang te jagen ofwel een plezier te doen. Ze haatte het om toe te geven dat haar moeder zoveel invloed op haar leven had, maar het was wel zo. Boven op dat alles was ze een liefdesjunk. Ze hield van de liefde, en hoewel dat haar hielp bij haar carrière, was het niet zo goed voor haar privéleven.

Ze reed door de parkeergarage naar de slagboom bij de uitgang. Ze schaamde zich een beetje dat ze drieëndertig had moeten worden om de destructieve patronen in haar leven te veranderen.

Het was de hoogste tijd dat ze controle over haar leven kreeg. Het was tijd om de passief-agressieve vicieuze cirkel met haar moeder te verbreken. Het was tijd om te stoppen met verliefd worden op elke man die aandacht aan haar schonk. Geen liefde op het eerste gezicht meer – nooit meer – en ze meende het dit keer. Geen genoegen meer nemen – nooit meer – met bedriegers, leugenaars en zwendelaars. Als en wanneer ze iets kreeg met een man – en dat was een grote 'als' en een voorzichtige 'wanneer' – zou hij zich verdomd gelukkig moeten voelen dat hij haar had gekregen.

Op de dag voor Joyce Wingates jaarlijkse kerstreceptie was Clare gekleed in een oude spijkerbroek en een kabeltrui. Daarboven droeg ze haar witte ski-jack, wollen handschoenen, en een lichtblauwe wollen sjaal die haar hals en de onderste helft van haar gezicht bedekte. 's Middags legde ze de laatste hand aan het versieren van de buitenkant van het huis aan Warm Springs Avenue.

Sinds ze twee weken geleden had geluncht met haar vriendinnen, had ze haar moeder en Leo geholpen met het binnen en buiten versieren van het grote huis. Een vier meter hoge douglasspar stond in het midden van de hal, versierd met antieke kerstversieringen, rode strikken en gouden lichtjes. De kamers op de benedenverdieping waren versierd met dennengroen, koperen kandelaars, kerstvoorstellingen en Joyce' uitgebreide notenkrakerverzameling. Het kerstkristal van Spode en Waterford was gepoetst en het tafellinnen lag geperst in de kofferbak van Clares auto te wachten om naar binnen gebracht te worden.

Gisteren had Leo een verkoudheid opgelopen, en Joyce en Clare hadden erop gestaan dat hij de laatste werkzaamheden buiten niet deed, uit angst dat zijn kou zou verergeren. Hij had de taak gekregen om het zilver te poetsen en dennenslingers en rode fluwelen linten rond de mahoniehouten trapspijlen te wikkelen.

Clare had het werk buiten overgenomen en elke keer dat ze het huis in liep voor nog een kop koffie of gewoon om haar tenen te ontdooien, was Leo zenuwachtig geweest en had hij zich er druk over gemaakt dat hij gezond genoeg was om de lichtjes in de overgebleven struiken te hangen. Dat was misschien zo, maar gezien zijn leeftijd wilde Clare niet het risico lopen dat de kou erger werd en uitliep op een longontsteking.

Het werk was niet moeilijk of zwaar, alleen ijskoud en dodelijk saai. Het grote huis was versierd met verlichte takken die rond de deur, langs de veranda en rond elke stenen pilaar hingen. Twee levensgrote rendieren van peperbesjes stonden in de voortuin, en verlichte zuurstokken omzoomden het voetpad en de oprit.

Clare verplaatste de ladder naar de laatste struik om het overgebleven snoer met lampjes op te hangen. Na dit snoer was ze klaar en ze keek ernaar uit om naar huis te gaan, haar whirlpool met heet water te vullen en erin te blijven zitten tot haar huid rimpelde.

De zon scheen en verwarmde de vallei tot een behaaglijke min 0,5 graden, wat een verbetering was ten opzichte van de min 3 graden van gisteren. Clare klom op de ladder en hing de lampjes rond de top van de tweeënhalve meter hoge struik. Leo zou haar zowel de populaire als de natuurkundige naam van de boom kunnen vertellen, daar was hij heel goed in.

Het bevroren gebladerte kraakte terwijl het langs de mouw van Clares jas schuurde en haar tenen waren al een uur geleden gevoelloos geworden. Ze voelde haar wangen niet meer, maar haar vingers in haar met bont gevoerde handschoenen bewogen nog steeds. Ze leunde tegen de struik om de lampjes rond de achterkant te wikkelen en voelde haar mobiele telefoon uit haar jaszak glijden. Ze greep er een seconde te laat naar en het dunne mobieltje verdween in de struik.

'Verdomme.' Ze stopte haar handen tussen de bladeren en duwde de takken opzij. Ze ving een glimp op van de zilver met zwarte klaptelefoon terwijl hij dieper naar het midden van de struik zakte. Ze leunde naar voren, boog over de bovenkant van de ladder en reikte zo ver mogelijk naar het midden. De toppen van haar handschoenen raakten de mobiel en hij verdween nog verder in het dichte gebladerte. Toen ze haar hoofd uit de struik trok, draaide er een voertuig de oprit op dat naar de achterkant van het huis reed. Tegen de tijd dat ze om zich heen keek was de auto uit het zicht verdwenen. Ze nam aan dat de bloemist die kerststerren, krokussen en amaryllissen voor het feest kwam brengen, een beetje vroeg was.

Ze liep naar de achterkant van de struik die het dichtst bij het huis lag, en duwde de bevroren takken opzij. Ze schuurden langs haar gezicht en ze moest ineens aan spinnen denken. Voor het eerst sinds ze buiten was, was ze blij dat de temperatuur onder het vriespunt lag. Als het zomer was geweest, had ze liever een nieuw mobieltje gekocht dan het risico te lopen dat ze spinnen in haar haar kreeg.

'Hallo, ijskonijn.'

Clare kwam overeind en draaide zich zo snel om dat ze bijna viel. Sebastian Vaughan liep naar haar toe; het zonlicht scheen in zijn haar en verlichtte hem als een aartsengel die uit de hemel was neergedaald. Hij droeg een spijkerbroek, een zwarte donzen parka en een glimlach op zijn gezicht die minder hemelse gedachten deed vermoeden. 'Sinds wanneer ben jij hier?' vroeg ze terwijl ze achter de zware bladeren vandaan kwam.

'Ik ben er net. Ik herkende je kont toen ik de oprit op reed.'

Ze fronste haar voorhoofd. 'Leo heeft niet gezegd dat je zou komen.' De laatste keer dat ze hem had gezien, had hij haar gekust, en de herinnering daaraan bracht een blos op haar bevroren gezicht.

'Hij wist het niet tot ik ongeveer een uur geleden ben geland.' Zijn adem kwam in witte wolken uit zijn mond en hij haalde een blote hand uit de zak van zijn jas en stak hem naar haar uit.

Ze deinsde achteruit en pakte zijn pols vast. 'Wat doe je?'

Zijn glimlach veroorzaakte rimpels in de hoeken van zijn groene ogen. 'Wat dacht je dat ik van plan was?'

Haar borstkas verstrakte toen ze met verbazingwekkende helderheid terugdacht aan wat hij met haar had gedaan op zijn vaders verjaardagsfeest. En de herinnering aan haar reactie daarop was nog duidelijker. Het verontrustende was dat ze zich opnieuw zo wilde voelen. Ze wilde wat elke vrouw wil, ze wilde begeerte voelen en begeerd worden. 'Met jou weet je het nooit.'

Hij haalde een takje uit haar haar en liet het haar zien. 'Je wangen zijn rood.'

'Dat komt doordat het vriest,' zei ze, waarmee ze de schuld aan het weer gaf. Ze haalde haar hand van zijn pols en deed een stap naar achteren. De oude Clare had een man nodig om een goed gevoel over zichzelf te hebben, zei ze tegen zichzelf. De nieuwe en verstandige Clare had geleerd dat ze geen man nodig had om zich goed te voelen. 'Waarom doe je niet iets nuttigs en bel je mijn mobiel.'

'Waarom?'

Ze wees achter zich. 'Omdat ik hem daarin heb laten vallen.'

Hij grinnikte en pakte de BlackBerry die aan zijn riem hing. 'Wat is het nummer?'

Ze gaf het aan hem en even later klonk *Don't Phunk With My Heart* ergens tussen de grote struik.

'Je ringtone is van de Black Eyed Peas?'

Clare haalde haar schouders op en dook opnieuw in de struik. 'Dat is mijn nieuwe motto.' Ze duwde een paar takken opzij en zag een glimp van haar mobiel.

'Betekent dat dat je over je homoverloofde heen bent?'

'Ja.' Ze hield inderdaad niet meer van Lonny. Ze strekte haar arm zo ver mogelijk uit en pakte haar mobiel. 'Hebbes,' fluisterde ze terwijl ze zich terugtrok uit de struik. Ze draaide zich om en de voorkant van haar jas raakte die van Sebastian. Hij pakte haar bovenarmen vast om te voorkomen dat ze viel. Haar blik gleed van de rits van zijn jas naar zijn keel en kin, en langs zijn lippen naar zijn ogen, die in de hare staarden.

'Wat ben je hierbuiten aan het doen?' vroeg hij. In plaats van haar los te laten, verstrakte zijn greep. Hij trok haar op haar tenen en bracht haar gezicht dichter bij het zijne. 'Behalve je mobiel verliezen.'

'Kerstlampjes ophangen.' Ze zou naar achteren kunnen stappen, ze zou zich los kunnen maken.

Zijn blik ging naar haar mond. 'Het is hier ijskoud.'

'Ja.' Ze zou inderdaad naar achteren kunnen stappen, maar ze deed het niet. Hij keek in haar ogen en fronste zijn wenkbrauwen. Toen liet hij haar armen los en wees naar het snoer met lichtjes. 'Heb je hulp nodig?'

'Van jou?'

'Zie je hier iemand anders?'

Haar tenen waren bevroren en haar duimen begonnen verdoofd te raken. Als hij haar hielp hoefde ze geen tijd te verdoen met op de ladder omhoog en naar beneden te klimmen en hem te verplaatsen. Ze kon over tien minuten in het huis zijn om op te warmen in plaats van over een halfuur. 'Wat is het achterliggende motief?'

Hij grinnikte en klom de ladder op. 'Dat heb ik nog niet bedacht.' Hij pakte het snoer en draaide het rond de bovenkant van de struik. Zijn armen waren zo lang dat hij niet naar beneden hoefde te klimmen om de ladder te verplaatsen. 'Maar dat komt nog wel.'

Een kwartier later wist hij het.

'Dit is mijn favoriete smaak,' zei Sebastian terwijl hij Clare een beker chocolademelk gaf. Hij had haar moeten overhalen om met hem mee te gaan naar het koetshuis, en hij vroeg zich af waarom hij zo veel moeite deed. Hij had geen wanhopige behoefte aan vrouwelijk gezelschap. 'Ik ben gek op de knapperige kleine marshmallows.' Ze nam een slok van haar chocolademelk en keek met haar lichtblauwe ogen naar hem op. Op dat moment wist hij waarom hij moeite had gedaan om haar uit haar jas te praten en deze uit haar greep te ontworstelen. Hij hoefde het niet prettig te vinden, maar hij kon niet ontkennen dat hij de afgelopen maanden veel aan haar had gedacht. Hij nam een slok uit zijn beker. Om redenen die hij niet eens aan zichzelf kon uitleggen, kon hij Clare Wingate niet uit zijn hoofd krijgen.

'Dit is heel lekker,' zei ze en ze zette haar beker neer. Hij keek naar haar terwijl ze de chocolademelk van haar bovenlip likte, en hij voelde het in zijn kruis. 'Ben je hier voor Kerstmis?'

Hij wilde Clare, en niet als een vriendin. Natuurlijk, hij mocht haar best wel, maar als hij zo dicht bij haar stond wilde hij de chocolademelk van haar mond likken. 'Ik heb niet zo ver vooruitgedacht. Ik was vanochtend in Denver en heb mijn vader gebeld. Hij begon te hoesten en te niezen en toen heb ik mijn vlucht omgeboekt van Seattle naar Boise.'

'Hij is verkouden.'

De aantrekkingskracht die ze op hem uitoefende was puur fysiek. Dat was alles. Hij wilde haar lichaam. Jammer genoeg was ze niet het soort vrouw dat zin zou hebben in wat wederzijds gebruik. 'Hij klonk alsof hij geen adem kreeg,' zei hij. Hij wilde er niet eens aan denken hoezeer hij daarvan was geschrokken. Hij had onmiddellijk de luchtvaartmaatschappij gebeld en zijn bestemming veranderd. Tijdens de bijna twee uur die het hem had gekost om naar Boise te komen, had hij zich verschillende scenario's voorgesteld. Het ene nog erger dan het andere. Tegen de tijd dat ze landden, had hij een brok in zijn keel en had hij al verschillende kisten in zijn hoofd uitgezocht. Zo was hij anders nooit. 'Maar ik denk dat ik te sterk heb gereageerd, want toen ik hem vanaf het vliegveld van Boise belde, was hij zilver aan het poetsen in je moeders keuken en mopperde hij dat jullie hem in huis hadden opgesloten als een baby. Hij klonk geïrriteerd omdat hij dacht dat ik hem controleerde.'

De hoeken van haar volle lippen gingen omhoog en ze leunde met een heup tegen het aanrecht. 'Ik vind het lief dat je bezorgd bent. Weet hij dat je hier bent?'

'Ik ben nog niet naar het grote huis gegaan. Ik raakte afgeleid door de aanblik van je kont die uit de struik stak,' zei hij. Dat zei hij liever dan toegeven dat hij zich belachelijk voelde. Als een paranoïde oude vrouw. 'Ik weet zeker dat hij de huurauto heeft gezien en hiernaartoe komt als hij klaar is.'

'Wat deed je in Denver?'

'Ik heb gisteravond in Boulder een lezing gehouden, aan de Universiteit van Colorado.'

'Ik loop even met je mee.'
Ze stak een hand op en haar blauwe ogen werden groot.
[illegible]ee!' Haar glimlach wankelde, maar bleef op zijn plaats. 'Blijf
[illegible]ar bij je vader.' Ze pakte haar handschoenen en liep de keu-
[illegible] uit. Even later ging de voordeur achter haar dicht.
[illegible]eo keek naar Sebastian. 'Dat was vreemd. Is er iets gebeurd
[illegible] ik moet weten?'
[illegible]ee. Er is niets gebeurd.' In elk geval niet iets waarover hij
[illegible]zijn vader wilde praten. Leo mocht absoluut niets weten
[illegible]de kus. 'Ik denk dat ze gespannen is door het feest.'
[illegible]hebt waarschijnlijk gelijk,' zei Leo, maar het klonk niet
[illegible]igd.

Ze trok één wenkbrauw op terwijl ze in haar beker blies. 'Waarover?'

'De rol van de journalistiek in oorlogstijd.'

Eén kant van haar haar viel over haar wang. 'Dat klinkt interessant,' zei ze terwijl ze een slok nam.

'Het was heel opwindend.' Hij duwde haar haar achter haar oor, en dit keer schrok ze niet en pakte ze zijn pols niet vast. 'Ik ben erachter wat mijn achterliggende motief is.' Hij liet zijn hand zakken.

Ze hield haar hoofd scheef, zette haar beker naast de zijne op het aanrecht en kneep haar pornoactricelippen op elkaar.

'Maak je geen zorgen. Het enige wat je hoeft te doen is met me meegaan om een kerstcadeau voor mijn vader te kopen.'

'Ben je vergeten wat er is gebeurd toen je een verjaardagscadeau voor Leo wilde?'

'Dat ben ik niet vergeten. Het heeft me minstens een kwartier gekost om al die roze rotzooi van zijn hengel te verwijderen.'

Haar afkeurende blik veranderde in een tevreden glimlach. 'Ik neem aan dat je je lesje hebt geleerd.'

'Welk lesje is dat?'

'Dat je niet moet proberen me te manipuleren.'

Nu was het zijn beurt om te glimlachen. 'Clare, je vindt het fijn als ik je manipuleer.'

'Wat heb jij gerookt?'

In plaats van antwoord te geven, deed hij een stap naar haar toe en overbrugde de afstand tussen hen. 'De laatste keer dat ik je manipuleerde, kuste je me alsof je nooit meer wilde stoppen.'

Ze hield haar hoofd weer recht en keek naar hem op. 'Jij kuste mij. Ik heb jou niet gekust.'

'Je hebt de lucht zowat uit mijn longen gezogen.'

'Zo herinner ik me dat niet.'

Hij liet zijn handpalmen over de mouwen van haar dikke trui glijden. 'Leugenaar.'

Er verscheen een rimpel tussen haar wenkbrauwen en ze leunde een stukje naar achteren. 'Ik heb altijd geleerd dat je niet hoort te liegen.'

'Schatje, ik weet zeker dat je een hoop dingen doet die je moeder je niet heeft geleerd.' Zijn handen gleden naar het midden van haar rug en hij trok haar dichter naar zich toe. 'Iedereen denkt dat je aardig bent. Lief. Een net meisje.'

Ze legde haar handen op zijn borstkas en slikte. De zachte druk van haar handen verwarmde zijn huid door de blauwe wol van zijn shirt heen tot diep in zijn buik. 'Ik probeer aardig te zijn.'

Sebastian grinnikte en ging met zijn vingers door haar zachte haar. Hij hield de achterkant van haar hoofd in een van zijn handen. 'Ik vind het heerlijk als je niet zo hard je best doet.' Hij keek in haar ogen en zag het verlangen dat ze zo goed mogelijk voor hem probeerde te verbergen. 'Als je de echte Clare naar buiten laat komen om te spelen.'

'Ik denk niet...' Hij kuste haar mondhoek. 'Sebastian, ik denk niet dat dit een goed idee is.'

'Laat je gaan,' zei hij terwijl zijn lippen de hare streelden. 'Dan laat ik je van gedachten veranderen.' Maar één keer. Heel even. Alleen om zeker te weten dat hij zich niet vergiste over de laatste keer dat hij haar had gekust. Alleen om zeker te weten dat zijn hersenen die kus niet hadden overdreven om zijn fantasieën voor boven de achttien in vervulling te laten gaan.

Hij begon langzaam. Plagend en verleidelijk. Het puntje van zijn tong raakte de scheiding van haar volle lippen, en hij plantte zachte kussen in haar mondhoeken. Ze stond doodstil. Verstard, behalve haar vingers die aan de voorkant van zijn shirt kromden. 'Kom op, Clare. Je weet dat je het wilt,' fluisterde hij net boven haar mond.

Haar lippen gingen uit elkaar en ze haalde adem, zijn adem, tot diep in haar longen. Hij maakte er meteen gebruik van en zijn tong gleed langs de binnenkant van haar hete, vochtige mond. Ze smaakte naar chocolademelk en naar het verlangen dat ze probeerde te verbergen. Daarna draaide ze haar hoofd naar één kant en versmolt met zijn borstkas. Haar handen gleden naar zijn schouders en de zijkant van zijn nek. Sebastian voerde de opwinding en de druk een beetje op. Ze antwoordde

met een zacht gekreun dat tintelingen over zijn hu
en zich als een gloeiend hete vuist vastzette in z
Maar toen de kus net echt lekker begon te worde
deur van het koetshuis open en dicht en Clare s
Ze deed een paar stappen naar achteren en S
vielen langs zijn zij. Haar ogen waren wijd o
haling was onregelmatig.

Sebastian hoorde de voetstappen van zij
Leo de keuken in liep. 'O,' zei hij terwijl h
van de tafel bleef staan. 'Hallo, jongen.'

Sebastian was nog nooit zo blij gew
Pendleton-shirt los over zijn broek dro
Sebastian terwijl hij zijn beker pakte.

'Beter.' Leo keek naar Clare. 'Ik w
Clare glimlachte en veegde de ex
bastian heeft me geholpen met de
'Mooi. Ik zie dat hij je iets warr
temperatuur te brengen.'

Haar ogen werden groot. 'W
Sebastian probeerde niet te
Toen vulde zijn geamuseerde
'Hij is altijd gek geweest
lows,' voegde Leo eraan to
op zijn zoon. 'Waarom la
'O,' begon Clare met e
mee ze Sebastian de mo
colademelk. Ja, Sebast
ken.' Ze liep naar haa
mijn kofferbak hale
voor gezien hou,' z
stopte. 'Behalve al
heeft.' Ze sloeg h
lijk heeft ze mee
de keuken. 'Le
erger wordt. I
richtte haar h

Twaalf

Clare mengde zich glimlachend en pratend tussen de leden van haar moeders gezelligheidsverenigingen en liefdadigheidsinstellingen. Bing Crosby zong *The First Noel*, enkele decibellen zachter dan het geroezemoes van de converserende gasten. Ter ere van het jaarlijkse kerstfeest had Clare een takje hulst in het borstzakje van haar pluizige angoravest gestoken. Het vest sloot met parelknoopjes; het onderste viel net onder de tailleband van haar zwarte wollen broek. Ze droeg hooggehakte rode pumps aan haar voeten en haar haar was naar achteren gekamd in een eenvoudige naar binnen gedraaide paardenstaart. Haar make-up was vlekkeloos en haar rode lippenstift paste bij haar vest. Ze zag er goed uit en dat wist ze. Het had geen zin dat te ontkennen. Het was helaas moeilijker voor haar om te ontkennen dat ze zich had gekleed met een zekere journalist in gedachten. Ze kon zich voorhouden dat ze altijd probeerde er zo goed mogelijk uit te zien, wat min of meer de waarheid was. Maar als ze anders naar een van haar moeders feesten ging, trok ze haar eyeliner nooit zo nauwkeurig en scheidde ze haar wimpers nooit zo perfect als ze haar mascara aanbracht.

Ze wist niet waarom ze zoveel moeite deed. Ze vond Sebastian niet eens aardig. Nou ja, niet heel aardig. In elk geval niet aardig genoeg om zich zo druk te maken om haar uiterlijk. Hij zorgde ervoor dat alle rationele gedachten wegsmolten, dat ze vanbinnen gloeide en dat ze in zijn armen wilde verdwijnen.

Ze zei tegen zichzelf dat het weinig te maken had met Sebastian en meer met het feit dat hij een gezonde heteroseksuele man was. Hij bezat zoveel testosteron dat het een bedwelmende drug was, terwijl hij voldoende feromonen uitscheidde om elke vrouw binnen een straal van honderd meter een overdosis te bezorgen. Na Lonny was ze extra gevoelig voor dat soort seksuele aantrekkingskracht.

De laatste keer dat hij haar had gekust, was ze van plan geweest om gewoon te blijven staan, afstandelijk en niet betrokken. De beste manier om een man te ontmoedigen was onbewogen blijven in zijn omarming, maar dat was natuurlijk niet gebeurd. Als Leo het koetshuis niet was binnengekomen, wist ze niet hoe ver ze was gegaan zonder hem tegen te houden.

Maar ze zou hem uiteindelijk hebben tegengehouden omdat ze geen man in haar leven nodig had. Waarom had ze dan rode lippenstift op en droeg ze het pluizige vest? vroeg een innerlijke stem. Een paar maanden geleden zou het niet in haar opgekomen zijn om zichzelf die vraag te stellen, laat staan dat ze over een antwoord had nagedacht. Ze babbelde met de vriendinnen van haar moeder terwijl ze daarover nadacht en besloot dat het gewoon ijdelheid was, die verergerde door achtergebleven onzekerheden uit haar jeugd. Maar het maakte niet uit. Zijn huurauto stond niet meer voor de garage geparkeerd. Hij was waarschijnlijk teruggegaan naar Seattle en ze had al die moeite gedaan om er goed uit te zien voor een huis dat gevuld was met haar moeders vriendinnen.

Toen het kerstfeest een uur aan de gang was moest Clare toegeven dat het verrassend goed liep. Er werd geroddeld over de laatste geldinzamelingsactie, over de ongelooflijk slechte kwaliteit van de jongere clubleden, en over Lurleen Maddigans echtgenoot, een hartchirurg, die ervandoor was gegaan met de dertigjarige Mary Fran Randall, dochter van meneer en mevrouw Randall. Het was begrijpelijk dat noch Lurleen noch mevrouw Randall de jaarlijkse invitatie voor het Wingate-kerstfeest had aangenomen.

'Lurleen is niet meer helemaal in orde sinds haar baarmoeder is verwijderd,' hoorde Clare iemand fluisteren terwijl ze een zilveren blad met canapés naar de eetkamertafel droeg.

Clare had mevrouw Maddigan het grootste deel van haar leven gekend en had het idee dat Lurleen nooit helemaal in orde was geweest. Iemand naast wie Joyce Wingate een slons leek, had ernstige controleproblemen. Toch was ontrouw niet goed, en gedumpt worden voor een vrouw die half zo oud was als zij moest vernederend en pijnlijk zijn geweest. Misschien zelfs vernederender en pijnlijker dan je verloofde betrappen met de Sears-monteur.

'Hoe gaat het met schrijven, liefje?' vroeg Evelyn Bruce, een van Joyce' beste vriendinnen. Clare richtte haar aandacht op mevrouw Bruce en vocht tegen de aandrang om met haar ogen te knipperen. Evelyn weigerde te accepteren dat ze zeventig was geworden en verfde haar haar nog steeds felrood. Daardoor leek haar gezicht lijkwit en bovendien vloekte het rood vreselijk met haar scharlakenrode St. John-pakje.

'Goed,' antwoordde Clare. 'Bedankt dat u ernaar vraagt. Mijn achtste boek komt deze maand uit.'

'Dat is fantastisch. Ik heb altijd gevonden dat iemand een boek over mijn leven zou moeten schrijven.'

Dacht iedereen dat niet? Het probleem was dat de meeste mensen dachten dat hun leven interessanter was dan het in werkelijkheid was.

'Misschien kan ik je mijn levensverhaal vertellen en dan kun jij het opschrijven.'

Clare glimlachte. 'Ik schrijf fictie, mevrouw Bruce. Ik weet zeker dat ik uw verhaal niet zo goed kan vertellen als u dat zelf doet. En als u me nu wilt verontschuldigen...' Ze ontsnapte naar de keuken, waar Leo een nieuwe hoeveelheid eierpunch maakte. Een mengelmoes van kaneel en kruidnagel pruttelde op het fornuis en vulde het huis met de geuren van het seizoen.

'Wat kan ik doen?' vroeg ze terwijl ze naast hem ging staan.

'Ga je vermaken.'

Dat zou waarschijnlijk niet gebeuren. De oude garde van de Junior League bestond niet bepaald uit grappige vrouwen. Ze keek door het achterraam naar haar Lexus die naast Leo's Town Car stond geparkeerd – geen spoor van de huurauto.

'Is Sebastian naar huis gegaan?' vroeg ze terwijl ze een kurkentrekker pakte.

'Nee. We hebben de auto teruggebracht. Het heeft geen nut om hem voor de deur te hebben staan als Sebastian in de Lincoln kan rijden terwijl hij hier is.' Leo roerde geklopt eiwit door de eierpunch. 'Hij is in het koetshuis. Ik weet zeker dat hij het niet erg vindt als je naar hem toe gaat om gedag te zeggen.'

Het nieuws dat Sebastian er nog steeds was stuurde een huivering langs haar zenuwen, en haar greep rond de kurkentrekker verstrakte. 'O... eh, ik kan je niet alles alleen laten doen.'

'Zoveel is er niet te doen.'

Dat was absoluut waar, maar het laatste wat ze wilde was alleen met Sebastian zijn. Sebastian, die haar liet vergeten dat ze een mannenpauze had ingelast.

Ze pakte een fles chardonnay en stak de kurkentrekker in de kurk. 'De dames kunnen altijd meer wijn gebruiken,' zei ze.

'Is er gisteren iets gebeurd tussen jou en Sebastian?' vroeg Leo terwijl hij de schaal eierpunch in de koelkast zette en een schaal punch die hij eerder had gemaakt pakte. 'Toen ik binnenkwam leek je een beetje van streek.'

'O, nee.' Ze schudde haar hoofd en voelde dat haar wangen warm werden toen ze zich de kus van gisteren herinnerde. Het ene moment had ze genoten van de chocolademelk en het volgende moment had ze genoten van Sebastian.

'Weet je dat zeker? Ik weet nog dat hij je heel erg kon pesten toen je klein was.' Leo zette de schaal op het aanrecht en strooide er nootmuskaat over. 'Ik denk dat hij alleen aan je vlechten trok omdat hij het leuk vond om je te horen schreeuwen.'

Clare trok de kurk uit de fles terwijl een vriendelijke glimlach haar lippen krulde. Tegenwoordig had hij een heel nieuwe manier gevonden om haar te pesten. 'Er is niets gebeurd. Hij heeft niet aan mijn haar getrokken of mijn geld van me afgepakt.' Nee, hij had haar alleen gekust en ervoor gezorgd dat ze meer wilde.

Leo keek aandachtig naar haar en knikte toen. 'Als je het zeker weet.'

God, ze was een goeie leugenaar. 'Ik weet het zeker.' Ze pakte de wijn en liep naar de voorraadkamer.

Leo grinnikte en riep haar na: 'Hij kan een deugniet zijn!'

'Ja,' zei Clare, hoewel er andere woorden waren die beter bij hem pasten dan 'deugniet'. Ze deed de deur van de voorraadkamer open en liep naar binnen, deed het licht aan en liep langs een keukentrap en rijen ingeblikt voedsel. Van een van de achterste planken pakte ze een doos Wheat Thin-crackers en een zak Rye-chips.

Toen Clare terug was in de eetkamer, zette ze de wijn naast de andere flessen. Ze vulde een rode wegwerpschaal bij met crackers en pakte een groene druif. Haar moeders lach overstemde het geroezemoes van stemmen in de hal naast de kerstboom en de salon.

'Ze laten tegenwoordig iedereen bij de club,' zei iemand. 'Voordat ze in die familie trouwde, werkte ze bij Wal-Mart.'

Clare fronste haar wenkbrauwen en stopte de druif in haar mond. Ze vond niet dat er iets mis was met werken bij Wal-Mart, alleen met mensen die dachten dat dat verkeerd was.

'Hoe staat het met je liefdesleven?' vroeg Berni Lang aan de andere kant van het tafelbloemstuk met narcissen.

'Dat bestaat op dit moment niet,' antwoordde Clare.

'Was je niet verloofd? Of was dat de dochter van Prue Williams?'

Clare was in de verleiding om te liegen, maar ze wist dat Berni niet in de war was. Ze gebruikte haar valse naïviteit alleen als breekijzer om zo onopvallend mogelijk informatie los te peuteren. 'Ik was een tijdje verloofd, maar het werkte niet.'

'Dat is jammer. Je bent een aantrekkelijk meisje, ik begrijp niet waarom je nog steeds single bent.' Bernice Lang was midden tot eind zeventig, had een lichte vorm van osteoporose en een ernstige vorm van oudevrouwitis. Een aandoening waardoor sommige vrouwen na hun zeventigste werden getroffen en die zich uitte in de overtuiging dat ze zo onbeleefd mochten zijn als ze wilden. 'Hoe oud ben je? Als je het niet erg vindt dat ik dat vraag?'

Natuurlijk vond ze het erg, omdat ze wist waar dit gesprek toe leidde. 'Helemaal niet. Ik word over een paar maanden vierendertig.'

'O.' Ze bracht een glas wijn naar haar lippen, maar stopte alsof er net een gedachte bij haar opkwam. 'Dan kun je maar beter opschieten, denk je niet? Je wilt toch niet dat je eitjes verschrompelen? Dat is gebeurd met Linda, de dochter van Patricia Beideman. Tegen de tijd dat ze een man had gevonden, kon ze niet meer zwanger worden zonder petrischaal.' Ze nam een slok en voegde er toen aan toe: 'Ik heb een kleinzoon in wie je misschien geïnteresseerd bent.'

En Berni als oma krijgen? Nee, dank je. 'Ik maak op dit moment geen afspraakjes,' zei Clare terwijl ze het blad met canapés pakte. 'Wilt u me verontschuldigen?' Ze liep de eetkamer uit voordat ze toegaf aan de behoefte om Berni te vertellen dat haar eitjes de oude vrouw helemaal niets aangingen.

Clare geloofde niet dat de biologische klok begon te tikken voordat een vrouw de vijfendertig was gepasseerd. Ze was nog een jaar lang veilig, maar ze had toch een knoop in haar maag. Ze dacht dat het van de stress kwam omdat ze zich moest dwingen beleefd te blijven. Het kwam níét door haar verschrompelende eitjes. Maar... zat de knoop niet een beetje te laag voor maagpijn? Die verdomde Berni. Alsof ze niet genoeg stress in haar leven had. Ze had de deadline voor haar boek boven haar hoofd hangen en in plaats van te werken serveerde ze hors-d'oeuvres aan de vriendinnen van haar moeder.

Ze bracht het blad naar de salon. 'Canapés?'

'Dank je, liefje,' zei haar moeder terwijl ze naar het blad keek. 'Ze zien er prachtig uit.' Ze verschikte de hulst in Clares borstzak. 'Herinner je je mevrouw Hillard nog?' vroeg ze.

'Natuurlijk.' Clare hield het blad aan een kant en kuste de lucht naast Ava Hillards wang. 'Hoe is het met u?'

'Prima.' Ava pakte een canapé. 'Je moeder vertelt me net dat er deze maand een nieuw boek van je uitkomt.' Ze nam een hapje en spoelde dat weg met chardonnay.

'Ja.'

'Ik vind het fantastisch. Ik kan me niet voorstellen hoe het is om een heel boek te schrijven.' Ze keek door haar dunne schildpadbril naar Clare. 'Je moet wel heel creatief zijn.'

'Dat probeer ik in elk geval.'

'Clare is altijd een heel creatief kind geweest,' zei haar moeder terwijl ze de canapés herschikte alsof ze nog niet helemaal goed stonden. De oude passief-agressieve Clare zou het blad expres scheef hebben gehouden zodat ze naar één kant gleden. De nieuwe Clare glimlachte gewoon en liet haar moeder haar gang gaan. Hapjes verplaatsen was niet iets om geïrriteerd over te raken.

'Ik vind het heerlijk om te lezen.' Ava was de laatste vrouw van Norris Hillard, de rijkste man van Idaho en de op drie na rijkste man van het land. 'Je moeder stelde voor dat ik je om een exemplaar van je laatste boek zou vragen.'

Dat haar moeder gratis boeken beloofde was behoorlijk irritant. 'Ik geef geen exemplaren van mijn boeken weg, maar u kunt ze in elke boekwinkel kopen.' Ze keek naar haar moeder en glimlachte. 'Ik ga deze opwarmen,' zei ze terwijl ze het blad omhooghield. 'Excuseer me.'

Ze laveerde tussen haar moeders vriendinnen door, deelde een paar canapés uit en bereikte de keuken zonder haar kalmte of haar glimlach te verliezen. Ze verwachtte Leo te zien kokkerellen. In plaats daarvan stond Sebastian bij het aanrecht, met zijn rug naar de keuken terwijl hij naar de achtertuin keek. Hij droeg een wit T-shirt onder een grove grijze trui en zijn gebruikelijke cargobroek. Zijn haar leek nat tegen de achterkant van zijn hoofd en ontblote nek. Toen hij haar schoenen op de tegelvloer hoorde, draaide hij zich om en keek naar haar. Zijn groene ogen boorden zich in de hare en ze bleef plotseling staan.

'Waar is Leo?' vroeg ze terwijl er een paar canapés gevaarlijk dicht naar de rand van het blad gleden.

Sebastian had het zich gemakkelijk gemaakt met de rode wijn van Joyce en hield een glas bij zijn heupen. 'Hij zei dat hij even rust nam.'

'In het koetshuis?'

'Ja.' Sebastians blik ging van haar ogen naar haar mond en

gleed toen langzaam naar het takje hulst. Hij wees met zijn glas naar haar. 'Rood staat je goed.'

'Dank je.' Ze deed een paar stappen naar voren en zette het blad op het kookeiland in het midden van de keuken. Hij zag er ook goed uit, op een absoluut smakelijke manier, en ze hield expres afstand. Haar maag was licht en zwaar tegelijkertijd en ze deed een poging om een beleefd gesprek te voeren. 'Wat heb je sinds gisteren gedaan?'

'Ik heb de hele nacht gelezen.' Hij nam een slok van zijn wijn.

Door de afstand tussen hen kalmeerde haar maag en ze haalde opgelucht adem. 'Waarover dit keer?'

Hij keek haar over zijn glas aan. 'Piraten.'

'Internetpiraten?'

'Internet?' Hij schudde zijn hoofd en glimlachte scheef. 'Nee. Zeepiraten. De echte uit de avonturenromans.'

Haar eerste twee boeken waren over piraten gegaan. Het eerste ging over kapitein Jonathan Blackwell, bastaardzoon van de hertog van Stanhope, en het tweede over William Dewhurst, wiens liefde om de Stille Zuidzee te plunderen net iets minder groot was dan zijn liefde om lady Lydia te plunderen. Tijdens haar onderzoek voor die boeken had ze geleerd dat piraterij nog steeds een probleem was. Het was zeker niet zo wijdverspreid als het een paar honderd jaar geleden was geweest, maar het was nog net zo meedogenloos. 'Schrijf je een artikel over piraterij?'

'Nee. Dat niet.' Hij liep naar haar toe en zette zijn glas naast het zilveren blad, waarmee hij de prettige en veilige afstand tussen hen doeltreffend wegnam. 'Hoe is het feest?'

Clare haalde haar schouders op. 'Berni Lang vertelde me dat mijn eitjes verschrompelen.'

Hij keek met zijn intens groene ogen naar haar en had er duidelijk geen idee van waarover ze het had. Natuurlijk wist hij dat niet. Mannen hoefden zich geen zorgen te maken over tikkende klokken en verschrompelende eitjes.

'Ze zegt dat ik moet opschieten, omdat ik anders niet meer zwanger kan worden zonder petrischaal.'

'O.' Hij liet zijn blik naar haar buik glijden. 'Ben je daar bezorgd over?'

'Nee.' Ze legde een hand op haar buik alsof ze zich wilde beschermen tegen de sensuele blik in zijn ogen. Als er één man was die een vrouw zwanger kon maken door alleen naar haar te kijken, dan was het Sebastian Vaughan. 'Tot vandaag was ik dat in elk geval niet. Nu ben ik een beetje in de war.'

'Ik zou me daar maar geen zorgen over maken als ik jou was.' Hij keek naar haar gezicht. 'Je bent nog jong en mooi en je vindt vast iemand die een baby'tje met je wil maken.'

Hij had gezegd dat ze mooi was en om de een of andere stomme reden werd ze daar licht door in haar hoofd en voelde ze zich een beetje warm en verward. Het raakte het kleine meisje binnen in haar dat eraan gewend was hem achterna te lopen. Ze dwong zichzelf om niet meer naar hem maar naar de hapjes te kijken. Ze was naar de keuken gekomen om iets te doen. Maar wat?

'En als dat niet gebeurt, kun je altijd nog een kind adopteren of een spermadonor zoeken.'

Ze pakte het zilveren blad en liep naar de gootsteen. 'Nee. Sommige vrouwen vinden dat misschien geen punt, maar ik wil een vader voor mijn kind. Een fulltime vader.' Het praten over sperma en donors deed haar denken aan het maken van baby's op de ouderwetse manier. En dat deed haar denken aan Sebastian die met alleen een handdoek rond zijn middel voor haar stond. 'Ik wil meer dan één kind en ik wil een echtgenoot die ze helpt opvoeden.' Ze trok de afvalbak onder de gootsteen vandaan. 'Ik weet zeker dat je beseft hoe belangrijk een vader in het leven van een jongen is.'

'Dat besef ik inderdaad, maar jij weet ook dat het leven niet perfect is. Je weet dat zelfs met de beste intenties vijftig procent van alle huwelijken eindigt in een scheiding.'

Doordat ze aan hem dacht met die handdoek om, dacht ze ook aan hem zonder handdoek om. 'Maar de andere vijftig procent gaat níét scheiden,' zei ze zonder na te denken bij wat ze deed toen ze de hors-d'oeuvres weggooide. Terwijl ze toekeek hoe ze in de afvalbak gleden, wist ze weer dat ze naar de keuken was gekomen om ze op te warmen, niet om ze weg te gooien.

'Jij wilt het sprookje.'

'Ik wil een kans.' Verdomme. Ze was uren bezig geweest met de paddenstoelrolletjes. Een fractie van een seconde dacht ze erover om ze uit het afval te halen. Dit was Sebastians schuld. Hij leek de lucht uit de kamer te zuigen en haar hersenen zonder zuurstof achter te laten. Ze duwde de afvalbak onder de gootsteen en deed de deur dicht. Wat nu?

'Geloof je echt in "en ze leefden nog lang en gelukkig"?'

Clare draaide zich om en keek naar hem. Hij leek niet te spotten, maar gewoon nieuwsgierig te zijn. Geloofde ze dat? Ondanks alles? 'Ja,' antwoordde ze naar waarheid. Misschien geloofde ze niet langer in de perfecte liefde, of liefde op het eerste gezicht, maar ze geloofde nog steeds in duurzame liefde. 'Ik geloof dat twee mensen gelukkig met elkaar kunnen zijn en samen een fantastisch leven kunnen hebben.' Ze zette het blad op het aanrecht naast een blad met boterbabbelaars in de vorm van kleine kerstbomen. Ze stopte er een in haar mond en leunde met haar billen tegen het aanrecht. Ze had alle hors-d'oeuvres gemaakt en ze was ze nu al kwijt. Ze keek naar haar rode teennagels terwijl ze zich herinnerde dat er wat vis in haar moeders vriezer lag, maar daar kon ze niets mee doen.

'Voor onze ouders gold dat niet.'

Ze keek op naar Sebastian. Hij had zich naar haar toe gedraaid en had zijn armen over elkaar geslagen.

'Dat is waar, maar mijn moeder en jouw vader zijn om de verkeerde redenen getrouwd. Die van mij omdat ze dacht dat ze een charmante rokkenjager kon veranderen, en die van jou omdat... tja, omdat...'

'... mijn moeder zwanger was,' maakte hij de zin voor haar af. 'En we weten hoe dat is afgelopen. Het was een ramp. Ze hebben elkaar het leven zuur gemaakt.'

'Zo hoeft het niet te zijn.'

'Hoe hou je dat tegen? Harten en bloemen en grandioze verklaringen van eeuwige liefde? Wil je beweren dat je daar echt in gelooft?'

Ze haalde haar schouders op. 'Ik wil gewoon iemand die net zo eerlijk en gepassioneerd van mij houdt als ik van hem.' Ze zette zich af van het aanrecht en liep naar de koelkast. Ze trok de vriezer open en zag schepijs, een paar stukken kip en de forel die Leo aan Joyce had gegeven toen hij met Sebastian had gevist. Ze deed de vriezer weer dicht en vroeg: 'En jij?' Ze was het zat om over zichzelf te praten. 'Wil jij kinderen?'

'De laatste tijd denk ik dat ik het leuk zou vinden om op een dag een kind te hebben.' Clare keek naar hem en deed de koelkast open. Hij nam een slok wijn en voegde eraan toe: 'Maar een vrouw is een ander verhaal. Ik heb moeite om mezelf getrouwd te zien.'

Zij had ook moeite om hem getrouwd te zien. Ze bukte zich en zette haar handen op haar knieën om in de koelkast te kijken. 'Jij bent gewoon één van die mannen.'

'Wat voor mannen?'

Melk. Grapefruitsap. Potten salsa. 'Mannen die niet hun hele leven gebonden willen zijn aan één vrouw, omdat er zoveel vrouwen rondlopen die erop wachten om veroverd te worden. Mannen die zich afvragen waarom ze de rest van hun leven elke dag met havermoutpap zouden ontbijten als ze ook voor cornflakes, muesli of frosties kunnen kiezen.' Cottage cheese. Iets wat op een stuk pizza leek. 'Weet je wat er gebeurt met dat soort mannen?'

'Vertel het me maar.'

'Die mannen worden vijftig en zijn alleen en plotseling besluiten ze dat het tijd is om een rustig leventje als echtgenoot te gaan leiden. Dus scoren ze wat viagra en zoeken ze een twintigjarige om mee te trouwen en er een paar kinderen uit te persen.' Kaas. Augurken. Eieren. 'Alleen zijn ze te oud om van de kinderen te genieten, en als ze zestig zijn laat de twintigjarige ze in de steek voor iemand van haar eigen leeftijd en haalt ze zijn bankrekening leeg. Ze zijn verdrietig en gebroken en snappen niet waarom ze alleen zijn.' Ze pakte een blik Kalamata-olijven. 'De kinderen willen niet dat ze naar school komen omdat ze tegen hun pensioen lopen en alle andere kinderen denken dat het hun opa is.'

Jezus, dacht ze toen ze overeind kwam, dat klonk cynisch. Ze had blijkbaar te vaak naar Maddie geluisterd. Ze las de uiterste verkoopdatum op het blik olijven. 'Ik ben helemaal niet verbitterd of zo,' zei ze glimlachend terwijl ze over haar schouder keek. 'En niet alle mannen zijn onvolwassen hufters,' voegde ze eraan toe terwijl ze Sebastian erop betrapte dat hij naar haar kont staarde. 'Maar dat kan ik mis hebben.'

Hij keek op. 'Wat?'

'Heb je een woord gehoord van wat ik tegen je heb gezegd?' Ze deed de koelkastdeur dicht en zette het blik olijven op het aanrecht. Ze had er geen bestemming voor, maar ze zagen er beter uit dan wat er verder in de koelkast lag.

'Ja. Jij denkt dat ik er moeite mee heb om mezelf getrouwd te zien omdat ik heel veel verschillende vrouwen wil "veroveren" en hun cornflakes en frosties wil opeten.' Hij grinnikte. 'Maar dat is niet zo. Ik heb moeite om mezelf getrouwd te zien omdat ik vaak weg ben en ik heb de ervaring dat afstand niet goed is voor een relatie. In de periode dat ik weg ben, gaat zij verder of ben ik degene die verdergaat. En als dat niet zo is, dan ziet ze mijn werk plotseling als haar concurrent en wil ze dat ik mijn schema aanpas om meer tijd aan haar te kunnen besteden.'

Daar kon Clare geen kritiek op hebben. Ze wist wat het was om te moeten werken terwijl je vriend wilde spelen. Ze voelde verwantschap met Sebastian tot zijn volgende woorden: 'En vrouwen kunnen gewoon nooit eens iets met rust laten. Als iets goed gaat, moeten ze erin wroeten en het martelen en dood praten. Ze willen altijd praten over gevóélens en over een relatie aangaan en voor elkaar kiezen. Vrouwen kunnen gewoon nooit eens een beetje luchtig doen over dat soort dingen.'

'Mijn god, ze moeten een waarschuwingssticker op jou plakken.'

'Ik heb nog nooit gelogen tegen een vrouw met wie ik een relatie heb gehad.'

Misschien niet met zoveel woorden, maar Sebastian kon op zo'n manier naar een vrouw kijken dat ze het gevoel had dat ze speciaal voor hem was. Terwijl ze in werkelijkheid alleen speciaal was tot hij verder trok. En hoewel ze wist dat Sebastian een slang was met mooie praatjes, was ze er niet immuun voor. Ze was niet immuun voor de manier waarop hij naar haar keek en haar kuste en aanraakte en naar zich toe trok, zelfs al wist ze dat ze gillend in de tegenovergestelde richting moest wegrennen. 'Geef me eens een definitie van een relatie.'

'Jezus.' Hij zuchtte. 'Jij bent ook zo'n vrouw.' Hij stak zijn hand op en liet hem weer langs zijn zij vallen. 'Een relatie... is op een regelmatige basis afspraakjes maken en seks hebben met dezelfde persoon.'

'En jij bent zo'n man.' Ze schudde haar hoofd en liep naar de andere kant van het keukeneiland. 'Relaties hebben meer inhoud dan samen uit eten, naar de bioscoop gaan en met elkaar in bed belanden.' Ze kon meer over het onderwerp zeggen, maar ze geloofde niet dat het zou helpen. 'Hoe lang heeft je langste relatie geduurd?'

Hij dacht even na. 'Ongeveer acht maanden.'

Ze legde haar handen op de witte tegels en trommelde met haar vingers terwijl ze vanaf deze veilige afstand in zijn ogen keek. 'En jullie hebben elkaar waarschijnlijk maar de helft van die tijd gezien.'

'Min of meer.'

'Dus in totaal was het ongeveer een maand of vier.' Ze schudde haar hoofd weer en liep door de keuken naar de voorraadkast. Haar hoge hakken tikten op de keukenvloer. 'Ik ben geschokt.'

'Waarom? Dat het niet langer duurde?'

'Nee,' antwoordde ze terwijl ze de deur opendeed. 'Dat het zo láng duurde. Vier maanden is een hele tijd als je je niet druk maakt over praten en betrokkenheid en gevoelens.' Ze keek hem dreigend aan en liep de voorraadkamer in. 'Die arme vrouw moet mentaal uitgeput zijn geweest.' Ze liep langs de keukentrap en zocht naar een doos van dit of een pot van dat. Als ze maar iets had om de vriendinnen van haar moeder voor te schotelen.

'Je hoeft geen medelijden met haar te hebben,' zei Sebastian vanuit de deuropening. 'Ze was een yoga- en pilatesinstructrice en ze mocht in bed op mij trainen. Als ik het me goed herinner was haar favoriete standje de liggende hond.'

Wat opnieuw bewees dat vrouwen al het werk deden in een relatie. 'Je bedoelt de neerkijkende hondhouding.'

'Ja. Ken je die?'

Clare negeerde de vraag. 'Dus de yoga-instructrice heeft zich in allerlei bochten gewrongen om jou een plezier te doen. Ik stel me zo voor dat ze je wereld zowel in bed als daarbuiten fantastisch maakte, maar wat hield zij aan jullie relatie over? Behalve een gespierde buik en billen van staal?'

Hij grijnsde als een geboren zondaar. 'Buiten het bed kreeg ze etentjes en de bioscoop. In bed kreeg ze meervoudige orgasmen.'

O. Oké. Dat was fijn. Zij had nog nooit een meervoudig orgasme gehad. Hoewel ze dacht dat ze er één keer misschien dichtbij was geweest.

Hij leunde met zijn schouder tegen de deurpost. 'En nu? Heb je daar niets op te zeggen?'

Ze was niet hebzuchtig, helemaal niet, maar het was zo lang geleden dat ze het ook niet erg zou vinden als het maar één orgasme was.

'Zoals?'

'Bijvoorbeeld dat een relatie niet alleen om seks draait en dat vrouwen meer nodig hebben dan meervoudige orgasmen.'

'Ja. Dat is zo.' Ze deed haar ogen dicht en schudde haar hoofd. 'Dat hebben we inderdaad nodig. En een relatie is meer dan seks.' Ze keek naar hem. Hij stond erbij als de hunk van de maand en ze had toegestaan dat hij haar had afgeleid met zijn praatjes over meervoudige orgasmen. Ze was naar de voorraadkast gekomen om crackers of zoiets te vinden...

Hij ging rechtop staan en deed de deur met zijn voet dicht.

'Wat doe je?' vroeg ze.

Hij deed een paar stappen naar voren tot ze haar hoofd in

haar nek moest leggen om naar zijn gezicht te kunnen kijken. 'Blijkbaar ben ik je aan het stalken.'

'Waarom?' Hij deed het weer. Hij zoog weer alle lucht uit de ruimte op, zodat ze licht in haar hoofd werd. 'Verveel je je?'

'Of ik me verveel?' Hij nam de tijd om over die vraag na te denken voordat hij antwoord gaf. 'Nee. Ik verveel me niet.'

Dertien

Sebastian verveelde zich absoluut niet. Hij was geïntrigeerd en geïnteresseerd en heel erg opgewonden, maar dat was zijn schuld niet. Dat kwam door Clare. Hij had haar tweede boek gelezen, *De gevangene van de piraat*, en het was een schok voor hem geweest dat hij daar zo van had genoten. Het was een heel melodramatische avonturenroman met hoge zeeën en veel erotische actie. Een vrouw die zo erotisch kon schrijven moest wel opwindend in bed zijn.

Clare. Clare Wingate. Het meisje met de dikke bril dat hem altijd achtervolgde en hem heel vaak irriteerde, bleek net zo interessant en intrigerend te zijn als ze mooi was.

Wie had dat gedacht?

Nadat hij een koude douche had genomen, was hij naar haar op zoek gegaan om te vragen of ze zin had om met hem van het feest te ontsnappen voor een late lunch ergens in de binnenstad. Op een openbare plek, waar hij niet in de verleiding kwam om haar te zoenen, zoals hij gisteren had gedaan. Maar ze begon te praten over mannen die vrouwen aten alsof het cornflakes en frosties waren, en daardoor was hij zich gaan afvragen hoe zij zou smaken, en nu stonden ze hier. In de dichte voorraadkast.

'Waarom stalk je me dan?' vroeg ze.

Hij liet zijn handen via haar armen naar haar schouders glijden. Door haar hoge hakken was haar mond net onder de zijne. 'Weet je nog dat we ons hier verstopten en ons te goed deden aan de padvinderskoekjes? Ik denk dat ik een hele doos chocoladekoekjes heb gegeten.'

Ze slikte moeizaam terwijl haar prachtige blauwe ogen in de zijne keken. Ze knipperde. 'Ben je me hiernaartoe gevolgd om me te vertellen dat we hier koekjes aten?'

Hij ging met zijn handen van haar schouders naar de zijkanten van haar warme hals. Haar polsslag was snel onder zijn duimen. 'Nee.' Hij duwde haar kin omhoog en bracht zijn gezicht vlak boven het hare. 'Ik wilde voorstellen om je op te eten als een frostie.' Hij bleef in haar ogen kijken. 'Ik wil met je praten over alle dingen die ik met je wil doen. Daarna kunnen we praten over alle dingen waarvan ik wil dat jij ze met mij doet.' Alle dingen die ze in zijn gedachten al met hem had gedaan.

Ze legde haar handen op zijn borstkas en hij dacht dat ze hem weg zou duwen. In plaats daarvan zei ze: 'We kunnen dit niet doen. Straks komt er iemand binnen.'

Hij vroeg zich af of ze zich realiseerde dat haar enige bezwaar was dat ze betrapt konden worden. Hij glimlachte. Haar rode lipstick had hem gek gemaakt en hij hield zijn mond vlak boven de hare. 'Niet als we heel stil zijn.' Hij drukte een snelle kus op haar lippen. 'Je wilt niet dat Joyce ons hier betrapt. Ze zou geschokt zijn als ze je hier vindt terwijl je de zoon van de tuinman zoent.'

'Maar ik zoen je niet.'

Hij grinnikte zachtjes. 'Nog niet.'

Ze haalde diep adem en hield de lucht vast. 'Je vader kan ons betrappen.'

Hij streelde met zijn duim over de zachte huid van haar kaak terwijl hij haar mond bleef plagen. 'Hij doet een van zijn twintig-minuten-dutjes die altijd een uur duren. Hij komt er niet achter.'

'Waarom vind ik het goed dat je dit met me doet?' vroeg ze met een zucht.

'Omdat het een lekker gevoel is.'

Ze slikte en haar keel bewoog onder zijn handen. 'Veel dingen voelen lekker.'

'Niet zó lekker.' Haar vingers kromden in zijn trui. 'Geef het maar toe, Clare. Je vindt het net zo fijn als ik.'

'Dat komt alleen omdat... het een tijd geleden is.'
'Wat is een tijd geleden?'
'Dat het zo lekker voelde.'

Het was voor hem ook een tijd geleden. Een hele tijd geleden sinds hij zoveel aan een vrouw had gedacht als aan Clare. Vooral omdat hij niet eens seks met haar had gehad. Hij trok haar kin nog een stukje omhoog en terwijl zijn mond de hare zachtjes aanraakte, wachtte hij. Hij wachtte op het laatste zoete moment van aarzeling. Het moment vlak voordat ze het gevecht met zichzelf verloor en met hem versmolt. Als ze niet langer de perfecte Clare was, als ze zichzelf niet langer verborg achter vriendelijke glimlachjes en een ijzeren zelfbeheersing. Het moment vlak voordat ze tegelijkertijd wegsmolt en hartstochtelijk werd.

Hij voelde de hapering in haar ademhaling en de druk van haar vingertoppen tegen zijn trui. Haar handen gleden over zijn borstkas omhoog en lieten een vurig spoor tot in zijn nek achter. Haar lippen gingen met een nauwelijks hoorbaar 'ahh' uit elkaar, en ze was van hem. Haar overgave wond hem bijna net zo op als haar vingers die door het haar op zijn achterhoofd woelden. Hij kreeg kippenvel op zijn rug en borstkas en hij voelde dat hij keihard werd.

Hij kuste haar licht en nam de tijd om de zweem van munt in haar ademhaling te proeven en de zachte warmte van haar mond te voelen. Hij liet haar het tempo aangeven en verzonk langzaam in een kus die zowel martelend als zoet was. Hij voelde haar hartstocht groeien. Hij merkte het in haar aanraking en hoorde het aan het gekreun dat aan haar keel ontsnapte.

Ze trok zich terug, haar ademhaling was snel, haar ogen waren wijd opengesperd. Haar handen grepen zijn schouders en ze fluisterde: 'Waarom laat ik dit altijd gebeuren?'

Frustratie klauwde aan zijn borstkas en tussen zijn benen. Zijn ademhaling was maar weinig kalmer dan de hare. 'Daar hebben we het al over gehad.'

'Ik weet het, maar waarom met jou?' Ze likte aan haar natte lippen. 'Er zijn zoveel andere mannen op de wereld.'

Hij trok haar zo dicht tegen zich aan dat haar borsten tegen zijn trui geplet werden. 'Ik neem aan dat het met mij lekkerder is dan met die andere mannen.' De tijd om te praten was voorbij en hij liet zijn mond weer zakken. Dit keer aarzelde ze niet. Er was alleen begeerte, heet en vloeiend en net zo dringend als de zijne.

Hij legde een hand op haar ronde billen, schoof zijn knie tussen haar benen en trok haar tegen zijn harde erectie. Zijn verlangen naar haar veranderde in een heet en gulzig ding dat hij nauwelijks nog kon beheersen. Haar zoen werd natter en hongeriger en hij gaf haar wat ze nodig had.

Ze had het mis gehad over hem. Hij wilde geen vrouw die zich in allerlei bochten voor hem wrong. Hoewel er niets mis mee was om het fantastisch te hebben in bed. Of buiten het bed. Of in de voorraadkast. Op dit moment leverde Clare heel goed werk. Hij liet zijn hand van haar billen naar haar middel glijden en zijn hand verdween onder haar vest. Haar huid was zacht en hij trok met zijn duim een cirkel op haar buik. Ze bewoog tegen zijn erectie en hij vocht tegen het verlangen om haar broek naar beneden te trekken en haar ter plekke te nemen, op de vloer van de voorraadkast waar iedereen binnen kon lopen. Hij wilde zijn begeerte tussen haar zachte dijen bevredigen en de scherpte verminderen van het verlangen dat zich in zijn onderbuik roerde en dat een zweem van pijn aan zijn genot toevoegde.

Hij bracht een hand naar de bovenste knoop van haar vest en trok eraan. De stof gleed uit elkaar, en hij bleef haar dwingend kussen terwijl zijn hand naar het volgende knoopje ging. Het laatste wat hij wilde was dat ze hem nu tegenhield. Er zou later tijd zijn om te stoppen. Op dit moment wilde hij gewoon nog een beetje meer. Vijf knoopjes verder gleed zijn hand tussen de panden van haar vest en pakte hij haar borst vast. Haar harde tepel duwde door het kant van haar bh tegen zijn handpalm.

Ze trok zich terug en keek verbaasd naar zijn hand. 'Je hebt mijn vest opengemaakt.'

Hij streek met zijn duim over haar tepel. Ze deed haar ogen dicht en haar ademhaling bleef in haar borstkas steken. 'Ik wil je,' fluisterde hij.

Ze keek naar hem op, het verlangen en haar zelfbeheersing botsten met elkaar in haar blauwe ogen. 'We kunnen dit niet doen.'

'Ik weet het.' Hij voelde haar verleidelijke warme huid door de kleine gaatjes in het kant. 'We stoppen zo.'

Ze schudde haar hoofd, maar hij haalde zijn hand niet weg.

'We moeten nu stoppen. De deur kan niet op slot. Er kan iemand binnenkomen.'

Dat was waar. Normaal gesproken had dat hem tegengehouden, maar vandaag niet. Met twee handen duwde hij haar vest verder uit elkaar en keek naar haar. 'Sinds die nacht in het Double Tree heb ik hier voortdurend aan gedacht,' zei hij. 'Ik wilde je uitkleden en aanraken.' Hij keek naar haar decolleté en de harde tepels die tegen het rode kant van haar bh duwden. 'Ik wilde nog een keer naar die kleine Clare kijken.'

'Ik ben niet klein,' fluisterde ze.

'Dat weet ik,' zei hij terwijl hij drie vingers onder haar schouderbandje liet glijden. 'Ik vind dit mooi. Je zou altijd rood moeten dragen.' Onder het satijn en kant gleden zijn vingers naar het rode strikje, dat tussen haar diepe decolleté zat. Hij boog zich voorover en kuste de zijkant van haar hals terwijl zijn handen het kleine slotje onder de strik openden. Haar bh ging open en hij duwde hem, samen met haar vest, langs haar armen naar beneden.

'Maar naakt ben je tegenwoordig mooier.' Haar volle witte borsten waren perfect rond en voorzien van kleine donkerroze tepels. Hij liet zijn hoofd zakken en kuste het kuiltje in haar keel, haar decolleté en de zijkant van haar borst. Hij keek in haar ogen terwijl hij zijn mond opendeed en haar tepel met zijn tong streelde. Ze legde haar handen tegen de zijkanten van zijn gezicht en kromde haar rug. Haar neusvleugels waren opengesperd en ze keek naar hem met blauwe ogen die vochtig waren en glansden van begeerte.

Sebastian legde zijn handen op haar rug en hield haar vast terwijl hij zijn gladde mond opendeed en haar borst naar binnen zoog. Zijn tong speelde met de harde en zachte structuren van haar vlees terwijl de begeerte aan hem trok en hem martelde.

'Stop!' fluisterde ze en ze duwde hem weg.

Hij keek naar haar op, verdoofd en bedwelmd door de smaak van haar huid die in zijn mond achterbleef. Stop? Hij was net begonnen.

Buiten de kast ging een deur dicht en iemand draaide de kraan open. 'Ik denk dat het Leo is,' fluisterde ze.

Zijn greep op haar rug verstrakte toen hij de gedempte stem van zijn vader door de deur hoorde. Het laatste wat hij wilde was stoppen, maar hij wilde ook niet dat zijn vader Clare en hem betrapte. 'Kom mee naar het koetshuis,' zei hij bij haar oor.

Ze schudde haar hoofd en trok zich terug uit zijn omhelzing. Het geluid van stromend water stopte en hij herkende de voetstappen van zijn vader, die wegstierven in de richting van de eetkamer.

Hij ging met zijn vingers door zijn haar terwijl de seksuele frustratie hem overviel. 'Dit is een groot huis. Ik weet zeker dat er heel veel kamers zijn waar we dit af kunnen maken.'

Ze schudde opnieuw haar hoofd terwijl ze de cups van haar bh pakte en het rode kant over haar borsten trok. Haar donkere paardenstaart raakte haar schouders. 'Ik had kunnen weten dat je te ver zou gaan.'

Zijn frustratie beukte op zijn hersenen en trapte hem in zijn kruis. Hij wilde dolgraag afmaken wat ze waren begonnen; in het koetshuis, in haar huis, op de achterbank van de auto. Het kon hem niets schelen. 'Een minuut geleden klaagde je niet.'

Ze keek naar hem en daarna weer naar beneden, terwijl ze het slotje tussen haar borsten vasthaakte. 'Daar was helemaal geen tijd voor. Je ging veel te snel.'

Nu maakte ze hem boos. Net zoals ze die ochtend in de Double Tree had gedaan. 'Je was het eens met alles wat ik met je deed, en als Leo de keuken niet in was gekomen, was je nog steeds aan het kreunen terwijl je mijn gezicht vasthield. Nog een paar minuten en dan had ik je helemaal naakt gehad.'

'Ik kreunde niet.' Ze trok de panden van haar vest bij elkaar. 'En neem jezelf niet in de maling. Ik zou niet hebben toegestaan dat je nog meer van mijn kleren uittrok.'

'Lieg niet tegen jezelf. Je had me alles laten doen wat ik wilde.' Hij vocht tegen de aandrang om haar vast te pakken en haar te zoenen tot ze hem smeekte om meer. 'De volgende keer dat ik je mag uitkleden, ga ik door.'

'Er komt geen volgende keer.' Haar handen trilden terwijl ze haar vest dichtknoopte. 'Dit is uit de hand gelopen voordat ik het kon stoppen.'

'Juist. Je bent geen meisje dat er maar een vaag idee van heeft waar dit toe leidt. De volgende keer doe ik met je waar je ex-verloofde blijkbaar niet zo goed toe in staat was.'

Ze hield haar adem in en keek hem aan. Haar ogen vernauwden en ze was de oude Clare weer. Perfect verzorgd en beheerst. 'Dat was gemeen.'

Hij voelde zich gemeen.

'Je weet helemaal niets over mijn leven met Lonny.'

Nee, dat was zo, maar hij kon het raden. Er klonken opnieuw voetstappen in de keuken en hij boog zich naar voren en fluisterde: 'Ik geef je een eerlijke waarschuwing. Als ik mijn gezicht ooit weer tussen je borsten heb begraven, ga ik je datgene geven wat je zo verdomd hard nodig heb.'

'Je hebt er helemaal geen idee van wat ik nodig heb. Blijf bij me uit de buurt,' zei ze en met die woorden stormde ze de voorraadkamer uit en deed ze de deur achter zich dicht.

Hij zou het heerlijk hebben gevonden om ook naar buiten te stormen, maar hij had een pijnlijk probleem dat tegen zijn rits duwde.

Aan de andere kant van de deur hoorde hij zijn vaders stem. 'Heb je Sebastian gezien?' vroeg Leo.

Sebastian wachtte tot ze hem verlinkte. Net zoals ze jaren geleden had gedaan toen ze boos op hem was. Hij keek om zich heen naar iets om zijn duidelijke erectie achter te verbergen.

'Nee,' antwoordde Clare. 'Nee, ik heb hem niet gezien. Heb je al in het koetshuis gekeken?'

'Ja. Daar is hij niet.'

'Nou, hij zal vast wel ergens zijn.'

Veertien

Fiona Winters wist vrij zeker dat ze niet het soort vrouw was tot wie een man zoals Vashion Elliot, de hertog van Rathstone, zich aangetrokken voelde. Ze was de gouvernante van zijn dochter. Een nobody. Een wees, met een paar duiten op zak. Ze vond het fijn om te denken dat ze een goede gouvernante was voor Annabella, maar ze was nauwelijks mooi te noemen. In elk geval niet zoals de operazangeressen of ballerina's aan wie de hertog de voorkeur gaf, zoals iedereen wist.

'Sorry, excellentie?'

Hij deed een stap naar achteren en hield zijn hoofd scheef. Zijn blik gleed over haar gezicht. 'Ik vind dat de frisse lucht van het Italiaanse platteland een mooie gloed op je wangen heeft getoverd.' Hij tilde een hand op en pakte een verdwaald plukje haar dat voor haar oog in de wind danste. Zijn vingers streken over haar gezicht toen hij het achter haar oor stopte. 'Je ziet er de laatste paar maanden een stuk beter uit.'

Ze hield haar adem in en perste een gesmoord 'dank u' uit haar mond. Ze wist zeker dat de evenwichtige voeding meer voor haar gezondheid had gedaan dan de frisse lucht. Net zoals ze zeker wist dat de hertog van Rathstone geen bijbedoelingen had met zijn opmerking over haar uiterlijk. 'Als u me wilt verontschuldigen, excellentie,' zei ze. 'Ik moet Annabella klaarmaken voor het bezoek van graaf en gravin Diberto.'

Clare pakte een boek over de adelstand en sloeg het open. Ze stond op het punt om twee nieuwe personages te introduceren en ze moest zeker weten dat ze de juiste Italiaanse aristocratische titels gebruikte. Op het moment dat ze de goede bladzijde in het midden van het boek had gevonden, klonk *Paperback Writer* door het huis. Het was zaterdagochtend en ze verwachtte niemand.

Clare kwam van haar stoel overeind en liep naar een van de dakkapelramen die uitkeken over de oprit aan de voorkant. Leo's Lincoln stond beneden geparkeerd, maar ze had het gevoel dat Leo de chauffeur niet was. Ze duwde het raam open en een vlaag koude decemberlucht sloeg tegen haar gezicht en sijpelde door het dikke katoen van haar zwarte coltrui.

'Leo?'

'Nee.' Sebastian liep van haar veranda af en keek naar haar op. Hij droeg zijn zwarte parka en een zonnebril met een donkere rand.

Ze had hem niet meer gezien nadat ze gisteren uit haar moeders voorraadkast was gevlucht. Ondanks de kou voelde ze haar wangen branden. Ze had gehoopt dat ze hem een tijdje niet hoefde te zien. Minstens een jaar of zo. 'Waarom ben je hier?'

'Omdat jij hier woont.'

Ze keek op hem neer en haar maag voelde een beetje licht. Het soort licht dat niets te maken had met diepe emotie en alles te maken had met begeerte. De begeerte die elke vrouw zou voelen voor een man van wie het uiterlijk gecombineerd met zijn glimlach een vernietigend potentieel had. 'Hoezo?'

'Als je me binnenlaat, vertel ik het je.'

Hem in haar huis laten? Was hij gek? Gisteren had hij haar nog gewaarschuwd dat hij haar zou geven wat hij dacht dat ze nodig had. Natuurlijk, dat was allemaal voortgevloeid uit het feit dat ze weer halfnaakt met hem was geweest. En ze wist niet helemaal zeker of ze kon zweren...

'Kom op, Clare. Doe de deur open.'

... dat het niet opnieuw zou gebeuren. En hoewel ze hem overal graag de schuld van wilde geven, had hij gelijk gehad. Ze was oud genoeg om te weten waar een opengehaakte bh toe zou leiden.

'Het is ijskoud buiten,' riep hij naar boven, waarmee hij haar gedachten onderbrak, hoewel die toch niet samenhangend waren.

Clare stak haar hoofd nog wat verder uit het raam en keek naar de buren aan beide kanten. Godzijdank had niemand hem gehoord. 'Stop met dat geschreeuw.'

'Je hoeft niet bang te zijn dat ik nog een keer zal proberen om je tussen de lakens te krijgen,' riep hij nog harder. 'Ik kan zo snel na de vorige keer geen afwijzing meer verdragen. Ik heb minstens een halfuur in die verdomde voorraadkast gestaan.'

'Sst.' Ze deed het raam met een knal dicht en liep haar kantoor uit. Als ze niet bang was geweest voor wat hij nog meer zou gaan schreeuwen, zou ze hem niet binnenlaten, en ze had een vermoeden dat hij dat wist. Ze liep de trap af en door de keuken naar de hal. 'Wat wil je?' zei ze terwijl ze haar hoofd om de voordeur stak.

Hij duwde zijn handen in zijn zakken en grijnsde. 'Begroet je al je gasten zo? Geen wonder dat iedereen vindt dat je zo'n aardig en lief meisje bent.'

'Jij bent geen gast.' Hij lachte en ze zuchtte berustend. 'Goed.' Ze zwaaide de deur open en hij stapte naar binnen. 'Je hebt vijf minuten.'

'Waarom?' Hij bleef voor haar staan en duwde zijn zonnebril in zijn haar. 'Heb je zo meteen weer een van je godsdienstige kringen?'

'Nee.' Ze duwde de deur dicht en leunde er met haar rug tegenaan. 'Ik ben aan het werk.'

'Kun je een uurtje pauze nemen?'

Dat kon ze wel, maar ze wilde geen pauze doorbrengen met Sebastian. Hij rook naar verse koude lucht en een mannenzeep, zoals Irish Spring of Calvin Klein. Hij was vrolijker dan anders en zijn magische aantrekkingskracht was niet zo sterk aanwezig, maar ze vertrouwde hem niet. Nu was het haar beurt om het te vragen. 'Waarom?'

'Zodat je met me mee kunt gaan om een kerstcadeau voor mijn vader uit te zoeken.'

Ze vertrouwde er niet op dat hij niets zou proberen en ze vertrouwde er niet op dat ze dat niet toe zou staan. 'Is het niet gemakkelijker om een cadeau in Seattle te kopen?'

'Mijn vader komt niet naar Seattle met Kerstmis en ik heb eindelijk een koper voor mijn moeders huis gevonden. Ik weet niet of de koop op tijd wordt gesloten zodat het me lukt om Kerstmis hier te vieren, dus ik hoopte dat ik iets zou vinden voordat ik vertrek. Jij gaat me daarbij helpen. Oké?'

'Voor geen prijs.'

Hij schommelde op zijn hielen heen en weer en keek op haar neer. 'Ik heb jou geholpen met de kerstverlichting, en jij zei dat je me zou helpen met het cadeau voor Leo.'

Volgens haar was het niet helemaal zo gegaan. 'Kan het wachten tot morgen?' Morgen. Vierentwintig uur meer om de dingen te vergeten die hij met zijn mond had gedaan. Dingen behalve praten. Dingen die hij heel goed deed.

'Ik vertrek morgen.' Alsof hij haar gedachten kon lezen, stak hij zijn handen omhoog en zei: 'Ik zal je niet aanraken. Geloof me, ik wil niet nog een dag rondlopen met blauwe ballen.'

Ze kon niet geloven dat hij dat net tegen haar had gezegd. Maar wacht, dit was Sebastian. Natuurlijk kon ze het geloven. Hij moest haar verbazing voor verwarring hebben gehouden, want hij trok een wenkbrauw op. 'Heb je nog nooit van blauwe ballen gehoord?'

'Jawel, Sebastian, ik heb inderdaad gehoord van...' ze zweeg even en stak een hand in de lucht, '... daarvan.' Ze wilde niet over zijn ballen praten. Dat was veel te... persoonlijk. Iets wat hij met een geliefde zou moeten bespreken.

Hij deed de rits van zijn jas open. 'Zeg niet dat je geen blauwe ballen kunt zeggen.'

'Dat kan ik wel, maar ik geef er de voorkeur aan dat soort woorden niet in mijn mond te nemen.' Lieve hemel, het was niet haar bedoeling geweest om als haar moeder te klinken.

Onder zijn jas droeg hij een gingang shirt in zijn jeans. 'En dat van de vrouw die me een idioot heeft genoemd. Je leek er geen moeite mee te hebben om dat in je mond te nemen.'

'Ik was geïrriteerd.'

'Dat was ik ook.'

Misschien, maar hij was het ergste geweest. Liegen dat ze met elkaar naar bed waren geweest, was erger dan haar beschuldiging dat hij misbruik van haar had gemaakt. Veel erger.

'Pak je jas. Geloof me, na gisteren heb ik mijn lesje geleerd. Ik wil je niet méér aanraken dan jij mij wilt aanraken.'

Dat was het probleem juist. Ze was er helemaal niet zo zeker van dat ze hem niet wilde aanraken. Maar ze wist zeker dat het waarschijnlijk een slecht idee was. Ze fronste haar voorhoofd en keek naar beneden. De rand van haar ribcoltrui raakte de zwarte ceintuur die ze door de tailleband van haar jeans droeg niet helemaal. 'Ik ben niet echt gekleed om te winkelen.'

'Waarom niet? Je ziet er relaxed uit. Niet zo gespannen. Ik vind je leuk zo.'

Ze keek naar hem op. Hij leek geen grapje te maken. Haar haar was los en ze droeg alleen mascara. Soms plaagden haar vriendinnen haar omdat ze elke dag make-up opdeed, ook als ze geen plannen had om het huis uit te gaan. Het kon Maddie en Lucy en Adele niets schelen als ze de UPS-man bang maakten, maar haar wel. 'Een uur?'

'Ja.'

'Ik weet dat ik hier spijt van ga krijgen,' zei ze zuchtend, terwijl ze naar de kast liep om haar jas te pakken.

'Nee, dat krijg je niet.' Hij schonk haar een van de scheve glimlachjes waardoor de hoeken van zijn groene ogen rimpelden. 'Ik zal me gedragen, zelfs als je me smeekt om je op de grond te gooien en boven op je te klimmen.' Hij ging achter haar staan en hielp haar in haar zwarte duffel. 'Nou ja, misschien niet als je smeekt.'

Ze draaide haar hoofd en keek hem aan terwijl ze haar haar uit de wollen kraag trok. De haarpunten gleden over zijn handen voordat hij ze van haar schouders haalde. 'Ik ga niet smeken.'

Hij liet zijn blik naar haar mond glijden. 'Dat heb ik eerder gehoord.'

'Niet van mij. Ik meen het.'

Hij keek weer in haar ogen. 'Clare, vrouwen zeggen vaak dingen die ze niet menen. Vooral jij.' Hij deed een stap naar achteren en stopte zijn handen in zijn jaszakken. 'Moet je nog een portemonnee meenemen?'

Ze pakte haar krokodillen hobotas en hing hem over haar schouder. Sebastian volgde haar naar buiten en ze deed de deur achter hem dicht.

'Ik heb een prentenwinkel in de binnenstad gezien,' zei hij terwijl hij naar de passagierskant van de Town Car liep en de deur voor haar opendeed. 'Daar wil ik graag beginnen.'

De prentenwinkel was eigenlijk meer een kunstgalerie annex lijstenwinkel en Clare had er al vaker wat gekocht. Terwijl ze samen door de galerie liepen, viel haar de manier op waarop Sebastian de schilderijen bestudeerde. Hij bleef staan, hield zijn hoofd scheef en een schouder lager dan de andere. Ze zag ook dat hij voornamelijk stilhield voor naaktportretten.

'Ik denk niet dat Leo die in de zitkamer zou hangen,' zei ze terwijl hij een mooie vrouw bestudeerde die op haar buik tussen gekreukte witte lakens lag terwijl het zonlicht haar blote billen streelde.

'Waarschijnlijk niet. Het je iets gezien wat je aanstaat?' vroeg hij.

Clare wees naar een vrouw die in een eenvoudige witte jurk op het strand stond en een baby in haar armen hield. 'Ik vind de expressie op haar gezicht mooi. Ze kijkt gelukzalig.'

'Hmm.' Hij hield zijn hoofd scheef. 'Ik zou eerder zeggen dat ze vredig kijkt.' Hij liep naar een krijttekening van een naakte man en vrouw die in een omhelzing waren verstrengeld. 'De uitdrukking van díé vrouw is pas gelukzalig.'

Ze zou kunnen zeggen dat het eerder orgastisch was, als ze het soort vrouw was dat dat soort dingen hardop in het openbaar zei.

Uiteindelijk koos Sebastian een gesigneerde lithografie van een man en jongen die op een grote rots aan de oever van de Payette River stonden te vissen. Toen ze naar de voorbeeldlijsten keken vroeg hij overal haar mening over en nam haar suggesties aan.

Hij betaalde extra om het voor Kerstmis klaar te hebben. Gezien het gebrek aan tijd zou de levering een probleem zijn en voordat Clare zich kon inhouden bood ze aan om het de dag voor Kerstmis op te halen.

Hij keek naar haar vanuit zijn ooghoeken en fronste zijn voorhoofd. 'Nee, dank je.'

Ze glimlachte naar hem. 'Ik zweer dat ik het niet in roze linten verpak.'

Hij dacht na over haar aanbod terwijl hij in zijn achterzak greep en zijn portefeuille tevoorschijn haalde. 'Als je zeker weet dat het geen probleem is.'

Ze had die dag een signeersessie en zou toch al in de stad zijn. 'Dat is het niet.'

'Goed. Dank je. Dat is een pak van mijn hart.' Hij overhandigde zijn platinum Visa-card en toen de winkeleigenaar wegliep, voegde Sebastian eraan toe: 'Als ik je kon kussen, zou ik het doen.'

Ze draaide zich naar hem toe en stak haar hand uit alsof ze de koningin was. In plaats van haar knokkels te kussen, draaide hij haar hand om, duwde de mouw van haar jas omhoog en drukte zijn mond op de binnenkant van haar pols. 'Dank je, Clare.'

Haar huid tintelde van haar pols tot haar bovenarm en ze trok haar hand weg. 'Niets te danken.'

Het uur dat hij haar had beloofd werden er drie, omdat ze besloten naar P.F. Chang's in het oude pakhuisdistrict te gaan. Ze kregen een tafel achter in het Chinese restaurant en Clare kon het niet helpen dat ze de vrouwelijke aandacht opmerkte die hen door de zaal volgde. Het was niet de eerste keer die dag dat ze de steelse blikken en het onbeschaamde staren merkte terwijl ze over straat of door de galerie liepen. Ze vroeg zich af of Sebastian in de gaten had hoe de vrouwen naar hem keken. Hij leek het niet te merken, maar misschien was hij er gewoon aan gewend.

Ze begonnen hun maaltijd met een kipsaladewrap, en als Clare met haar vriendinnen was geweest, dan zou ze dit hapje vooraf als het hoofdgerecht van haar lunch hebben beschouwd. Maar Sebastian niet. Hij bestelde sinaasappelkip, *moo goo gai pan*, geroosterd varkensvlees met rijst en Sichuan-asperges.

'Komt er nog iemand?' vroeg ze toen de hoofdgerechten waren geserveerd.

'Ik heb zo'n honger dat ik een paard op kan.' Hij schudde zijn hoofd en schepte sinaasappelkip op zijn bord. 'Dat neem ik terug. Paard is taai.'

Clare lepelde een portie rijst op haar bord, en daarna gaven ze elkaar de gerechten over tafel aan. 'En dat weet je omdat je paard hebt gegeten?'

'Gegeten?' Hij keek op van de rijst. 'Ik heb er eerder op gekauwd.'

Ze voelde hoe haar neus rimpelde. 'Waar?'

Hij schepte moo goo gai pan op en gaf de schaal daarna aan Clare. 'Dat was in Mantsjoerije.'

Ze stak haar hand op en weigerde meer voedsel. 'Meen je dat serieus?'

'Ja. In Noord-China kun je honden- en apenvlees op de markt kopen.'

Clare keek naar de sinaasappelkip op haar bord. 'Je liegt.'

'Nee, doe ik niet. Ik heb het gezien toen ik daar in 1996 was. Ik zweer op mijn leven dat het waar is.' Hij pakte zijn vork en prikte een paar asperges op. 'Er zijn nogal wat culturen die hond als een delicatesse beschouwen. Ik probeer niet te oordelen.'

Clare hield er ook niet van om te oordelen, maar ze kon er niets aan doen dat ze aan die arme Cindy moest denken. Ze keek naar de holte in zijn keel, die zichtbaar was tussen de kraag van zijn shirt. 'Heb jij hond gegeten?'

Hij keek op en richtte zijn aandacht toen weer op zijn lunch. 'Nee, maar we hebben wel aap gegeten.'

'Heb je aap gegeten?' Ze nam een slokje van haar cabernet sauvignon.

'Ja. Het smaakte net als kip,' zei hij lachend. 'Geloof me, na een dieet van voornamelijk *congee* smaakte die aap heel erg lekker.'

Clare had nog nooit gehoord van congee en was bang voor wat hij haar zou vertellen als ze ernaar vroeg. Ze zag hoe hij van zijn maaltijd genoot en zette haar glas terug op tafel. 'Wanneer is je volgende opdracht?' vroeg ze, waarmee ze het gesprek doelbewust wegleidde van hondachtigen en primaten.

Hij haalde zijn schouders op. 'Ik weet het niet zeker. Ik heb besloten om geen nieuw contract met *Newsweek* te tekenen. En ook met niemand anders. Ik denk dat ik een tijdje vrij neem.'

'Om wat te doen?' Ze nam een hap rijst.

'Daar ben ik nog niet achter.'

Clare wist dat ze doodsbang zou zijn zonder contract. 'Word je daar niet onzeker van?'

Zijn groene ogen ontmoetten de hare. 'Niet zo erg als een paar maanden geleden. Ik heb heel lang en hard gewerkt om te komen waar ik nu ben, en eerst was het doodeng om te merken dat ik mijn motivatie misschien kwijtraakte. Maar ik moet accepteren dat ik het reizen niet meer zo prettig vind als vroeger. Zo is het gewoon. Dus doe ik een stapje terug voordat ik helemaal opbrand. Ik weet zeker dat ik altijd blijf freelancen, maar ik wil een nieuwe uitdaging. Iets anders.'

Ze verdacht hem ervan dat hij ook zo met vrouwen omging. Als de uitdaging eenmaal voorbij was, was hij klaar om verder te gaan naar de volgende opwindende prikkel. Maar het maakte niet uit of ze gelijk had of niet. Ze was niet van plan om ooit bij Sebastian betrokken te raken. Ze had niet alleen de mannen afgezworen tot ze haar leven op de rails had, maar hij had zelf tegen haar gezegd dat hij problemen met relaties had, en zijn liefdesleven was bovendien niet haar zorg.

'En jij?' vroeg hij terwijl hij een slok wijn nam.

'Nee. Er zijn geen mannen in mijn leven.'

Hij fronste zijn voorhoofd. 'Ik dacht dat we het over ons werk hadden. Dat deed ik in elk geval.'

'O.' Ze vertrok haar lippen in een glimlach om haar verlegenheid te maskeren. 'Wat wil je weten?'

'Wanneer komt je volgende boek uit?' Hij zette zijn glas wijn terug op tafel en pakte zijn vork.

'Het is al uit. Ik heb aanstaande zaterdag een signeersessie bij Walden Books in het winkelcentrum.'
'Waar gaat het over?'
'Het is een liefdesverhaal.'
'Ja. Dat weet ik. Maar waar gaat het over?' Hij leunde achterover op zijn stoel en wachtte op haar antwoord.
Wat kon hem dat schelen? 'Het is het tweede boek in mijn gouvernantenserie. De heldin is een gouvernante die werkt voor een teruggetrokken levende hertog en zijn drie kleine dochters. Het is een soort combinatie van *Jane Eyre* en *Mary Poppins*.'
'Interessant. Het is dus geen piratenboek?'
'Piraten?' Ze schudde haar hoofd.
'Is het boek waaraan je nu werkt een piratenboek?'
'Nee. Het is het derde en laatste boek in mijn gouvernantenserie.'
'Mooie gouvernantes?'
'Natuurlijk.' Waarom vroeg hij dat?
De ober onderbrak hen en vroeg of alles naar wens was, en toen hij weer weg was kreeg Clare haar antwoord. 'Ik heb je boeken bij mijn vader gezien.'
'Aha. Ja. Die schat. Hij koopt ze allemaal, hoewel hij ze niet leest, hij zegt dat hij ervan gaat blozen.'
'Ze moeten erg opwindend zijn.'
'Ik neem aan dat dat afhankelijk is van wat je gewend bent.'
Hij keek haar aan en één mondhoek trok omhoog in een geamuseerde glimlach. 'Ik kan niet geloven dat de kleine Clare Wingate tegenwoordig hete liefdesverhalen schrijft.'
'En ik kan niet geloven dat jij tegenwoordig apen eet. Sterker nog, ik kan niet geloven dat ik me op mijn mond heb laten zoenen door een man die aap heeft gegeten.'
Hij reikte over de tafel en legde zijn hand op haar onderarm. 'Schatje,' zei hij terwijl hij diep in haar ogen keek. 'Ik heb meer gezoend dan alleen je mond.'

Vijftien

Op 24 december was de Boise Town Square Mall vol klanten die op het laatste moment inkopen deden. Kerstmuziek klonk in de maat met het gerinkel van de kassa's en groepen tieners hingen over de leuningen van de tweede verdieping om naar hun vrienden onder hen te roepen, terwijl moeders met kinderwagens tussen het winkelpubliek laveerden.

Bij de ingang van Walden Books zat Clare omringd door stapels van haar nieuwste boek, *Overgave aan de liefde*. Ze was gedeeltelijk verborgen door een grote poster van een rondborstige heldin en haar overhemdloze held. Voor het signeren had ze zich gekleed in een zwart double-breasted mantelpakje en een smaragdgroene zijden bloes. Daarbij droeg ze zwarte kousen en pumps met tien centimeter hoge hakken, en haar haar krulde over haar schouders. Ze zag er succesvol en geraffineerd uit, en ze hield haar gouden Tiffany-signeerpen in één hand. Er waren nog tien minuten over van haar twee uur durende signeersessie, en ze had vijftien boeken verkocht. Niet slecht voor december. Het was tijd om achterover te leunen en te ontspannen. Een lichte glimlach krulde haar rode lippen terwijl ze naar het grote haikuboek keek dat opengeslagen op haar schoot lag.

'Hallo, Assepoester.'

Clare keek op van een haiku over Bubba's huwelijk en haar blik landde op de verbleekte gulp van een afgedragen Levi's. Ze herkende de spijkerbroek en de stem, en ze wist al aan wie ze toebehoorden voordat ze opkeek en met haar ogen langs het open fleecejack en het blauwe overhemd naar de vertrouwde glimlach en de donkergroene ogen ging.

'Wat doe jij hier?' Ze had gehoord dat Sebastian terug was voor Kerstmis. Hij werd morgenavond samen met Leo in haar moeders huis verwacht voor het kerstdiner, maar het was een schok om hem aan de andere kant van haar tafeltje te zien staan.

Zijn antwoord was een nog grotere schok. 'Dit boek voor mijn vader kopen voor Kerstmis.'

Zijn aanblik gaf haar het vertrouwde gevoel in haar buik. Ze was niet verliefd op Sebastian, maar ze vond hem aardig. Hoe kon je een man niet aardig vinden die een liefdesroman als kerstcadeau voor zijn vader kocht? 'Je had kunnen bellen, dan had ik er een voor je meegenomen.'

Hij haalde zijn schouders op. 'Het hindert niet.'

Dat was een schaamteloze leugen. Iedereen met een beetje verstand zou vandaag het winkelcentrum mijden, tenzij het absoluut noodzakelijk was. 'Ik heb Leo's litho vanochtend opgehaald.' Ze vond hem niet alleen aardig, naar ze voelde zich ook fysiek aangetrokken tot hem. Ongeveer op dezelfde manier als ze zich aangetrokken voelde tot Godiva-truffels. Ze waren niet goed voor haar en ze hadden een verslavende werking. Als ze er een nam, moest ze de hele doos leegeten. Na afloop had ze er spijt van, maar ze kon niet ontkennen dat ze dolgraag wilde toetasten en zich te goed wilde doen.

Zijn glimlach rimpelde zijn ooghoeken. 'Heb je je weer uitgeleefd met linten?'

Ze grinnikte en leunde naar achteren. 'Dit keer niet.' Ze kon niet ontkennen dat ze zich heel graag te buiten wilde gaan aan Sebastian. 'Ik heb hem nog niet ingepakt.' Misschien moest ze bovenaan beginnen, bij zijn gouden hoofd, en dan langzaam naar beneden werken, tot de harde buikspieren die onder het overhemd verborgen waren.

'En?'

'En wat?'

'Nodig je me bij je thuis uit om hem te zien? Of moet ik mezelf uitnodigen?'

Ze deed het boek op haar schoot dicht en keek op haar horloge. Het was bijna zes uur. 'Heb je plannen voor vanavond?'

'Nee.'

Ze pakte een exemplaar van *Overgave aan de liefde* en sloeg het op de titelpagina open. 'Ik ben hier klaar, dus waarom kom je niet langs om hem te zien voordat ik hem inpak.' Ze schreef een opdracht voor Leo in het boek en ondertekende met haar naam. 'Of jij kunt hem inpakken.' Ze gaf hem het boek en de toppen van haar vingers raakten de zijne boven de weelderige heldin op het omslag.

'Eh, ik ben vreselijk slecht in inpakken. Ik laat je daarin graag je gang gaan.'

Ze legde het boek met haiku's op tafel en stond op. 'Ik wist dat je dat ging zeggen.'

Hij grinnikte, wees naar het felgele boek met de rode letters en trok bedenkelijk een wenkbrauw op. 'Japanse dichtkunst?'

'Japanse boerendichtkunst, in elk geval.' Ze stopte haar pen in haar kleine zwarte tas. 'Een mens kan nooit te veel cultuur opsnuiven,' zei ze.

'Aha.' Hij pakte het boek en bladerde het door. 'Ik heb ergens gehoord dat intellectuele en artistieke inspanningen noodzakelijk zijn voor een gezond stel hersenen.'

'En het is een teken van een verlichte maatschappij. Zelfs als dat een boerenmaatschappij is,' voegde ze eraan toe terwijl ze verder Walden Books in liepen.

Clare nam snel afscheid van de eigenaar van de boekwinkel en liet Sebastian in de lange rij voor de kassa's achter. In zijn ene hand hield hij het boek dat ze voor Leo had gesigneerd en met de andere bladerde hij door het haikuboek.

Het was een nachtmerrie om het parkeerterrein van het winkelcentrum af te komen. De rit door de stad, die haar normaal gesproken twintig minuten kostte, duurde nu langer dan een uur. Ze was dolblij toen ze eindelijk haar huis in liep. Ze deed haar schoenen en panty uit en hing haar jasje in de kast. Terwijl ze haar manchetten open knoopte, ging de bel en ze liep van de slaapkamer naar de hal. Ze deed de voordeur open en daar stond Sebastian, een lange, breedgeschouderde gestalte in de duisternis. Nog voordat ze het verandalicht aandeed en zijn groene ogen de hare ontmoetten, voelde ze zijn blik.

'Hoe ben je hier zo snel gekomen?' vroeg ze terwijl ze de deur wijd opendeed zodat hij binnen kon komen.

Hij keek naar haar mond en ging daarna met zijn ogen langs haar bloes en rok naar haar blote voeten. De witte wolken van zijn ademhaling hingen in de koude lucht voor zijn gezicht.

Ze huiverde en sloeg haar armen over elkaar. 'Wil je niet binnenkomen?' vroeg ze. Ze vond het vreemd dat hij bleef staan alsof zijn voeten aan haar veranda waren vastgevroren.

Hij keek weer naar haar gezicht, leek een moment te aarzelen en liep toen naar binnen. Hij deed de deur achter zich dicht en leunde er met zijn rug tegenaan. De kroonluchter boven hem gaf zijn blonde haren en schouders een gouden gloed.

'Heb je honger? Zal ik pizza bestellen?'

'Ja,' zei hij eindelijk. 'En nee, ik wil geen pizza.' Hij boog zich voorover, liet zijn hand rond haar middel glijden en trok haar tegen zijn borstkas. 'Je weet wat ik wil.'

Haar handen gleden langs het zachte fleece van zijn jas omhoog. Zijn bedoeling was duidelijk door de manier waarop hij naar haar keek, maar hij legde het toch uit. 'Vanaf de nacht dat ik heb gezien hoe je je tot je kleine string uitkleedde, heb ik minstens tien verschillende manieren bedacht om met je te vrijen. Toen ik vanavond naar je signeersessie ging, maakte ik mezelf wijs dat het alleen was om een boek voor Leo te kopen. Dat was voor dertig procent waar en voor zeventig procent een leugen. Op weg daarnaartoe bedacht ik allerlei manieren om te proberen je uit de kleren te krijgen, maar toen je daarnet de deur opendeed realiseerde ik me dat ik niet wilde proberen om je uit de kleren te krijgen. We zijn geen kinderen meer die een spelletje doen. Ik wil je volledige medewerking als ik je uitkleed.'

Een deel van haar wilde het ook. Wilde het echt. De manier waarop hij naar haar keek zorgde voor een verhitte knoop diep in haar buik. Ze waren allebei volledig gekleed en Sebastian had zijn jas nog steeds aan, maar toch wond hij haar op met niets anders dan de druk van zijn lichaam en de verlangende toon in zijn stem.

'Voor het geval je niet precies weet wat ik bedoel,' voegde hij eraan toe, 'als je me niet onmiddellijk het huis uit zet, gaan we seks hebben.'

En morgen dan, vroeg haar innerlijke stem. De verhitte knoop in haar buik antwoordde: Wie trekt zich daar iets van aan! Haar rationele stem verminderde het verlangen dat warme tintelingen over haar huid verspreidde enigszins. 'Ik voel me duidelijk tot je aangetrokken, maar ik kan het niet helpen dat ik denk dat we er allebei spijt van gaan krijgen. Is een paar uur seks dat waard?'

'Ik krijg er geen spijt van en ik zal er heel erg mijn best voor doen dat jij dat ook niet krijgt. En het maakt ook niet uit, we zijn dat punt al voorbij.' Hij liet zijn gezicht dalen en kuste haar hals net onder haar oor. 'We hebben krankzinnige, hete seks nodig om het uit ons systeem te krijgen. Ik heb erover nagedacht en het is de enige manier.'

Zijn adem streelde de zijkant van haar hals en ze deed haar ogen dicht. Ze had nog nooit met iemand gevrijd met wie ze geen romantische relatie had. In elk geval niet voor zover ze het zich kon herinneren. 'Heeft dat voor jou gewerkt?'

'Voor mij?' Hij kuste haar oorschelp. 'Ja.'

Misschien had hij gelijk. Misschien moest ze het doen om het uit haar systeem te krijgen. Eerst verliefd worden werkte duidelijk niet voor haar. Ze was in de stemming voor seks. Niet voor liefde.

'Wanneer was de laatste keer dat je hebt gevrijd, Clare?' fluisterde hij.

Wanneer? Jezus... 'Eh... april?'

'Negen maanden? Dat was dus voor het eind van je relatie met Lonny.'

'Ja. Wanneer was de laatste keer voor jou?'

'Ik neem aan dat je met iemand anders in de kamer bedoelt?' Zijn stille lach streelde haar wang.

'Natuurlijk.'

'Ik heb twee keer seks gehad sinds ik in augustus op van alles ben getest, van malaria tot hiv. Beide keren heb ik een condoom gebruikt.' Hij streek met zijn mond over haar haren en zei: 'Telt klaarkomen onder de douche terwijl ik aan jou denk ook mee?'

'Nee.' Zij had ook een paar keer over hem gefantaseerd. 'Was het lekker?'

'Niet zo lekker als jij zult zijn.'

Haar handen gleden langs zijn jas naar boven en ze pakte de randen van de open rits vast. Haar lippen gingen uit elkaar en hij gaf haar een gladde, natte, verslindende kus die haar hart raakte en waardoor ze op haar tenen ging staan.

Binnen de zachte gloed van de kroonluchter raakte zijn tong haar plagend. Zijn hand gleed door haar haren en langs haar rug, en hij trok haar naar zich toe tot de harde bult van zijn erectie in haar buik duwde.

Ergens in huis sloeg de verwarmingsketel aan en er drong lucht door de ventilatiegaten. Ze wilde Sebastian. Helemaal. Ze wilde de manier waarop hij haar aanraakte en kuste en het gevoel dat hij haar gaf, alsof hij niet genoeg van haar kon krijgen. Ze zou zich later zorgen maken over de onaangename gevolgen en het gevoel van spijt. Een berustend gekreun ontsnapte aan haar keel terwijl ze hem terugkuste en zich overgaf aan het verlangen dat groter was dan haar vermogen om zich te beheersen. Hoewel ze dat helemaal niet wilde proberen.

Het geluid van haar gekreun ontlokte zo'n heftige reactie dat het leek alsof hij daarop had gewacht. Zijn handen waren overal en raakten haar op alle plekken waar hij bij kon. Op de een of andere manier belandde ze met haar rug tegen de deur en haar bloes op de grond. Ze duwde Sebastians jas van zijn schouders en hij schudde hem van zich af. Hun lippen kwamen lang genoeg los van elkaar zodat ze zijn shirt over zijn hoofd kon trekken. Daarna stond ze weer tegen de deur, met zijn handen op haar borsten terwijl zijn vingers door het satijn van haar bh heen haar tepels kneedden. Het was krankzinnig en heet, anders dan wat ze ooit had meegemaakt. Twee mensen die toegaven aan de puur fysieke behoefte om elkaar te gebruiken. Een zinnelijke behoefte aan seks, terwijl ze zich geen zorgen hoefde te maken over wat hij morgenochtend van haar zou denken. Er was geen morgenochtend, en ze kon zich voor het eerst in haar leven helemaal laten gaan.

Hij kreunde en trok zich terug. 'Clare,' zei hij zwaar ademhalend. Het verlangen dat in zijn groene ogen brandde vertelde haar precies wat hij dacht. Zijn handen gleden naar haar billen en hij duwde zijn keiharde penis tegen haar aan. 'Eén keer is misschien niet genoeg.'

Ze verlangde hevig naar hem en ze wankelde en viel tegen hem aan. Haar borsten streken langs zijn borstkas. 'Twee keer?'

Hij schudde zijn hoofd terwijl zijn hand langs haar linker dijbeen gleed en hij haar been naar zijn middel optilde. 'De hele nacht.'

Ze leunde naar voren en kuste zijn keel terwijl haar handen over zijn naakte huid gleden. 'Mmm, misschien moet ik je nog vertellen dat ik geen kinky sekskamer heb.'

'Dat komt goed uit, want ik geef de voorkeur aan seks in een slaapkamer.' Hij bewoog zijn andere hand naar haar rechter dijbeen en tilde haar op. Haar rok was naar haar middel geschoven en ze sloeg haar benen om hem heen. 'Ik hoop daar uiteindelijk te komen.' Zijn erectie duwde door de zachte stof van zijn spijkerbroek in het kruis van haar zwarte kanten slipje. Hij kuste haar terwijl hij met haar naar de zitkamer liep. Het licht van de hal vormde een wit rechthoekig patroon in de duisternis. Zijn handen hielden haar billen vast terwijl hij haar naar de zwarte bank droeg, die was bedekt met de kanten kleedjes van haar overgrootmoeder. Ze ging in het schemerlicht op de vloer staan en liet haar mond over zijn keel glijden.

'Doe het licht aan,' zei hij. Ze voelde de zware vibratie van zijn stem tegen haar lippen. 'We gaan dit niet in het donker doen.'

Clare veegde haar haar uit haar gezicht terwijl ze eerst naar een bijzettafeltje liep en daarna de kamer doorkruiste om twee lampen aan te doen. 'Is dit genoeg licht voor je?' Ze reikte achter zich en knoopte de achterkant van haar rok open terwijl ze naar hem toe liep. De gevoerde wollen stof gleed langs haar benen naar beneden, en ze schopte hem opzij, waarna ze alleen haar zwarte satijnen bh en kanten string aanhad. De tijd voor zedigheid was al lang geleden verstreken. Die nacht in het Double Tree had ze zich al uitgekleed tot ze alleen nog een string droeg. Hoewel zij het zich niet herinnerde, deed hij dat duidelijk wel, en wat hij zag had hij blijkbaar mooi gevonden. 'Of wil je meer licht?'

Hij keek met halfgesloten oogleden hoe ze naar hem toe liep; zijn hartstochtelijke blik raakte haar overal aan terwijl hij uit zijn schoenen stapte. 'Meer? Wat heb je te bieden?'

Ze trok één wenkbrauw op terwijl haar ogen van het kuiltje in zijn keel naar de opvallende borstspieren onder de lichtgetinte huid gleden. Een donkerblonde streep leidde haar blik naar zijn harde sixpack en gebruinde huid, langs zijn navel en naar de tailleband van zijn jeans. 'Ik denk niet dat je van mij iets krijgt wat je niet al eens hebt gedaan.' Ze legde haar handen op zijn schouders en streelde met haar vingers licht over zijn borstkas. Zijn spieren trokken samen onder haar aanraking en ze ging met haar handen naar zijn platte buik. 'Ik doe geen yoga. Geen neerkijkende hondhouding dus.' Ze liet haar hand naar zijn gulp glijden en streelde zijn harde penis door zijn broek. 'Sorry. Bij mij krijg je seks zonder franje.'

'Ik ben al maandenlang zo opgewonden dat je niets hoeft te doen, behalve liggen en ademhalen.' Zijn hoofd daalde en hij kuste haar schouder. Hij haakte haar bh los en deze viel bij haar voeten. 'Laat de rest maar aan mij over.'

Ze trok de vijf metalen knopen van zijn gulp open en liet haar hand in zijn witte boxer glijden. 'Je wilt dus niet dat ik dit doe?' Ze legde haar hand rond zijn hete, dikke penis. Zoals ze de eerste avond dat hij haar had gekust al had vermoed, was Sebastian flink geschapen.

Zijn antwoord klonk gesmoord. 'Nee! Ja!'

'Wat wordt het?' Met haar vrije hand duwde ze zijn broek en ondergoed langs zijn dijbenen naar beneden. 'Nee?' Haar duim streek omhoog naar zijn eikel en weer naar beneden. 'Of ja?'

'Ja,' siste hij tussen zijn tanden door. Zijn mond zocht de hare; zijn warme mannelijke geur vulde haar neus en ze haalde diep adem. Hij rook naar schone huid en smaakte naar seks. Ze had geen toekomst met Sebastian. Ze had alleen vanavond. Maar dat was genoeg.

Hij greep haar polsen vast en hield ze op haar rug, haar borsten persten tegen zijn borstkas. 'Jezus,' zei hij met een verwrongen stem en versnelde ademhaling. 'Kalm aan, anders ben ik als eerste bij de finish. Zoals het er nu naar uitziet, kost me dat nog maar vijf seconden.'

Ze zou er genoegen mee nemen. Vijf seconden Sebastian klonk beter dan alles wat ze in een heel lange tijd had gehad.

Hij liet haar los en trok zijn broek, zijn ondergoed en zijn sokken uit. Hij zag er naakt prachtig uit. Perfect, op het litteken op zijn knie na, dat hij had opgelopen toen hij op het landgoed van haar moeder uit een boom was gevallen. Toen hij zich bukte om zijn portemonnee uit de achterzak van zijn spijkerbroek te halen, voelde ze de behoefte om naar voren te buigen en hem te bijten. 'Ik neem aan dat die pleister op je heup geen nicotinepleister is?' zei hij terwijl hij overeind kwam.

'Nee. Het is een anticonceptiepleister.'

'Dat geeft toch vijfennegentig procent bescherming?'

'Negenennegentig.'

Hij pakte haar hand en legde het condoom in haar handpalm. 'Ik laat de keus aan jou over.'

Hoewel ze hem absoluut eetbaar vond, was er voor Clare maar één keus. Ze trok het plastic zakje open en haalde de latex ring eruit. Ze plaatste hem op zijn dikke eikel en rolde hem langzaam tot zijn scrotum naar beneden. 'Ga zitten, Sebastian,' zei ze. Toen hij gehoorzaamde, trok ze haar slipje over haar heupen. Hij keek toe terwijl het langs haar benen naar beneden gleed, daarna ging zijn blik terug naar haar kruis.

'Je bent prachtig, Clare.' Hij stak zijn handen naar haar uit en ze knielde schrijlings boven zijn schoot. Hij kuste haar buik, legde zijn hand op haar kruis en streelde met zijn vingers tussen haar benen. 'Vooral hier.' Hij hield zijn erectie met één hand vast en duwde haar met zijn andere hand naar beneden. Ze kreunde toen ze zijn eikel voelde, glad en hard en heet. Hij gleed een stukje naar binnen, tot haar lichaam weerstand bood aan de indringer. Ze was zo klaar voor hem dat ze alleen intens genot voelde. Ze legde haar handen in zijn nek en liet zich helemaal zakken. De sensatie sneed door haar lichaam, van haar kruin tot haar tenen. Haar ogen gingen dicht en ze klemde haar spieren rond elke harde centimeter die ze in zich voelde. Het was zo lang geleden, ze was al tevreden met het heerlijke gevoel van Sebastian die diep in haar begraven was.

Blijkbaar was hij niet tevreden. Het ene moment zat ze boven op hem, het volgende moment lag ze op haar rug op de bank en staarde ze in zijn gezicht. Hij had één voet op de grond gezet en was nog steeds diep in haar verankerd.

'Dit is het gedeelte waarop je alleen adem hoeft te halen.' Hij trok zijn penis bijna helemaal naar buiten en stootte daarna zo diep in haar dat ze het bijna niet meer uithield. 'Is dit genoeg voor je?' Een laag gekreun ontsnapte aan hem en vergrootte haar genot. 'Of wil je meer?'

Ze sloeg een been rond zijn rug. 'Ik wil meer,' fluisterde ze terwijl hij in een perfect ritme begon te bewegen. 'Dit is zo heerlijk.' Ze likte over haar droge lippen. 'Wat gebeurt er als ik stop met ademhalen en flauwval?'

Met zijn gezicht vlak boven haar zei hij: 'Dan maak ik je wakker als het voorbij is.'

Haar lach veranderde in een lang gekreun toen hij sneller begon te bewegen en elke cel van haar lichaam geconcentreerd was op zijn penis die in haar stootte. Sneller, harder, intenser. Opnieuw en opnieuw. Zijn hortende ademhaling gleed langs haar wang terwijl hij in haar pompte. Hij liefkoosde en streelde haar volledige binnenkant en het gevoel groeide. Ze bewoog samen met hem en kwam hem stoot na stoot tegemoet. In en uit en in en uit. Steeds opnieuw. Gevangen in een wild genot waarvan ze niet wilde dat het ooit zou eindigen. Ze had er geen idee van hoe lang ze bezig waren toen ze haar naam hoorde. Zijn stem was rauw en gesmoord. 'Clare, schat, ben je bijna zover?'

Voordat ze antwoord kon geven, schreeuwde ze het uit van genot toen een verrukkelijk orgasme door haar heen golfde en haar lichaam met hitte overspoelde. Ze zag en hoorde niets, behalve het gebonk in haar borstkas en haar hoofd. Haar spieren omklemden hem en hielden hem vast in het ritme van haar orgasme. Hij pompte sneller en harder en duwde haar omhoog op de bank van haar overgrootmoeder tot hij ook klaarkwam. De explosie vermengde zich met het geluid van intens mannelijk genot, primair en bezitterig. Na een laatste stoot duwde hij zijn armen onder haar schouders en trok haar dicht tegen zich aan.

'Clare,' fluisterde hij onregelmatig ademhalend. 'Als ik had geweten dat het zo heerlijk was, had ik je die eerste avond dat ik je zoende al in de bosjes gegooid en dit met je gedaan.'

'Als ik had geweten dat het zo heerlijk was...' ze slikte en likte haar droge lippen, '... dan had ik het je waarschijnlijk laten doen.'

Hij zweeg nog even terwijl hij de zijkant van haar hoofd kuste en zich koesterde in de zoete warmte van het nagenot. 'Clare?'

'Hmm.'

'Het condoom is gescheurd.'

Haar nagenot verdween als een lekgeprikte zeepbel. Ze duwde tegen zijn schouders en voelde het bloed uit haar hoofd wegtrekken. 'Wanneer?'

Hij keek naar haar gezicht. 'Ongeveer vijf seconden voordat ik klaarkwam.'

'En je bent niet gestopt?'

Hij grinnikte en veegde haar haar uit haar gezicht. 'Ik heb een beetje controle, maar niet op dat moment. Niet als jouw orgasme mijn penis zo vastklemt.' Hij kuste het puntje van haar neus en glimlachte. 'Ik zweer bij God, Clare, dat ik nog nooit zo hard ben klaargekomen.'

'Hoe kun je lachen?' Ze duwde tegen zijn schouders, maar zijn armen rond haar verstrakten.

'Omdat jij die kleine geboortebeperkingspleister draagt die voor negenennegentig procent beschermt.' Zijn glimlach werd breder. 'Omdat je heerlijk aanvoelt, en omdat je schoon bent, en ik ook.'

'Hoe weet je dat zo zeker?'

‘Ik zou nooit tegen je liegen over iets wat zo belangrijk is. Vertrouw me, Clare. Ik zal je geen pijn doen.’

Sebastian vertrouwen? Ze keek in zijn ogen. Ze zag geen bedrog. Alleen de pure waarheid. Hij trok zich een stukje terug en duwde toen langzaam weer naar binnen.

‘Als ik dacht dat er ook maar een greintje kans was dat ik iets had zou ik het je vertellen. Geloof me.’

Hem geloven terwijl hij nog steeds diep in haar begraven was? ‘Als je tegen me liegt, vermoord ik je. Dat zweer ik.’ Hij bleef langzaam stoten, en ondanks zichzelf begon ze met hem mee te bewegen.

Hij grijnsde alsof hij net de loterij had gewonnen. ‘Dat klinkt niet erg romantisch uit de mond van de auteur van *Overgave aan de liefde*.’

‘Liefde en romantiek zijn overgewaardeerd.’ Ze ging met haar handen over zijn schouders naar de zijkanten van zijn nek. ‘Krankzinnige, hete seks is veel beter.’

Zestien

'Prettig kerstfeest.' Clare sloeg haar armen om Leo heen en gaf hem een stevige knuffel. Ze gluurde over zijn schouder naar Sebastian, die een paar meter achter zijn vader stond. Hij droeg een zwarte wollen broek en een donkere karamelkleurige trui, bijna dezelfde kleur als zijn korte haar. Ze zag een zweem van een glimlach terwijl zijn ogen de hare vasthielden. Ze herinnerde zich de afgelopen nacht glashelder. Ze voelde hoe de warmte zich door haar borstkas verspreidde en keek weg.

'Ik vind het schilderij prachtig,' zei Leo toen Clare hem losliet en een stap naar achteren deed. 'Sebastian vertelde dat je hebt geholpen met uitzoeken.'

Ze richtte haar aandacht op Leo en probeerde de vlinders in haar buik te negeren. 'Ik ben blij dat je het mooi vindt.' Een paar maanden geleden hadden Leo, Joyce en Clare besloten dat ze elkaar geen kerstcadeaus zouden geven. In plaats daarvan doneerden ze het geld dat ze uitgegeven zouden hebben aan het Leger des Heils.

'En hij heeft je boek voor me gekocht, maar dat weet je al.'

'Ja, en ik weet dat je hem bij de andere boeken op de schoorsteenmantel zet.' Ze verborg zich achter de koele, beheerste façade die ze lang geleden had ontwikkeld en stak haar hand uit naar Sebastian. 'Prettig kerstfeest.'

Hij pakte haar hand met een wetende glimlach in de zijne. Gisternacht en tot laat vanochtend had hij haar overal aangeraakt met die grote, warme handen. Na de eerste keer op de bank hadden ze een korte pauze gehouden om pizza te eten, waarna ze verder waren gegaan in de slaapkamer, om rond halfdrie 's nachts te eindigen in haar douche, waar ze elkaar inzeepten en met hun monden over elkaars schone, natte huïd gleden. 'Prettig kerstfeest, Clare.' Zijn duim streelde haar hand en de klank van zijn stem suggereerde dat hij haar gedachten kon lezen.

Clare onderdrukte de behoefte om haar haren naar achteren te gooien of aan de rand van haar zwarte satijnen haltershirt te frunniken. Ze had zich dit jaar niet speciaal gekleed. Ze droeg de enkellange rode fluwelen rok die ze altijd met Kerstmis droeg, een met franje versierde riem en kniehoge zwarte leren laarzen. Niets speciaals om extra aandacht te trekken. Dat had ze zichzelf in elk geval wijsgemaakt, maar ze probeerde het niet eens te geloven. Ze zag er goed uit en dat wist ze.

'Wat willen de heren drinken?' vroeg Joyce. Sebastian liet zijn hand zakken en richtte zijn aandacht op haar moeder. Leo en hij namen Glenlivet met ijs, en terwijl Joyce inschonk zei ze dat whisky haar een uitstekende keus leek en dat ze met hen meedeed. Clare hield het bij wijn.

Na een halfuur praten over het weer en de laatste wereldgebeurtenissen gingen ze naar de eetkamer. Daar genoten ze tussen de hulst en de spits toelopende kaarsen van het traditionele Wingate-diner: geglaceerde ham, een gegratineerde aardappelschotel, gekonfijte zoete aardappelen en sperziebonen met cashewnoten en dragon. Naast elk bord stond een karakteristiek kristallen glas van Clares overovergrootmoeder, gevuld met Roman punch.

Als oudste man in het gezelschap had Leo de stoel aan het hoofd van de tafel gekregen, met Sebastian rechts van hem en Joyce links. Als eeuwige etiquettebeijveraarster had Joyce erop gestaan dat Clare naast Sebastian zat. Het zou niet kunnen om beide vrouwen aan dezelfde kant van de tafel te hebben. Normaal gesproken was het geen probleem geweest en had Clare haar best gedaan om hun gast bij het gesprek te betrekken. Maar vanavond wist ze niet wat ze moest zeggen tegen de man die haar gisteravond drie orgasmen had bezorgd, of tegen Leo, die altijd een vaderfiguur voor haar was geweest. Ze wist zeker dat er een groot neonbord boven haar hoofd hing met HEEFT VANNACHT KRANKZINNIG HETE SEKS GEHAD, en ze was bang dat als ze iets verkeerds zei of deed, iedereen het zou merken.

Ze was helemaal niet bekend met seks zonder verplichtingen – of in elk geval zonder een leuk etentje en een bioscoopfilm vooraf. Ze was niet zozeer in verlegenheid gebracht – in elk geval niet zo erg als ze waarschijnlijk moest zijn, vooral met het oog op de orale activiteiten tijdens hun gezamenlijke douche – maar ze wist gewoon niet wat ze moest zeggen of doen. Ze voelde zich als een vis op het droge. Godzijdank leek niemand het te merken.

Sebastian leek niet gebukt te gaan onder dat soort onzekerheid. Hij zat ontspannen op zijn stoel naast haar, pakte haar moeder in met verhalen over alle plekken waar hij was geweest en stelde vragen over haar clubs en liefdadigheidsorganisaties. Hij was gewend aan seks zonder verplichtingen en Clare moest toegeven dat ze een beetje geïrriteerd was over zijn kalmte. Het zou alleen maar juist zijn als hij net zo in de war was als zij.

'Ik probeer Claresta er al jaren van te overtuigen dat ze zich aan moet sluiten bij mijn "Dames van Le Bois"-club,' zei Joyce terwijl ze van haar Glenlivet dronk. 'We hebben dit jaar meer dan dertienduizend dollar ingezameld met verschillende liefdadigheidsvoorstellingen. Het was vooral opwindend dat Galvin Armstrong met zijn orkest voor ons in de Grove speelde. Ik weet dat Clare zich zou vermaken als ze er maar eenmaal bij betrokken raakte.'

Galvin Armstrong was ouder dan Laurence Welk, en Clare moest van onderwerp veranderen voordat ze zonder het te willen gestrikt werd voor de liefdadigheidsvoorstelling van volgend jaar. 'Sebastian heeft aap gegeten.' Leo en Joyce richtten hun aandacht op Sebastian, die met zijn vork halverwege zijn mond naar haar staarde. 'En paard,' voegde ze eraan toe.

'Echt, jongen?'

'O.' Joyce zette haar glas op de tafel. 'Ik denk niet dat ik paard zou kunnen eten. Ik heb als kind een pony gehad. Haar naam was Lady Clip Clop.'

Sebastian draaide zijn hoofd langzaam naar Clare en keek haar aan. 'Ik heb een heleboel verschillende dingen gegeten. Sommige waren lekker, andere niet zo lekker.' Hij glimlachte. 'Sommige dingen zou ik nog wel een keer willen eten.'

De herinnering dat hij haar navel bedekte met warme kussen schoot haar te binnen. *Ik denk dat je dit fijn gaat vinden,* had hij gisteravond gezegd terwijl zijn hoofd langzaam naar beneden ging. *Ik heb het geleerd van een Franse vrouw in Costa Rica.* En ze had het fijn gevonden. Heel erg fijn zelfs.

'Maar op dit moment heb ik trek in kerstham.' Sebastian keek de tafel rond terwijl hij zijn hand op Clares dijbeen legde. 'Het is heerlijk, mevrouw Wingate.'

Clare keek naar hem vanuit haar ooghoeken terwijl hij langzaam haar rok omhoogtrok.

'Noem me alsjeblieft Joyce.'

'Bedankt voor de uitnodiging voor vanavond, Joyce,' zei hij, een boegbeeld van koorknaapbeleefdheid, terwijl zijn hand de stof van haar rok verzamelde.

Clare droeg geen nylons, en ze greep onder tafel naar hem voordat hij haar naakte huid kon aanraken. Ze pakte voorzichtig zijn pols en haalde zijn hand weg.

'Ik heb een kerstkaart van je vaders zus gekregen,' verkondigde Joyce terwijl ze over de tafel naar Clare keek.

'Hoe is het met Eleanor?' Clare pakte haar punch. Terwijl ze de rum-mix naar haar mond bracht, trok Sebastian haar rok tot boven haar knieën op en legde hij zijn hand op haar nu naakte dijbeen. Geschrokken door het warme contact veerde ze overeind.

'Alles in orde?' vroeg Sebastian alsof hij naar het weer informeerde.

Clare plakte een geforceerde glimlach op haar gezicht. 'Ja, hoor.'

Joyce was zich nergens van bewust en praatte verder: 'Blijkbaar heeft Eleanor de religie ontdekt.'

'Het is vast het jaargetijde.' Ze legde haar hand op die van Sebastian, maar zijn greep verstevigde. Behalve worstelen om zijn hand van haar af te krijgen en daarmee de aandacht trekken voor wat er onder de tafel gebeurde, kon ze niets doen.

'Eleanor is altijd een lastpak geweest,' ging haar moeder verder. 'Ze was min of meer een schande, wat nogal een prestatie is in die familie.'

'Hoe oud is Eleanor?' vroeg Sebastian beleefd en nieuwsgierig, terwijl zijn hand hoger kroop. Ze voelde huid op huid. De warmte van zijn hand verspreidde zich over Clares dijbeen naar boven en riep fysieke herinneringen aan de afgelopen nacht op. In haar bed en onder de douche, en natuurlijk op de antieke bank.

'Ik geloof dat ze achtenzeventig is.' Joyce pauzeerde om haar laatste sperziebonen op te prikken. 'Ze is acht keer getrouwd en gescheiden.'

'Eén keer was genoeg voor mij,' voegde Leo er hoofdschuddend aan toe. 'Sommige mensen leren het nooit.'

'Dat is waar. Mijn achterachteroom Alton is gewond geraakt bij een echtelijke ruzie,' biechtte Joyce op, die dankzij haar derde glas Glenlivet ongewoon openhartig was over de Wingate-familiegeheimen. 'Helaas had hij een voorliefde voor de vrouwen van andere mannen, terwijl hij zijn eigen vrouw verwaarloosde. Typisch.'

'Waar was hij gewond?' Sebastian liet zijn vingers naar de voorkant van Clares slipje glijden. Haar blik werd enigszins wazig en ze smolt zowat van haar stoel.

'Een kogel in zijn linkerbil. Hij rende weg met zijn broek op zijn enkels.'

Sebastian grinnikte en zijn vingers streelden haar door de mix van spandex en katoen. Ze klemde haar dijen tegen elkaar en onderdrukte een kreet terwijl het gesprek zonder haar verderging. Leo maakte een opmerking over... iets, en Joyce antwoordde... iets, en Sebastian trok aan het elastiek rond de bovenkant van haar been en vroeg iets...

'Vind je niet, Clare?' vroeg Joyce.

Ze richtte haar ogen weer op haar moeder. 'Ja. Absoluut!' Ze schoof zijn hand van haar kruis en duwde haar rok naar beneden. 'Dessert?'

'Nog even niet, denk ik.' Haar moeder legde haar linnen servet op tafel.

'Leo?' vroeg Clare terwijl ze haar bord en bestek verzamelde.

'Voor mij niet. Geef me een halfuur.'

'Kan ik jouw bord meenemen, Sebastian?'

Hij stond op. 'Ik doe het wel.'

'Dat hoeft niet.' Het laatste wat ze kon gebruiken was dat hij haar volgde en afmaakte waaraan hij was begonnen. 'Blijf jij maar zitten en ontspan je met mijn moeder en Leo.'

'Na zo'n uitgebreide maaltijd moet ik even bewegen,' hield hij vol.

Joyce gaf Clare haar bord. 'Je moet Sebastian het huis laten zien.'

'O, ik denk niet dat hij zin heeft...'

'Ik wil het dolgraag zien,' onderbrak hij haar.

Hij volgde haar naar de keuken en ze zetten de borden in de gootsteen. Hij leunde met één heup tegen het aanrecht en streelde met de achterkant van zijn vingers over haar arm. 'Vanaf het moment dat je vanavond binnenkwam, heb ik me afgevraagd of je een bh onder dat ding droeg. Blijkbaar niet dus.'

Ze keek naar de twee erg uitgesproken punten aan de voorkant van haar zwarte satijnen halter. 'Ik heb het koud.'

'Uh-huh.' Hij streelde met zijn knokkels over haar linkerborst. Haar lippen gingen uit elkaar en ze haalde diep adem. 'Je bent opgewonden.'

Ze beet op haar bovenlip en schudde haar hoofd, maar ze wisten allebei dat ze loog.

Hij zuchtte en liet zijn hand zakken. 'Laat me dat verdomde huis maar zien.'

Ze draaide zich om en liep voor hem uit. Het laatste wat ze kon gebruiken was dat Sebastian haar in haar moeders huis verleidde. Maar er was een ander deel van haar, het nieuwe deel dat net het genot van seks zonder verplichtingen had ontdekt, dat wilde dat hij dat wel deed, en nog veel meer.

Ze liet hem de salon, die haar moeder als kantoor gebruikte, de zitkamer en de bibliotheek zien. Hij hield zijn handen thuis, wat bijna net zo frustrerend was als toen hij haar aanraakte. 'Ik heb hier als kind veel tijd doorgebracht,' zei ze terwijl ze naar de rijen in leer gebonden boeken wees die van het plafond tot de vloer reikten. De kamer was gemeubileerd met oude leren stoelen en Tiffany-lampen.

'Dat weet ik nog.' Hij liep naar de ingebouwde mahoniehouten planken. 'Waar zijn jouw boeken?'

'O, ja, eh, mijn boeken zijn paperbacks.'

Hij keek over zijn schouder naar haar. 'En?'

'Mijn moeder vindt dat paperbacks niet bij de in leer gebonden boeken horen te staan.'

'Wat? Dat is belachelijk. Je bent haar familie. Veel belangrijker dan gedeprimeerde Russische schrijvers en dode dichters. Je moeder zou dolblij moeten zijn dat ze je boeken hier kan neerzetten.'

Ze had zelf heimelijk ook altijd gevonden dat ze ruimte in de bibliotheek van haar eigen moeder moest krijgen. Dat Sebastian dat zei, deed ongewilde gevoelens bij haar ontwaken. 'Dank je.'

'Waarvoor? Weet je moeder hoe moeilijk het is om een boek gepubliceerd te krijgen?'

Maar dit was Sebastian. Ze mocht niets anders voor hem voelen dan een milde vriendschap en een enorme fysieke aantrekkingskracht. 'Waarschijnlijk niet, maar het zou niet uitmaken als ze dat wel deed. Niets wat ik doe zal ooit goed genoeg zijn, of precies goed, of perfect. Ze zal nooit veranderen, dus heb ik dat maar gedaan. Ik pleeg geen zelfmoord om haar een plezier te doen en ik erger haar ook niet meer expres.'

'Nee.' Hij lachte zachtjes. 'Je brengt de aandacht gewoon van jezelf op iemand anders.'

Ze glimlachte. 'Dat is waar, maar je moet toch echt een beetje lijden omdat je die arme meneer Banaan hebt opgegeten.' Ze knikte naar de deuropening. 'Ik zal je de bovenverdieping laten zien.'

Hij liep vlak achter haar aan de wenteltrap op. Ze liet hem de drie logeerkamers zien, haar moeders slaapkamer, en uiteindelijk de kamer die van haar was geweest toen ze opgroeide. Haar twijfelaar met de zware houten ananassen op de bedstijlen stond er nog steeds, net als de kledingkast, de ladekasten en de toilettafel met vijf laden. Het enige wat veranderd was, was het beddengoed.

'Ik herinner me deze kamer,' zei Sebastian terwijl hij verder naar binnen liep. 'Maar vroeger was alles roze.'

'Ja.'

Hij draaide zich om en zei: 'Doe de deur dicht, Clare.'

'Waarom?'

'Omdat je niet wilt dat je moeder ziet wat ik met haar kleine meisje ga doen.'

'We kunnen hier niets doen.'

'Je klinkt bijna alsof je het meent.' Hij liep de kamer door en deed de deur zelf dicht. 'Bijna.' Hij kwam voor haar staan en ging met zijn handen van haar armen naar haar schouders en haar nek. Hij kuste haar, en voordat ze zich realiseerde wat hij deed, maakten zijn vingers de strik van haar halter los en viel de stof rond haar middel. Hij streelde haar blote borsten.

'Stel dat er iemand binnenkomt?'

'Dat gebeurt niet.' Hij pakte haar polsen en legde haar handen op zijn schouders. 'Je tepels zijn hard en je slipje is nat, dus ik weet dat je dit ook wilt.' Hij pakte haar borsten vast en bewerkte de harde tepels met zijn duimen. 'Ik wilde dit al doen sinds ik vanavond het huis binnen kwam lopen. Tijdens je moeders verhalen over haar liefdadigheidsevenementen vroeg ik me af of iemand het zou merken als ik onder de tafel zou verdwijnen en de binnenkant van je dijen zou kussen. Ik vroeg me af of jij net zo opgewonden was. Toen voelde ik je slipje en wist ik dat ik vanavond op een bepaald moment bij je zou binnendringen.' Hij kuste haar keel. Ze liet haar handen onder zijn trui en het T-shirt dat hij eronder droeg glijden.

'Ik dacht dat het de bedoeling was dat je na gisteravond geen seks meer zou willen,' zei ze terwijl ze met haar hand naar de knoop van zijn broek ging. 'Dat je het uit je systeem zou hebben.'

'Tja. Ik heb je onderschat. Ik voorspel dat het nog minstens één keer moet gebeuren.'

Hij pakte de achterkant van haar dijbenen vast en tilde haar op. Clare sloeg haar benen rond zijn middel, waardoor haar kruis tegen zijn gezwollen penis drukte terwijl hij haar naar de zware eiken toilettafel droeg.

'Zeg me hoe graag je het wilt.' Hij zette haar op de toilettafel en trok haar rok tot haar middel omhoog.

'Zo graag dat ik het goedvind dat je me uitkleedt terwijl mijn moeder beneden zit.'

Hij spreidde haar dijen en streelde haar door haar slipje heen. 'Het was een marteling om het huis te bezichtigen terwijl ik wist dat je zo nat was.'

Ze ritste zijn broek open en liet haar hand naar binnen glijden. Ze voelde zijn hartslag in haar handpalm en kneep. 'Je bent hard.'

'Ik ga je een orgasme bezorgen.'

'Daar reken ik op.'

In plaats van haar string uit te trekken, duwde hij het dunne reepje stof opzij. Toen stootte hij in haar, dik en enorm, en ze sloeg haar kuiten rond zijn middel tot hij diep in haar begraven zat. Zijn huid gloeide en haar spieren grepen hem vast. De kus die hij haar gaf was zacht en zoet terwijl hij in haar begon te bewegen, een beetje terugtrekkend en weer naar binnen stotend. 'Je voelt net zo goed als ik me herinner,' fluisterde hij vlak boven haar lippen. 'Heel nat en heel strak.'

Clares hoofd viel naar achteren tegen de spiegel, en hij kuste de zijkant van haar hals, net onder haar oor. 'Ik wil je zo graag,' zei hij. 'Ik wil alle heerlijke delen kussen zoals ik vannacht heb gedaan.' Hij duwde zijn heupen tegen haar aan en gromde diep in zijn keel. Hij trok zich weer terug en stootte ineens hard. Als er iets in de laden van de toilettafel had gezeten, zou het flink wat lawaai gemaakt hebben. Godzijdank was hij leeg, en het enige geluid in de kamer was dat van hun zware ademhaling.

Hij stootte hard in haar, bewerkte Clares natte binnenkant en masseerde haar g-spot. Het duurde niet lang voordat de eerste golf van het orgasme haar raakte en haar lichaam overspoelde met intense, witgloeiende hitte. Haar adem stokte in haar keel en haar tenen krulden in haar zwarte laarzen. Toen het bijna weggeëbd was, begon het opnieuw.

'O mijn god!' hijgde ze terwijl het tweede orgasme haar in zijn greep kreeg. Midden in haar eigen verbazingwekkende genot, voelde ze hem krachtig in haar spuiten. Hij kreunde en zijn knieen knikten, zodat hij haar dijen steviger moest vastpakken om niet te vallen.

'Godallemachtig,' fluisterde hij hees.

Toen het voorbij was en de laatste pulsatie wegebde, liet ze één been van zijn middel vallen terwijl hij worstelde om op adem te komen. Ze had nog nooit zoiets meegemaakt. Toen ze eindelijk weer kon praten, keek ze in zijn groene ogen. 'Dat was ongelooflijk,' zei ze.

'Dat dacht ik ook.'

Ze knipperde een paar keer met haar ogen. 'Ik heb een meervoudig orgasme gehad.'

'Dat heb ik gemerkt.'

'Ik heb er nog nooit een gehad.'

Eén mondhoek ging omhoog. 'Prettig kerstfeest.'

Een paar dagen na Kerstmis ging Clare met haar vriendinnen lunchen in hun favoriete Mexicaanse restaurant. Boven een enorme *mixed plate* praatten ze over boeken en brainstormden ze over plots. Lucy zat vlak voor haar deadline, net als Clare, en Adeles boek was net klaar. Maddies boeken kwamen niet zo vaak uit en ze nam na elk boek een paar maanden vrij om te ontspannen en haar hoofd leeg te maken. Nou ja, voor zover dat lukte bij Maddie, dacht Clare.

Ze kletsten en lachten zoals ze altijd deden, en deelden stukjes en beetjes van hun levens met elkaar. Dwayne viel Adele nog steeds lastig, en liet willekeurige spullen voor haar deur achter; Lucy dacht erover een gezin te beginnen; en Maddie had net een zomerhuis in Truly gekocht, een klein stadje honderdvijftig kilometer ten noorden van Boise. Het enige wat Clare niet met haar vriendinnen deelde was haar relatie met Sebastian. Hoofdzakelijk omdat er geen relatie was, alleen seks, en ze was geen type om over haar seksleven te praten. Niet zoals Maddie – als die een seksleven had gehad om over te praten. Een andere reden was dat het nog zo nieuw was dat ze zelf niet wist wat ze ervan moest denken.

Sebastian was de dag na Kerstmis uit Boise vertrokken, maar niet voordat hij langs haar huis was gereden om haar nog een laatste keer te nemen. Ze had nog nooit een man ontmoet die zo graag seks wilde als hij. Nee. Schrap dat. Het was een tijd geleden dat ze met een man samen was geweest die zo graag seks wilde als hij, maar ze had nog nooit een man ontmoet die er zo goed in was als hij. Een man die zei: 'Dit ga ik met je doen', en het niet alleen deed, maar alle verwachtingen overtrof.

Toen ze thuiskwam van de lunch met haar vriendinnen, had Sebastian een boodschap op haar antwoordapparaat ingesproken.

'Hallo,' begon hij toen ze haar jas uittrok. 'Ik heb hier in Seattle een groot oudejaarsfeest waar ik naartoe moet. Ik dacht dat je mijn date zou kunnen zijn, als je nog geen plannen hebt. Geef me even een belletje en laat het me weten.'

Oudejaarsavond? In Seattle? Was hij gek geworden? Ze schonk een glas cola light in en belde hem terug om die vraag aan hem te stellen.

'Het is maar een uur vliegen,' zei hij. 'Heb je al plannen?'

Als Sebastian haar vriend was, zou ze misschien 'hard to get' spelen. Doen alsof ze plannen had, maar bereid was om die alleen voor hem af te zeggen. 'Nee.'

'Ik betaal je ticket,' zei hij.

'Dat wordt niet goedkoop.' Ze pakte haar cola en liep de trap op naar haar kantoor. 'Wat is je achterliggende motief?'

'Ik mag tijd doorbrengen met een mooie vrouw.'

Nog maar een paar dagen geleden zou ze verrukt zijn geweest als hij had gezegd dat ze mooi was. In elk geval het kleine deel dat diep binnen in haar huisde. Het deel dat hem als kind was gevolgd. Nu wist ze niet zo zeker hoe ze zich over het compliment voelde. Het leek iets wat een man tegen zijn vriendin zou zeggen en Clare had het gevoel dat ze het zich niet kon veroorloven dat er zelfs maar de kleinste zweem van een relatie voorbij de muur kwam die ze had gebouwd om haar hart te beschermen. Ze deed het af als betekenisloos. Iets wat mannen altijd tegen vrouwen zeiden. Het betekende niets. 'Vertel me niet dat er geen vrouwen in Seattle zijn die je kunt vragen.' Ze wachtte op de eerste jaloerse steek. Het knagen aan haar hart. Toen ze niets voelde, glimlachte ze. Ze gaf om hem als een vriend. Een vrouw kon niet jaloers zijn op een vriend met wie ze geen relatie had. Vooral als hij in een andere staat woonde.

'Een paar, maar die zijn niet zo interessant als jij. Niet zo leuk.'

'Bedoel je dat ze geen seks met je willen hebben?'

'Natuurlijk willen ze wel seks met me hebben.' Zijn lach stroomde door de telefoonlijn. 'Maar omdat je er zelf over bent begonnen, neem maar iets mee wat sexy is. Ik denk namelijk dat we nog een paar keer de liefde met elkaar moeten bedrijven om het uit ons systeem te krijgen.'

De liefde bedrijven. Wat zij deden was geen liefde bedrijven. Ze hadden seks. Hete, wilde, ongelooflijk lekkere seks, maar het was anders dan de liefde bedrijven. Het was puur fysiek. De aarde schudde niet en haar hart voelde niet alsof het zou barsten. Dat was de liefde bedrijven, en ze kende het verschil. 'Aha. Zoiets als een diarreeremmer.'

'Eerder als sekstherapie. Ik denk dat we het kunnen gebruiken. Dat geldt in elk geval voor mij.'

Ze moest toegeven dat het goed klonk. Nadat ze zich jarenlang onbegeerlijk had gevoeld, was het verslavend om een man te hebben die haar zo graag wilde als Sebastian. En op dit moment in haar leven was hete, wilde, ongelooflijk lekkere seks beter dan liefde. In de toekomst zou ze weer op zoek gaan naar een zielsverwant. Iemand met wie ze haar leven kon delen. Ze wilde een man en een gezin. Ze wilde 'en ze leefden nog lang en gelukkig' met een 'en ze leefden nog lang en gelukkig'-man. Het zat in haar DNA om die dingen te willen, maar op dit moment wilde ze alleen plezier hebben met een 'fijne tijd'-man zoals Sebastian. Die nooit kon worden verward met een 'en ze leefden nog lang en gelukkig'-man.

'Goed,' stemde ze toe. 'Maar als ik in Seattle ben zal ik moeten winkelen. Kun je dat aan?'

Er viel een lange stilte, toen zei hij: 'Misschien moet ik wat extra therapie krijgen om over dat trauma heen te komen.'

Ze lachte en begon in gedachten de winkels af te vinken. Naast haar gewone lijst zoals Nordstrom, Nieman's en Saks, ging ze naar Club Monaco, BCBG en Bebe.

Wow, winkelen én seksueel uit de band springen. Nog maar een paar maanden geleden was haar leven afschuwelijk geweest. Wat een manier om het nieuwe jaar te beginnen.

Zeventien

Sebastian pakte het mes en sneed een paar kalkoensandwiches in tweeën. Hij legde ze op een bord en pakte een doos Pringles. Hij had nog nooit een vrouw over laten komen om de dag met haar in bed door te brengen. Maar hij was ook nooit met een vrouw zoals Clare samen geweest.

Hij pakte de lunch en liep alleen gekleed in zijn ondergoed de keuken uit. Hij had Clare die ochtend opgehaald van Sea-Tac, en pas toen hij haar van de roltrap af zag komen, prachtig in haar zwarte jas en rode sjaal, realiseerde hij zich hoe graag hij bij haar was. Ze hadden veel gemeen. Ze was slim en mooi en stelde geen eisen. En nog belangrijker, ze was gewoon prettig in de omgang. Hij had de ervaring dat een vrouw, als ze meer dan twee keer seks met een man had gehad, altijd begon over het r-woord – relatie – wat altijd snel werd gevolgd door het b-woord – betrokkenheid. Vrouwen konden gewoon niet ontspannen. Ze moesten alles altijd ingewikkeld maken.

Hij liep zijn slaapkamer in en zijn blik ging naar Clare, die midden in zijn bed zat, met een kluwen lakens opgetrokken tot onder haar oksels. 'Er is alleen maar voetbal op de televisie,' zei ze vol afkeer terwijl ze met de afstandsbediening langs de televisiekanalen zapte. 'Ik haat het om naar voetbal te kijken. Ik heb een relatie gehad met een man die alle wedstrijden opnam.'

Haar haar zat in de war en er zat een roze zuigzoen op haar schouder. 'Ik kijk voetbal als ik niets beters te doen heb.' Hij zette het bord op de rand van het bed en kroop naast haar. Hij gaf haar de helft van een sandwich en kuste de zuigzoen. Hij hield van de geur van haar huid en de smaak van haar in zijn mond.

'Ik heb een eind aan onze relatie gemaakt toen ik merkte dat hij voetbal keek terwijl we vrijden.' Ze nam een hap en slikte. 'Hij had de televisie aangezet met het geluid uit, zodat ik het niet zou merken.'

'Gluiperige klootzak.' Sebastian haalde het deksel van de doos Pringles en at er een paar.

'Ja. Ik ben een magneet voor gluiperige klootzakken.' Ze zette de televisie uit en gooide de afstandsbediening op bed. 'Daarom hoef ik voorlopig geen mannen meer.'

'Wat ben ik dan?'

'Jij bent gewoon een vriend met iets extra's. En geloof me, na Lonny heb ik dat hard nodig.' Ze lachte en nam nog een hap.

Het was een reden te meer dat hij haar mocht. Hij gaf haar wat chips en pakte een halve sandwich voor zichzelf. 'Vertel eens, als je een meisje bent dat van veel extra's houdt, en we weten allebei dat dat zo is, hoe ben je dan geëindigd met een homo? Dat je je moeder een plezier wilde doen verklaart maar een deel.'

Ze dacht een moment na terwijl ze een paar Pringles at. 'Het gebeurde langzamerhand. Eerst was onze relatie nogal anders. Hij was minder seksueel ingesteld dan andere vriendjes, maar ik zei tegen mezelf dat het niet belangrijk was. Ik hield van hem. En als je van iemand houdt, moet je dingen accepteren. En als je eenmaal zo ver in ontkenning bent, wil je het waarschijnlijk niet zien.' Ze haalde haar schouders op. 'En behalve de seks waren er geen echte tekenen. Alleen veel kleine tekenen die ik heb genegeerd.'

'Zoals die kanten, meisjesachtige troep die boven je bed hangt. Een heteroseksuele man zou daar niet onder willen slapen.'

Ze keek naar hem en duwde haar haar achter haar oor. 'Jij hebt het gedaan.'

Hij schudde zijn hoofd. 'We hebben eronder gevrijd. Ik slaap niet onder kant.' Het deed hem denken aan de seks die ze net hadden gehad. Het was begonnen bij de voordeur en was geëindigd in een naakte verstrengeling op zijn bed. Ze was net zo opgewonden als hij, en voor een man was de wetenschap dat een vrouw hem net zo graag wilde als hij haar wilde, een krachtig afrodisiacum. De seks zou nog beter zijn geweest zonder het condoom dat ze hem had gevraagd te gebruiken.

'Ik dacht dat je me vertrouwde zonder condoom.'

'Ik vertrouwde je.' Ze hield haar hoofd schuin en keek naar hem. 'Maar ik neem aan dat je met andere vrouwen samen bent en dat ik voorzichtig moet zijn.'

'Met andere vrouwen samen zijn? Na afgelopen weekend? Dank je voor het compliment, maar zo snel ben ik niet.' Hij nam aan dat zij niemand had ontmoet, en de gedachte dat het misschien wel zo was zat hem meer dwars dan hij wilde toegeven. 'Ben jij met een andere man samen geweest?'

Ze deinsde achteruit. 'Nee.'

'Waarom houden we het dan niet zo?' Hij pakte een fles water en draaide de dop los.

'Wil je zeggen dat je seksueel exclusief wilt zijn? Wij allebei?'

Hij nam een slok water en gaf de fles aan haar. Het idee dat Clare alleen seks met hem had beviel hem wel, en hij wilde geen seks met een andere vrouw. 'Waarom niet?'

'Kun je dat?'

Hij fronste zijn voorhoofd. 'Ja. Kun jij dat?'

'Ik bedoelde alleen dat je in een andere staat woont.'

'Dat is geen enkel probleem. Ik ga vaak bij mijn vader op bezoek en geloof me, ik heb het eerder zonder seks gered. Ik vond het niet fijn, maar ik heb het overleefd.'

Ze nam een slok water en leek diep in gedachten voordat ze hem de fles teruggaf. 'Goed, maar Sebastian, als je iemand vindt moet je het me vertellen.'

'Iemand vinden? Iemand vinden voor wat?'

Ze staarde hem zwijgend aan.

'Goed.' Hij boog naar voren en kuste haar blote schouder. 'Als ik genoeg van je heb, zeg ik het tegen je.'

Ze liet haar hand over zijn borstkas omhoog glijden, waar hij kippenvel van kreeg. 'Je hebt niet gezegd wat er gebeurt als ik eerst genoeg krijg van jou.'

Hij lachte en duwde haar op het bed. Dat ging niet gebeuren.

Nadat ze geluncht hadden, douchten ze en verlieten ze het appartement voor een snelle trip naar de Pacific Place Mall, tenminste, dat was wat Sebastian dacht. Hij hield niet van winkelen en hij bezat niet veel kleren. Hij had een paar Hugo Bosspakken en wat nette overhemden, maar hij gaf de voorkeur aan cargobroeken, waar hij van alles in kon stoppen, en comfortabele katoenen T-shirts van Eddie Bauer. Eigenlijk was winkelen een van zijn minst favoriete bezigheden, maar om de een of andere reden vond hij het goed dat hij door de binnenstad van Seattle werd gesleept terwijl Clare rekken vol kleren paste, ontelbare handtassen bekeek en een krankzinnige blik in haar ogen kreeg toen ze zilveren schoenen zag bij Nordstrom.

Na de vijfde winkel en ontelbare tassen, ontspande Sebastian zich en nam hij het allemaal in zich op. Hij kon niet zeggen dat hij plezier had, maar het was interessant. Clare had een uitgesproken stijl en wist wat ze wilde als ze het zag. Tegen de tijd dat ze Club Monaco in liepen, kon hij voorspellen wat haar aandacht zou trekken.

Toen hij haar vanochtend bij de luchthaven had opgehaald, had hij zich afgevraagd waarom ze twee grote koffers had meegenomen voor zo'n kort uitstapje. Nu wist hij het.

Clare was een klassieke shopaholic.

Later die avond nam Sebastian haar mee naar het oudejaarsavondfeest van zijn vroegere collega en vriendin Jane Alcot-Martineau. Hij kende Jane al heel lang. Ze hadden dezelfde colleges journalistiek gevolgd aan de universiteit van Washington, en toen Sebastian na het eindexamen het land en daarna de wereld in trok om overal freelance werk te doen, was Jane in de omgeving van Seattle gebleven. Ze had uiteindelijk een baan gekregen bij *The Seattle Times*, waar ze hockeydoelman Luc Martineau ontmoette en met hem trouwde. Ze waren al een paar jaar getrouwd en woonden in een appartement niet ver van dat van Sebastian. Ze hadden een eenjarig zoontje, James, en Lucs zus Marie woonde bij hen in zolang ze naar school ging.

'Weet je zeker dat Clare gewoon een vriendin is?' vroeg Jane terwijl ze hem een biertje gaf.

Sebastian staarde naar de vrouw naast hem, en keek toen weer naar Clare, die praatte met een lange slanke blonde vrouw, haar roodharige vriend en een gespierde Russische verdediger. 'Ja, ik weet het zeker.' Clare droeg een glanzende zilveren tubejurk zodat ze eruitzag of ze in aluminiumfolie was verpakt en iemand daarna met zijn handen tegen haar lichaam had geduwd. De jurk was niet echt aanstootgevend, maar Sebastian had die avond verschillende keren gemerkt dat een paar hockeyers met dikke nekken haar met hun ogen uitkleedden. Toen ze erachter kwamen dat ze liefdesromans schreef, werd hun interesse nog groter. Hij wist wat die smeerlappen dachten.

'Omdat je eruitziet of je op het punt staat om Vlad met zijn eigen hockeystick te lijf te gaan,' zei Jane.

Sebastian probeerde zich te ontspannen en nam een slok bier. 'Denk je dat ik hem aankan?'

'Hemel nee. Hij laat je alle hoeken van de zaal zien.' Jane was niet alleen slim, maar ook bijdehand. 'Er is een reden dat hij Vlad de Beul wordt genoemd. Maar als je hem eenmaal kent is hij een aardige man.' Ze schudde haar hoofd zodat haar korte zwarte lokken haar wang raakten. 'Als je niet wilt dat die mannen haar proberen te versieren, had je haar niet als "een vriendin" moeten voorstellen.'

Jane had waarschijnlijk gelijk, maar het leek te vroeg om haar als zijn verkering voor te stellen. En Clare had het waarschijnlijk niet gewaardeerd als hij had gezegd: 'Deze vrouw is van mij dus donder allemaal op!' Clare was misschien niet zijn verkering, maar ze was zijn date, en hij vond het maar niets dat andere mannen haar probeerden te versieren. 'Je weet toch dat ik een grapje maak?'

'Dat je het tegen Vlad gaat opnemen? Ja. Maar als je bedoelt dat Clare alleen een vriendin is, denk ik dat je jezelf in de maling neemt.'

Hij deed zijn mond open om ertegenin te gaan, maar Jane liep al naar haar echtgenoot. Later die nacht, terwijl hij naar Clare keek toen ze sliep, vroeg hij zich af wat het was dat zo aantrekkelijk aan haar was en dat weigerde te verdwijnen. Het was niet alleen seks. Het was iets anders. Door al het winkelen waaraan ze hem had onderworpen, had zijn interesse moeten bekoelen. Maar dat was niet zo. Misschien was het omdat ze geen verwachtingen had. Ze leek niets van hem te willen en hoe meer afstand ze hield, des te meer wilde hij haar dicht bij zich hebben.

Om zes uur de volgende ochtend werd Sebastian wakker; hij voelde zich rusteloos en trok een T-shirt en een cargobroek aan. Hij zette een pot koffie en terwijl die doorliep belde hij zijn vader. Het was zeven uur in Boise, maar hij wist dat Leo altijd vroeg opstond. Zijn relatie met zijn vader verbeterde langzaam met elk bezoek. Ze waren nog afstandelijk, maar ze deden allebei erg hun best om de schade van het verleden te repareren.

Hij had sinds kerst niet meer met zijn vader gesproken, maar hij wist vrij zeker dat Leo niet wist welke logee er in zijn bed sliep. Hij had het niet verteld, en hij wist niet wat zijn vader ervan zou vinden. Goed, dat was een leugen. Leo zou niet enthousiast zijn, maar dat had hij natuurlijk geweten toen hij eraan begon. Hij wist het de eerste keer dat hij Clare kuste, en hij wist het de laatste keer dat hij gisteravond met haar had gevrijd. Hij was tot de conclusie gekomen dat Clare en hij volwassen waren en dat wat ze besloten te doen iets tussen hen was en niemand anders.

Toen hij na het gesprek met Leo ophing, liep hij naar zijn kantoor. De laatste paar maanden had hij met het idee gespeeld om fictie te schrijven. Een serie thrillers met een terugkerend centraal personage, zoals Cusslers Dirk Pitt of Clancy's Jack Ryan. Zijn personage zou een onderzoeksjournalist zijn.

Sebastian ging achter zijn bureau zitten en zette zijn computer aan. Hij had een schets voor een plot en een vaag idee van het personage, en na twee uur ingespannen schrijven nam het idee vastere vormen aan.

Een geluid in de keuken leidde zijn aandacht af van het drama dat in zijn hoofd plaatsvond, en hij keek op van zijn computer toen Clare in de deuropening kwam staan in een eenvoudig blauw nachthemd dat bij haar ogen paste. Het was kort en had kleine bandjes en was ontzettend sexy, gewoon doordat het niet sexy bedoeld was. Wat erg op Clare zelf leek.

'O, sorry,' zei ze. 'Ik wist niet dat je moest werken.'

'Dat hoef ik ook niet.' Hij stond op en rekte zich uit. 'Ik werk niet echt. Ik speel gewoon een beetje.'

'In je eentje?' Ze liep de kamer in en nam een slok koffie uit de beker in haar hand.

'Nee. Ik heb een idee voor een boek.' Het was voor het eerst in een hele tijd dat hij zo enthousiast was over schrijven. Dat was niet meer gebeurd sinds zijn moeder was gestorven.

'Naar aanleiding van een artikel dat je onlangs hebt geschreven?'

'Nee. Het is fictie.' Het was ook voor het eerst dat hij vertelde waarmee hij bezig was. Hij had het zijn agent nog niet eens verteld. 'Ik dacht meer in de lijn van een onderzoeksjournalist die geheimen van de regering ontdekt.'

Ze trok haar wenkbrauwen op. 'Zoals Ken Follett of Frederick Forsyth?'

'Misschien.' Hij kwam achter zijn bureau vandaan en glimlachte. 'Of misschien word ik een mannelijke liefdesromanschrijver.'

Clares ogen werden groot en ze begon te lachen.

'Waar lach je om? Ik ben een romantische man.'

Ze zette haar beker op zijn bureau, en op de een of andere manier veranderde haar lach in een verstikkende lachbui die net zo lang doorging tot hij haar over zijn schouder gooide en haar net als Valmont Drake uit haar laatste boek, *Overgave aan de liefde*, naar bed droeg.

Op de derde dag in maart werd Clare vierendertig. Ze had een heel dubbel gevoel over een jaar ouder worden. Aan de ene kant hield ze van de wijsheid die met het ouder worden gepaard ging en het vertrouwen dat bij die wijsheid hoorde. Aan de andere kant hield ze niet van die tikkende klok in haar lichaam. De klok die elke dag en elk jaar bijhield en haar eraan herinnerde dat ze nog steeds alleen was.

Een paar weken geleden had ze plannen gemaakt om haar verjaardag met haar vriendinnen te vieren. Lucy had gereserveerd in de Milky Way in het oude Empire Building in het centrum, maar ze zouden elkaar eerst in Clares huis ontmoeten voor een glas wijn en om Clare haar verjaardagscadeautjes te geven.

Terwijl Clare zich voor de avond kleedde in een Michael Korsjurk die ze bij Nieman Marcus in de uitverkoop had gekocht, dacht ze aan Sebastian. Voor zover zij wist was hij in Florida. Ze had hem al een week niet gesproken, en die laatste keer had hij haar verteld dat hij had besloten om een artikel te schrijven over de meest recente golf Cubaanse immigranten die in Little Havanna aankwamen. De afgelopen twee maanden had ze hem minstens om de week gezien als hij naar Boise was gereden of gevlogen om zijn vader te zien.

Clare deed een paar zilveren oorbellen in haar oren en spoot Escada op de binnenkanten van haar polsen. Op dit moment werkte haar niet-relatie met Sebastian. Ze hadden het leuk samen en ze voelde geen druk om te proberen indruk op hem te maken. Ze kon over alles met hem praten, omdat ze zich geen zorgen hoefde te maken of hij Mister Right was. Hij was het duidelijk niet. Mister Right zou voorbijkomen. Tot dat moment vond ze het heel fijn om tijd door te brengen met Mister Right Now.

Als hij in de stad was, vond ze het fijn om hem te zien, maar haar hart sloeg niet op hol en haar maag werd niet licht en overgevoelig. Nou ja, misschien een beetje, maar dat had meer te maken met de manier waarop hij naar haar keek dan met wat ze voor hem voelde. Ze kon nog steeds normaal ademhalen en rationeel denken. Hij was gewoon gemakkelijk om mee om te gaan. De dag dat het niet langer werkte was de dag dat zij er een eind aan zou maken, of hij. Zonder wrok. Dat was de afspraak. Misschien zagen ze elkaar op dit moment exclusief, maar ze wist dat het niet voor altijd zou zijn, en ze was niet van plan om te ver vooruit te denken.

Ze pakte haar rode lippenstift en boog zich naar de spiegel boven haar toilettafel. Ze was niet klaar voor een serieuze relatie. Nog niet. Vorige week had ze besloten om wat nieuwe mannen te ontmoeten en ze had met Adele afgesproken bij Montego Bay voor de flitsdate-avond van het restaurant, waarin de deelnemers telkens acht minuten hadden om iemand te leren kennen voordat ze naar de volgende tafel gingen. De meeste mannen die ze die avond had ontmoet leken prima in orde. Er was niets mis geweest met ze, maar toen ze twee minuten bezig was met haar eerste flitsdate zei ze: 'Ik heb vier kinderen.' Toen hij daar niet op afknapte, voegde ze eraan toe: 'Allemaal onder de zes.' Tegen het eind van de avond was ze op de een of andere manier veranderd in een alleenstaande moeder die zwerfkatten opving. Toen dat niet hielp, had ze gezinspeeld op 'vrouwenproblemen', en had haar date de tafel bijna omgegooid in zijn haast om bij haar uit de buurt te komen.

De bel ging terwijl Clare haar lippenstift aanbracht en ze liep naar de voordeur. Adele en Maddie stonden op de veranda met hun cadeaus in hun hand.

'Ik heb tegen jullie gezegd dat jullie niets voor me moesten kopen,' zei ze, hoewel ze heel goed wist dat ze dat natuurlijk wel zouden doen.

'Wat is dit?' vroeg Maddie terwijl ze naar een doos bij haar voeten wees die met exprespost was gekomen.

Clare verwachtte geen bestellingen of iets van haar uitgever. Toen ze knielde om hem op te pakken, herkende ze het afzenderadres in Seattle. Er zat een postzegel uit Florida op. 'Ik denk dat het een verjaardagscadeau is.' Sebastian had aan haar verjaardag gedacht en ze probeerde haar blijdschap te temperen voordat deze haar hart bereikte. Toen ze voetstappen op de oprit hoorde, verwachtte ze half om Sebastian te zien. Het was Lucy natuurlijk, die een boeket roze rozen en een klein gouden doosje bij zich had.

'Ik dacht dat ik hier als eerste zou zijn,' zei ze toen Clare haar vriendinnen binnenliet.

Clare pakte de rozen van Lucy aan en ging op zoek naar een

vaas terwijl haar vriendinnen hun jas ophingen. In de keuken sneed ze de onderkant van de stelen, en haar blik gleed naar de witte doos op het aanrecht. Ze was verbaasd dat Sebastian aan haar verjaardag had gedacht. Vooral nu hij op locatie was, en het plezier dat ze probeerde te onderdrukken streelde haar huid. Ze hield zichzelf voor dat het geen attent cadeau zou zijn. Waarschijnlijk bevatte de doos het gebruikelijke voor mannen aantrekkelijke cadeau. Iets zonder kruis of met tepelkwastjes.

'Hemel, ik heb genoeg van de kou,' klaagde Maddie terwijl de andere drie vrouwen de keuken in liepen.

'Kan een van jullie wijn inschenken?' vroeg Clare terwijl ze de bloemen in een Portmeirion-vaas van een overleden familielid schikte. Lucy schonk in, en toen ze klaar was gingen de vier vriendinnen naar de zitkamer. Clare zette de vaas op een bijzettafel naast de bank en Adele legde de cadeaus op de salontafel. Inclusief de witte doos.

Terwijl de vier vrouwen praatten over ouder worden, opende Clare de cadeaus die haar vriendinnen voor haar hadden gekocht. Lucy gaf haar een visitekaartjeshouder met monogram en Adele een armband met kleine paarse kristallen. Maddie gaf Clare een zelfverdedigingsapparaat in de vorm van een rode verdovingspen, als vervanging voor de pen die ze haar vorig jaar had gegeven en die kapot was. 'Bedankt, meiden. Ik vind alle cadeautjes fantastisch,' zei ze terwijl ze achteroverleunde met haar glas in haar hand.

'Ga je dat niet openmaken?' vroeg Adele.

'Is het weer van je moeder?' wilde Lucy weten. Een paar jaar geleden had Clare Joyce ontweken, en toen had haar moeder haar prachtig beddengoed voor haar verjaardag gestuurd. De telefoon pakken en Clare bellen zou niet passief-agressief genoeg zijn geweest.

'Nee. Mijn moeder en ik praten dit jaar met elkaar.'

'Van wie is het dan?'

'Van een vriend van me.' De drie vrouwen staarden haar met opgetrokken wenkbrauwen aan terwijl ze op aanvullende informatie wachtten. 'Sebastian Vaughan.'

'Sebastian de journalist?' vroeg Adele. 'De man die volgens Maddie flink geschapen is?'

'Ja.' Clares gezicht was doelbewust onbewogen toen ze eraan toevoegde: 'En hij is gewoon een vriend.'

Maddie ademde in. 'Gewoon een vriend, ik geloof er helemaal niets van. Ik zie aan je gezicht dat je iets verbergt. Je krijgt die blik altijd als je iets te verbergen hebt.'

'Welke blik?'

Lucy wees naar haar. 'Die blik.' Ze nam een slok. 'Vertel, heb je iets met hem?'

'Nee. Hij is gewoon een vriend.' Toen haar vriendinnen naar haar bleven staren, zuchtte ze en biechtte op: 'Oké. We zijn vrienden die seks hebben.'

'Goed van je!' knikte Maddie. 'Adele zei al dat je hem moest gebruiken om weer op gang te komen.'

Adele knikte. 'Dat heb ik een paar keer gedaan. Seks zonder verplichtingen is geweldig.'

Lucy was even stil en vroeg toen: 'Weet je dat zeker?'

'Wat?'

'Dat je seks zonder verplichtingen aankunt? Ik ken je. Je hebt het hart van een pure romanticus. Kun je het echt aan om seks te hebben zonder verliefd te worden?'

'Ik kan het aan.' Ze zette haar glas op de salontafel en pakte de witte doos. Om het te bewijzen zou ze hun laten zien dat het cadeau van Sebastian een aardigheidje was. Meer niet. 'En ik doe het al.' Ze opende de witte doos en glimlachte. Binnenin zat een kleinere doos die was verpakt in roze metallic papier en bovenmatig veel linten en strikken. 'Het gaat fantastisch. Hij woont in Seattle en spreekt met me af als hij in de stad is om zijn vader te bezoeken. We hebben veel plezier en geen verwachtingen van elkaar.'

'Wees voorzichtig,' waarschuwde Lucy. 'Ik wil niet dat je weer gekwetst wordt.'

'Ik word niet gekwetst,' zei ze terwijl ze het roze papier van het pakje scheurde. 'Ik ben niet verliefd op Sebastian en hij is niet verliefd op mij.' Ze keek naar beneden terwijl ze de doos opendeed; in wit-roze stippenvloeipapier verpakt lag een zwarte leren riem. Op de zware zilveren gesp stond een inscriptie: BOY TOY.

Clare staarde naar het cadeau en voelde een scherpe steek in haar borstkas en een beangstigend klein gefladder in haar maag. Op hetzelfde moment voelde ze zich alsof ze in een achtbaan zat. Ze ging omhoog, omhoog, omhoog, en ze wist dat ze alleen maar recht naar beneden kon. *Boy toy.*

'Wat is het?'

Ze hield hem omhoog en haar vriendinnen giechelden. 'Markeert hij zijn territorium?' vroeg Adele.

Clare knikte, maar ze wist dat het zo helemaal niet was. Het was erger. Hij had in het jonge, verlegen hart van een jong meisje gekeken en had haar gegeven wat ze het liefst wilde hebben. Hij had opgelet. Hij had naar haar geluisterd en had veel moeite gedaan om het voor haar te krijgen. Hij had het in roze verpakt en had ervoor gezorgd dat het op haar verjaardag arriveerde. Haar gezicht gloeide plotseling, en haar beklemde hart klopte koortsachtig tegen de muur die ze had gebouwd om Sebastian buiten te sluiten. De muur waarachter ze zich verborg om ervoor te zorgen dat ze niet stapelverliefd werd op een man die zo absoluut verkeerd voor haar was. Om haar heen praatten en lachten haar vriendinnen; ze leken zich niet bewust van de worsteling die binnen in haar plaatsvond om boven in de achtbaan te blijven. Ze worstelde en vocht om zich vast te houden. Maar het was te laat. Ze was hulpeloos terwijl ze begon te vallen. Ze werd overvallen door een intense emotie en de overweldigende kracht ervan dreigde haar ademloos te maken. Ze zei tegen zichzelf dat ze niet verliefd op hem mocht zijn, maar het was te laat. Het overviel haar; ze voelde een krankzinnige, intense, totale liefde voor Sebastian Vaughan. 'O nee,' fluisterde ze.

Lucy merkte dat er iets was. 'Is alles goed?' vroeg ze.

'Ja. Ik denk dat vierendertig worden me in een vreemde stemming heeft gebracht.' Ze lachte en bad dat het overtuigend klonk.

'Ik begrijp het. Toen ik vijfendertig werd, begon ik heel paniekerig te worden,' zei Lucy en Clare haalde iets gemakkelijker adem. 'Dat is heel gewoon.'

Later in het restaurant probeerde Clare zichzelf wijs te maken dat het brandende gevoel in haar borstkas geen echte liefde was, dat het kwam door de jalapeñogarnalen die ze als voorgerecht had besteld. De tranen die in haar ogen prikten kwamen doordat ze weer een jaar ouder was geworden. Het was gewoon. Zelfs Lucy dacht dat.

Maar tegen de tijd dat ze de maaltijd besloten met crème brûlée, wist Clare dat het niet de jalapeño of de verjaardag was. Ze was verliefd op Sebastian, en ze dacht niet dat ze ooit zo bang was geweest. Natuurlijk, er waren meer angstige momenten in haar leven geweest, maar ze had altijd geweten wat ze moest doen. Dit keer had ze er absoluut geen idee van. Op de een of andere manier was haar liefde voor hem stilletjes naar binnen geglipt terwijl zij zichzelf ervan overtuigde dat ze alleen vriendschap voor hem voelde. Het was geen stoot in haar maag geweest of een adembenemende blik vanaf de andere kant van de kamer. Geen warme donzige tintelingen in haar hart als ze aan hem dacht. In plaats daarvan was het gegroeid vanuit een klein zaadje, dat de scheuren en barsten had gevonden in de muur die haar hart beschermde en haar in de val had laten lopen tot ze zonder dat ze het besefte stevig gevangenzat.

Hoewel Sebastian en zij over veel verschillende dingen praatten, hadden ze nooit gesproken over hun gevoelens voor elkaar. Maar ze leefde in elk geval niet in ontkenning. Niet meer. Ja, hij wilde een exclusieve relatie, maar ze wist dat hij niet van haar hield. Ze had relaties gehad met mannen die van haar hielden. Ze had misschien niet zoveel voor ze gevoeld, maar ze wist hoe een man die verliefd was zich gedroeg. En zo gedroeg Sebastian zich niet.

Ze was opnieuw gevallen voor Mister Wrong. Ze was zo'n stommeling.

Die avond ging ze naar bed met haar gedachten bij Sebastian, en toen ze de volgende ochtend wakker werd zat hij nog steeds in haar hoofd. Ze dacht aan de geur van zijn nek en de aanraking van zijn handen, maar ze weigerde hem te bellen. Ze had een perfect excuus. Ze moest hem bellen om hem te bedanken voor het verjaardagscadeau. In feite vereiste de etiquette dat ze hem op z'n minst belde, maar ze weigerde toe te geven aan de verleiding om zijn stem te horen. Als ze gewoon probeerde haar gevoelens te negeren, zouden ze zich misschien terugtrekken en schuilhouden. Ze maakte zichzelf niet wijs dat ze zouden verdwijnen. Ze was een vierendertigjarige relatieveterane en voormalige liefdesjunk. Maar misschien, als ze heel veel geluk had, zouden haar gevoelens een beetje bekoelen door zijn afwezigheid.

Achttien

Drie dagen na Clares verjaardag belde Sebastian, en ze merkte dat ze geen geluk had. Integendeel. Alleen al door de aanblik van zijn naam op haar mobiel voelde ze een steek in haar hart.

'Hallo,' zei ze, worstelend om kalm en een beetje blasé te klinken.

'Wat draag je?'

Ze keek naar haar badjas en blote voeten terwijl ze een borstel door haar vochtige haren haalde. 'Waar ben je?'

'Op je veranda.'

Haar hand stopte, net als het bloed dat niet meer naar haar hoofd stroomde. 'Sta je voor mijn deur?'

'Ja.'

Ze gooide de borstel op het bed en liep van haar slaapkamer naar de hal. Ze deed de deur open en daar stond hij, razend knap in een wit T-shirt onder een donkergroen wollen shirt. Kleine lijntjes vormden rimpels rond zijn groene ogen. Hij haakte zijn telefoon aan de bruine leren riem die in de tailleband van zijn verbleekte jeans zat. O god, ze zat in de problemen.

'Hallo Clare.' De klank van zijn stem stuurde hete kleine tintelingen langs haar ruggengraat naar boven en veroorzaakte kippenvel op haar armen.

'Wat doe je hier?' vroeg ze in haar mobiel. 'Je hebt me niet verteld dat je bij Leo op bezoek zou gaan.'

'Leo weet niet dat ik hier ben.' Hij pakte haar mobiel van haar af, drukte op de uitknop en gaf hem terug. 'Ik ben hiernaartoe gevlogen om jou te zien.'

Ze keek achter hem naar de Mustang die op haar oprit geparkeerd stond en een Idaho-nummerplaat had. 'Mij?' Haar hart wilde het opvatten als een teken dat hij meer om haar gaf dan om een gewone vriendin met iets extra's, maar haar hoofd wilde dat niet toestaan.

'Ja. Ik wil vannacht bij je zijn. De hele nacht. Zoals toen je bij me in Seattle was. Ik wil niet als een klein jongetje naar mijn vaders huis terugsluipen. Alsof we iets doen wat niet mag.'

Ze moest hem wegsturen voordat ze nog verliefder op hem werd, maar het probleem was dat het veel te laat was. Ze deed de deur wijd open en liet hem binnen. 'Wil je hier slapen?'

'Uiteindelijk wel.' Hij volgde haar naar binnen en wachtte tot ze de deur had gesloten voordat hij haar vastpakte.

'Er ligt kant op mijn bed, weet je nog? Er zou iets ergs met je kunnen gebeuren als je in mijn meisjesachtige meisjesbed slaapt.'

Hij trok haar tegen zijn borstkas. 'Dat risico neem ik.'

'Bedankt voor mijn verjaardagscadeau.' Ze glimlachte en legde haar handen op zijn schouders. 'Het was heel attent van je om ervoor te zorgen dat ik het op mijn verjaardag kreeg.'

'Vond je het leuk?'

'Ik vond het prachtig.'

'Laat hem eens zien,' zei hij terwijl hij naar voren boog en een kus op haar mond gaf. Hij raakte haar aan zoals hij altijd deed, maar dit keer reageerde ze daar anders op. Hoe ze ook probeerde om het voor hem te verbergen, ze hield van Sebastian. Haar hart was erbij betrokken, en toen ze hem meenam naar haar slaapkamer was het meer dan alleen seks. Meer dan genot en bevrediging. Voor het eerst bedreef ze echt de liefde met hem. De warmte van de emotie verspreidde zich van binnenuit door haar lichaam. Vanaf het midden van haar borstkas tot in de toppen van haar vingers en tenen. Toen het voorbij was, trok ze hem tegen zich aan en kuste zijn naakte schouder.

'Je moet me echt gemist hebben,' zei hij naast haar oor. Hij had het verschil in hun vrijen gemerkt maar gaf een verkeerde betekenis aan de oorzaak ervan.

Sebastian bleef twee dagen bij haar en praatte met haar over het opgroeien bij zijn moeder en zijn schuldgevoel over de relatie met zijn vader. Hij vertelde haar hoe boos hij was geweest toen hij als kind was weggestuurd. Ze vermoedde dat hij niet alleen boos was geweest. Hoewel hij het niet toegaf, wist ze zeker dat hij ook gekwetst en verbijsterd was geweest.

'Ik heb mijn lesje geleerd. Dat was de laatste keer dat ik een meisje heb verteld hoe baby's werden gemaakt,' zei hij.

'Mooi zo. Ik ben jarenlang bang geweest voor seks en dat was allemaal jouw schuld.'

Hij legde een onschuldige hand op zijn borstkas. 'De mijne?'

'Ja. Je hebt me verteld dat zaadjes net zo groot zijn als kikkervisjes.'

Hij lachte. 'Ik herinner het me niet, maar ik kan me best voorstellen dat ik dat heb gedaan.'

'Dat heb je.'

Ze praatten over hun bezigheden, en hij vertelde haar dat hij hard aan zijn boek had gewerkt. Hij praatte over wendingen en draaiingen van de plot en zei dat hij dacht dat hij halverwege was. Hij biechtte ook op dat hij al haar boeken had gelezen. Ze was zo geschokt dat ze niet wist wat ze moest zeggen.

'Als ze geen halfnaakte mannen op het omslag hadden, denk ik dat meer mannen ze zouden lezen,' zei hij tijdens het avondeten bij haar thuis.

Ze had niet gedacht dat het mogelijk was, maar die avond, toen ze over de tafel naar hem keek terwijl hij kalfsvlees met saliemarinade at, raakte ze nog verliefder op hem. 'Misschien is het een verrassing voor je, maar ik heb inderdaad mannelijke lezers. Ze schrijven me voortdurend.' Ze glimlachte. 'Natuurlijk zitten ze allemaal gevangen voor misdaden die ze niet hebben begaan.'

Hij pauzeerde boven zijn kalfsvlees en keek naar haar. 'Ik hoop niet dat je ze terugschrijft.'

'Nee.' Misschien hield hij niet van haar, maar hij was hier, bij haar, en wie weet wat hij volgende week of volgende maand zou voelen.

De volgende keer dat Sebastian naar Boise kwam, was hij op weg naar huis van een skivakantie in Park City, Utah, waar hij met een paar van zijn vrienden uit de journalistiek was geweest. Zijn laatste bezoek was drie weken geleden geweest, en hij was van plan om een paar dagen bij Leo te logeren en te gaan vissen bij Strike Dam, waar volgens zijn vader regenboogforellen van een halve meter uit het water werden gehaald. Binnen een paar uur nadat hij was aangekomen, belde hij Clare en pikte haar op bij haar huis. Sebastian haatte winkelen meer dan enige man die ze ooit had gekend, en hij haalde haar met zijn mooie praatjes over om mee te gaan naar het winkelcentrum. Leo's rug speelde op en ze gingen op zoek naar een massageapparaat. Sebastian hoopte dat zijn vader zich de volgende ochtend dan goed genoeg zou voelen voor het ritje naar de dam.

Vanwege de verandering in plannen besloot Sebastian om die avond te ontspannen met Clare en naar vechtfilms te kijken, zoute popcorn te eten en bier te drinken. Ze werden het eens over de film en de popcorn. Clare was meer een wijndrinker en hield van vrouwenfilms, maar hij had beloofd dat zij de volgende keer de film mocht uitkiezen.

'Wat was vroeger jouw favoriete film?' vroeg Clare terwijl ze Brookstone in liepen.

'*Sjakie en de chocoladefabriek*,' zei hij zonder aarzeling.

'*Sjakie en de chocoladefabriek*!' Clare bleef naast een uitstalling met ergonomische kussens staan. 'Ik haatte *Sjakie en de chocoladefabriek*.'

Hij keek over zijn schouder naar haar. 'Hoe kan een kind *Sjakie en de chocoladefabriek* nou haten?'

Ze liepen verder de winkel in, langs een stel met een tweeling in een dubbele kinderwagen. 'Heb je je nooit afgevraagd waarom opa Joe niet uit bed wilde komen tot Sjakie met de gouden wikkel thuiskwam?' vroeg Clare.

'Nee.'

Ze stopten bij een uitstalling massageapparaten. 'Hij heeft daar jarenlang met de andere grootouders gelegen terwijl Sjakies moeder werkte om ze te onderhouden.' Ze pakte een massageapparaat ter grootte van een pen en legde het weer terug. 'Toen kreeg Sjakie de wikkel en poef, opa Joe was op wonderbaarlijke wijze genezen. Hij begon rond te dansen en kwiek en energiek naar de chocoladefabriek te lopen.'

'Ik heb al eens gezegd dat je overal te veel over nadenkt,' zei Sebastian terwijl hij een massageapparaat met een bolle blauwe kop pakte. 'Zoals de meeste kinderen dacht ik alleen aan al die chocolade.' Hij grinnikte en hield het massageapparaat omhoog. 'Waar doet deze je aan denken?'

'Ik zou het niet weten,' loog ze terwijl ze het uit zijn handen pakte. In plaats daarvan pakte ze er een met een grote rechthoekige kop die nergens anders mee verward kon worden.

'Wat was jouw favoriete film?' vroeg hij terwijl hij het apparaat aanzette en ermee over de rug van haar roze fleecejack wreef.

'Ahh.' Ze huiverde en haar stem haperde een beetje terwijl ze verderging. 'Ik had er verschillende. Toen ik klein was, was mijn favoriete film *Assepoester*. De oude televisieversie van Rodgers en Hammerstein. Toen ik op de middelbare school zat, waren het *Pretty in Pink* en *Sixteen Candles*.'

'*Pretty in Pink*? Dat is toch een van die Molly Ringwald-films?'

'Vertel me niet dat je die nooit hebt gezien!'

'Jezus, nee.' Hij zette het apparaat uit en pakte een massageriem. 'Ik ben een man. Ik kijk niet naar dat soort films als er niets interessants te zien is.'

'Seks dus.'

Hij grijnsde. 'Of in elk geval een beetje rotzooien.'

Ze lachte en draaide zich naar een massagestoel. Haar lach stierf weg en ze trok geschrokken haar wenkbrauwen op toen ze ineens oog in oog met haar verleden stond.

'Hallo, Clare.'

'Lonny.' Hij was net zo knap en verzorgd als ze in haar herinnering had. Naast hem stond een blondine die ongeveer even groot was als hij.

'Hoe is het met je?' vroeg hij.

'Goed.' En dat was ook zo. Nu ze hem weer zag, voelde ze niets. Geen bonkend hard of moorddadige woede.

'Dit is mijn verloofde Beth. Beth, dit is Clare.'

Verloofde? Dat had hij snel gedaan. Ze richtte haar aandacht op de andere vrouw. 'Leuk je te ontmoeten, Beth.' Ze stak haar hand uit naar de vrouw die blijkbaar geloofde dat Lonny van haar hield zoals een man van een vrouw hield. Alleen was hij niet in staat tot dat soort liefde.

'Dat vind ik ook.' Haar vingers raakten die van Clare nauwelijks voordat ze haar hand weer liet zakken. De vrouw was in de ontkennende fase. Zo erg als zij ook ooit was geweest. Iets zo graag willen geloven en weigeren de realiteit te zien die in haar gezicht staarde. Ze nam aan dat het juist zou zijn om Beth over het geheime leven van haar verloofde te vertellen, maar aan de andere kant was het niet haar taak om haar uit de droom te helpen.

Voordat Clare Sebastian kon voorstellen, deed hij een stap naar voren en stak zijn hand naar Lonny uit. 'Ik ben Sebastian Vaughan, een vriend van Clare.'

Een vriend van Clare. Ze keek over haar rechterschouder naar Sebastian, terwijl de realiteit haar overviel. Na al deze maanden was ze niet meer dan een vriendin voor hem. Haar borstkas implodeerde, naast alle massageapparaten, zichtbaar voor Lonny en Beth en het stel met de tweeling. Ze was niet beter dan Beth. Ze was niet veranderd sinds de dag dat ze Lonny in de kast had betrapt, letterlijk en figuurlijk. Ze dacht dat ze veranderd was. Dat ze was gegroeid. Had geleerd. Maar ze leed nog net zo aan waandenkbeelden als eerst. Ze wilde zich verstoppen. Zich verstoppen en in elkaar kruipen.

Met een wazig hoofd bleef ze nog een paar minuten staan kletsen tot Lonny en Beth wegliepen. Ze stond naast Sebastian toen hij de massageriem voor Leo kocht. Hij zag niet dat ze instortte. Toen ze het winkelcentrum uit liepen en al die mensen passeerden, leek niemand te merken dat ze vanbinnen stierf.

Op weg naar het huis van zijn vader praatte hij over zijn skivakantie en vertelde hij dat hij erover dacht om Leo mee te nemen naar Alaska om op zalm te vissen. Pas toen ze haar moeders oprit in draaiden keek Clare eindelijk naar de man die net zo min als Lonny in staat was om van haar te houden.

'Wat is er?' vroeg hij terwijl hij voor de garage stilhield. 'Je bent al stil sinds we je ex hebben gezien. Je bent beter af zonder hem.'

Ze keek in Sebastians ogen. In de ogen van de man van wie ze met heel haar hart hield. De ogen van de man die niet van haar hield. Ze wilde niet huilen, niet nu, maar ze voelde de tranen branden. 'Zijn we vrienden?'

'Natuurlijk.'

'Is dat alles?'

Hij zette de motor uit. 'Nee. Dat is niet alles. Ik mag je graag, we kunnen heel goed met elkaar overweg en we hebben fantastische seks.'

Dat was geen liefde. 'Je mag me dus graag?'

Hij haalde zijn schouders op en deed de sleutels in de zak van zijn zwarte fleecejack. 'Ja. Natuurlijk mag ik je.'

'Is dat het?'

Hij begon te beseffen waar het gesprek toe leidde, want er stond vermoeidheid in zijn groene ogen te lezen toen hij naar haar keek. 'Wat wil je nog meer?'

Dat hij dat vroeg bewees de afschuwelijke waarheid voor haar. 'Niets wat jij kunt geven,' zei ze terwijl ze de autodeur opendeed. Ze sloeg hem achter zich dicht en liep over het gazon naar de achterkant van haar moeders huis. Als ze maar alleen kon zijn, in haar eigen huis, voordat ze instortte. Ze redde het tot de tuin voordat Sebastian haar arm greep.

'Wat is er met jou aan de hand?' vroeg hij terwijl hij haar omdraaide zodat ze hem aan moest kijken. 'Ben je van streek omdat je ex-vriend verloofd is?'

'Het heeft niets met Lonny te maken.' Een koele bries trok aan haar haar, en ze duwde het achter haar oor. 'Hoewel ik door hem weer te zien werd gedwongen om onze verhouding in de juiste proporties te zien. En me te realiseren hoe het altijd zal blijven.'

'Waar heb je het verdomme over?'

'Ik wil niet zomaar "een vriendin" zijn. Dat is niet meer genoeg voor me.'

Hij deed een stap naar achteren en liet zijn hand vallen. 'Dat is plotseling.'

'Ik wil meer.'

Zijn ogen vernauwden. 'Niet doen.'

'Wat niet doen? Meer willen?'

'Je moet het niet verpesten door te gaan praten over relaties en betrokkenheid.'

Hij had niet alleen haar hart verpletterd, maar nu maakte hij haar ook heel boos. Zo boos dat ze de behoefte kreeg om een vuist te maken en hem een dreun te geven. 'Wat is er mis met een relatie en betrokkenheid willen? Dat is gezond. Natuurlijk. Normaal.'

Hij schudde zijn hoofd. 'Nee. Het is onzin. Betekenisloze, nutteloze onzin. Vroeg of laat wordt een van de twee boos en dan begint de strijd.' Hij wreef met zijn handen over zijn gezicht. 'Clare, we kunnen fantastisch met elkaar overweg, ik vind het fijn om bij je te zijn. Laat het daarbij.'

'Dat kan ik niet.'

Zijn ogen vernauwden nog meer. 'Waarom verdomme niet?'

'Omdat jij me graag mag en ik van je hou.' Haar keel deed pijn van de onderdrukte emotie. 'Dit is niet langer een gewone vriendschap. Niet voor mij in elk geval, en het is niet genoeg dat je me alleen graag mag. Ooit had ik daar genoegen mee genomen, in de hoop dat het meer zou worden. Maar nu niet meer. Ik verdien een man die van me houdt en die een relatie met me wil. Een man die genoeg van me houdt om de rest van zijn leven met me door te willen brengen. Ik heb dat niet nodig om te overleven, maar ik wil het. Ik wil het allemaal. Een man en kinderen en...' ze slikte hard, '... en een hond.'

Hij liet zich niet kennen en vouwde zijn armen over elkaar. 'Waarom zeuren vrouwen altijd zo en stellen ze zoveel eisen? Waarom kunnen jullie niet gewoon ontspannen doen over relaties?'

God, het was precies zoals ze had vermoed. Ze had dezelfde fout gemaakt die andere vrouwen in Sebastians leven hadden gemaakt. Ze was verliefd op hem geworden. 'Ik ben vierendertig. Mijn ontspannen dagen zijn voorbij. Ik wil een man die 's ochtends naast me wakker wordt en bij me wil zijn. Ik wil geen man die alleen mijn leven komt binnenstormen als hij seks wil.'

'Het is meer dan alleen seks.' Hij wees naar haar terwijl een koele bries met de open rits van zijn jack speelde. 'En jij bent degene die heeft gezegd dat we gewoon vrienden met iets extra's zijn. Nu wil je alles ineens veranderen. Waarom kun je de dingen niet gewoon bij het oude laten?'

'Omdat ik verliefd op je ben en dat verandert alles.'

'Liefde,' zei hij spottend. 'Wat verwacht je van me? Moet ik veranderen wie ik ben omdat jij plotseling denkt dat je verliefd op me bent?'

'Nee. Ik weet dat je niet kunt veranderen wie je bent, en daarom ben je de laatste persoon op wie ik verliefd wilde worden. Maar ik dacht dat ik het aankon om alleen vrienden te zijn. Ik dacht dat het voldoende voor me zou zijn, maar dat is het niet.' Haar stem haperde toen ze naar het gesloten, boze gezicht keek van de man van wie ze hield. 'Ik kan je niet meer zien, Sebastian.'

Hij strekte één hand uit, alsof hij haar wilde aanraken, maar liet hem weer langs zijn zij vallen. 'Doe dit niet, Clare. Als je wegloopt, kom ik je niet achterna.'

Ja. Dat wist ze en de pijn die dat veroorzaakte was meer dan ze kon verdragen. 'Ik hou van je, maar het doet te veel pijn om bij je te zijn. Ik ga niet wachten in de hoop dat je gevoelens zullen veranderen. Als je nu niet van me houdt, zul je dat nooit doen.'

Hij lachte, bitter en ruw en zonder een zweem humor. 'Ben je ineens helderziend?'

'Sebastian, je bent vijfendertig jaar en je hebt nog nooit een serieuze relatie gehad. Ik hoef niet helderziend te zijn om te weten dat ik gewoon één van een lange rij vrouwen in je leven ben. Ik hoef niet helderziend te zijn om te weten dat je nooit verliefd op iemand bent geweest. De hartverscheurende, adembenemende, krankzinnige liefde voor één vrouw.'

Hij fronste zijn voorhoofd en hield zijn hoofd achterover terwijl hij op haar neerkeek. 'Je bent in je eigen liefdesromans gaan geloven. Je hebt een heel verwrongen kijk op mannen.'

Haar ogen vulden zich met brandende tranen. 'Mijn kijk op jou is heel duidelijk. Ik kan geen tijd meer besteden aan een man die niet kan beslissen waar hij morgen zal zijn, laat staan dat hij kan beslissen om bij mij te zijn. Ik wil meer.' Ze draaide zich om en begon te lopen nu ze daar nog toe in staat was.

'Veel geluk ermee,' zei hij, waarmee hij op haar al verbrijzelde hart stampte.

Negentien

Sebastian liep het koetshuis in met het gevoel dat hij onverwachts was verpletterd door een enorme balk. Wat was er verdomme daarnet gebeurd? Het ene moment was alles in orde geweest en ineens begon Clare te praten over gevoelens en betrokkenheid en liefde. Waar was dat allemaal vandaan gekomen? Het ene moment bedacht hij hoe fantastisch alles tussen hen was, en het volgende moment zei ze dat ze hem niet meer wilde zien.

Wat was er verdomme aan de hand?

Zijn vader keek uit het raam naar de achtertuin van de Wingates en draaide zich om. 'Wat had dat allemaal te betekenen?'

Sebastian legde de zak van Brookstone op de bank. 'Ik heb een massageriem voor je rug gekocht.'

'Dank je. Dat had je niet hoeven doen.'

'Ik wilde het.'

'Waarom is Clare zo van streek?' vroeg Leo.

Sebastian keek in zijn vaders ogen en haalde zijn schouders op. 'Ik weet het niet.'

'Ik ben misschien oud, maar ik ben niet seniel. Ik weet dat jullie iets met elkaar hebben.'

'Nou, het is voorbij.' Hoewel hij het zei, besefte hij het nog steeds niet.

'Ze is zo'n lief meisje. Ik haat het om haar van streek te zien.'

'Wat een onzin! Ze is geen lief meisje,' explodeerde hij. 'Ik ben je zoon, en het lijkt je helemaal niet te kunnen schelen dat ik misschien ook van streek ben.'

Leo fronste zijn voorhoofd. 'Natuurlijk kan me dat wat schelen. Ik dacht alleen dat jij degene was... die er een einde aan heeft gemaakt.'

'Nee.'

'O.'

Sebastian ging op de bank zitten en bedekte zijn gezicht met zijn handen terwijl hij eigenlijk zijn hoofd tegen de muur wilde rammen. 'Alles was fantastisch, helemaal perfect, en dan verpest ze het, net als alle vrouwen.'

Leo legde de papieren zak weg en ging naast hem zitten. 'Wat is er gebeurd?'

Sebastian liet zijn handen in zijn schoot vallen. 'Wist ik het maar. We hadden het fantastisch samen. Toen zag ze haar ex en het volgende moment vertelde ze me dat ze meer wil.' Hij haalde diep adem en liet de lucht ontsnappen. Hij kon nog steeds niet geloven wat er daarnet was gebeurd. 'Ze zei tegen me dat ze verliefd op me is.'

'Wat heb jij toen gezegd?'

'Ik weet het niet. Het was een enorme schok en ik had er helemaal niet op gerekend.' Hij draaide zich om en keek naar zijn vader. Hij realiseerde zich dat dit nog maar de tweede keer was dat ze over iets anders met elkaar praatten dan vissen en auto's en het weer. De eerste keer sinds hij de sneeuwbol in zijn moeders huis had laten vallen. 'Ik denk dat ik zei dat ik haar graag mocht.' Wat de waarheid was. Hij mocht haar meer dan alle andere vrouwen met wie hij ooit iets had gehad.

'Ai,' zei Leo.

'Wat is daar mis mee? Ik mag haar echt graag.' Hij mocht alles aan haar graag. Hij vond het fijn om zijn hand op haar rug te leggen als ze een kamer in liepen. Hij hield van de geur van haar hals en het geluid van haar lach. Hij vond het zelfs leuk dat iedereen dacht dat ze een lief meisje was en dat alleen hij haar verdorven gedachten kende. En wat kreeg hij ervoor terug dat hij haar graag mocht? Ze had hem een trap in zijn borstkas gegeven.

'Ik ben bang dat je moeder en ik geen goede voorbeelden zijn geweest voor liefde en het huwelijk en relaties.'

'Dat is waar.' Maar hoezeer hij zijn ouders ook de schuld van zijn leven wilde geven, hij was bijna zesendertig en het had iets pathetisch als een man van zijn leeftijd zijn vader en moeder de schuld gaf van zijn bindingsangst. Bindingsangst? Vrouwen hadden hem in het verleden verteld dat hij bindingsangst had, maar hij was het daar nooit mee eens geweest. Hij had nooit gedacht dat hij bang was om zich ergens aan te binden. Het kostte veel vastberadenheid en betrokkenheid om verhalen na te jagen en ze gedrukt te krijgen. Maar natuurlijk was dat niet hetzelfde. Vrouwen waren veel lastiger om te begrijpen.

'Ik dacht dat ik haar gelukkig maakte,' zei hij, terwijl hij voelde dat er een enorm gewicht op zijn borstkas lag. 'Waarom kon ze het niet gewoon zo laten? Waarom willen vrouwen de dingen altijd veranderen?'

'Omdat het vrouwen zijn. Dat is wat ze doen.' Leo haalde zijn schouders op. 'Ik ben een oude man en ik heb ze nooit begrepen.'

De bel ging en Leo's knieën kraakten toen hij voorzichtig van de bank overeind kwam. 'Ik ben zo terug.' Hij liep door de zitkamer en deed de voordeur open. De stem van Joyce vulde de hal van het koetshuis.

'Claresta heeft net een taxi gebeld en is de deur uit gerend. Is er iets gebeurd wat ik moet weten?'

Leo schudde zijn hoofd. 'Niet voor zover ik weet.'

'Is er iets tussen Clare en Sebastian gebeurd?'

Sebastian verwachtte half dat zijn vader de afschuwelijke details zou onthullen en dat hij opnieuw van Joyceland zou worden verbannen.

'Ik zou het niet weten,' zei Leo. 'Maar zelfs als dat zo is, ze zijn volwassen en zullen er zelf uit moeten komen.'

'Ik denk niet dat ik het ermee eens ben dat Sebastian haar van streek maakt.'

'Heeft Clare gezegd dat Sebastian haar van streek heeft gemaakt?'

'Nee, maar ze vertelt me nooit wat er in haar leven gebeurt.'

'Ik kan je ook niets vertellen.'

Joyce zuchtte. 'Goed, als je iets hoort, laat het me dan weten.'

'Dat doe ik.'

Sebastian ging staan toen zijn vader de kamer in kwam. Hij voelde zich rusteloos, alsof hij ging instorten. Hij moest hier weg. Hij moest afstand tussen Clare en hem creëren. 'Ik ga naar huis,' zei hij.

Leo bleef abrupt stilstaan. 'Nu?'

'Ja.'

'Het is een beetje laat om nog naar Seattle te rijden. Waarom wacht je niet tot morgen?'

Sebastian schudde zijn hoofd. 'Als ik moe word, stop ik.' Hij betwijfelde ernstig dat hij moe zou worden. Hij was te boos. Hij had daarstraks alleen een tas uit zijn auto gehaald, en liep naar zijn slaapkamer om die te pakken. Binnen twintig minuten reed hij op de I-84 in noordelijke richting.

Hij reed aan één stuk door. Zesenhalf uur met alleen asfalt en boosheid. Ze had gezegd dat ze verliefd op hem was. Nou, dat was nieuw voor hem. De laatste keer dat ze erover hadden gesproken, wilde ze vrienden zijn. In januari had ze hem nadrukkelijk verteld dat hij het haar gewoon moest vertellen als hij andere vrouwen wilde zien. Alsof ze het allemaal prima vond. Het gekke was dat hij dat nooit in overweging had genomen. Niet één keer. En nu wilde ze plotseling meer.

Ze was verliefd op hem. Liefde. Liefde kwam met verplichtingen. Het werd nooit zomaar gegeven. Er waren altijd dingen verbonden aan liefde. Betrokkenheid. Verwachtingen. Veranderingen.

Zesenhalf uur lang spookte dit allemaal in zijn hoofd rond. Gedachten tuimelden rond, en tegen de tijd dat hij zijn appartement in liep was hij uitgeput. Hij liet zich op bed vallen en sliep twaalf uur aan één stuk door. Toen hij wakker werd, was hij niet moe meer, maar hij was nog steeds boos.

Hij trok een sportbroek aan en begon te trainen met de gewichten in zijn logeerkamer. Hij verbrandde wat van de boze energie, maar kon Clare door het sporten niet uit zijn hoofd krijgen. Nadat hij een douche had genomen, ging hij naar zijn kantoor en zette zijn computer aan in een poging zijn hersenen te verdoven met werk. In plaats daarvan herinnerde hij zich de keer dat ze met dat blauwe nachthemd zijn kantoor was binnengekomen.

Na een uur doelloos typen belde Sebastian een paar kameraden en sprak met hen af in een bar niet ver van zijn appartement. Ze dronken bier, biljartten en praatten over baseball. Verschillende vrouwen in de bar flirtten met hem, maar hij had geen interesse. Hij was laaiend op alle vrouwen in het algemeen, en vooral op slimme, knappe vrouwen.

Hij was afgrijselijk gezelschap, had een afgrijselijke avond en gedroeg zich als een enorme klootzak. Zijn leven was afgrijselijk, en dat was allemaal de schuld van een bepaalde liefdesromanschrijfster die in liefde en helden en 'ze leefden nog lang en gelukkig' geloofde.

De week daarop kwam Sebastian heel weinig buiten. Hij ging alleen naar de supermarkt om brood, vleeswaren en bier te kopen. Toen zijn vader belde, praatten ze over van alles, behalve over Clare. Ze hadden de stilzwijgende afspraak om de dochter van Leo's baas te mijden als gespreksonderwerp. Maar dat betekende niet dat hij niet elk wakker moment aan haar dacht.

Negen dagen nadat hij in zijn SUV was gesprongen en razend van woede van Boise naar Seattle was gereden, stond hij in zijn zitkamer en keek naar de schepen en veerboten in Elliott Bay. Hij hield niet van verandering. Vooral als hij het niet zag aankomen en het leek alsof hij er geen invloed op kon uitoefenen. Verandering maakte hem hulpeloos. Het betekende dat hij opnieuw moest beginnen.

Hij dacht aan Clare en de nacht dat hij haar in een roze poederdonsjurk op een barkruk had aangetroffen. Die avond had hij haar in bed gestopt, en de volgende ochtend was zijn leven veranderd. Hij had het op dat moment niet geweten, maar ze was in zijn leven gekomen en had het voor altijd veranderd.

Ongeacht of dat hem aanstond of niet, of hij het wilde of niet, zijn leven was veranderd. Hij was veranderd. Hij voelde het aan de lege plek in zijn borstkas en de honger in zijn maag, die niets met voedsel te maken had. Hij voelde het aan de manier waarop hij uitkeek over de stad waar hij van hield, terwijl hij toch ergens anders wilde zijn.

Hij hield van Seattle. Behalve de eerste paar jaar van zijn leven had hij altijd in Washington gewoond. Zijn moeder was daar begraven. Hij hield van het water en het drama en de hartslag van de stad. Hij hield ervan om naar een wedstrijd van de Mariners of de Seahawks te gaan als hij daar zin in had, en hij hield van het uitzicht op Mount Rainier dat hij vanaf zijn appartement had. Hij had zich kapotgewerkt voor dat uitzicht.

Hij had vrienden in Washington. Goede vrienden die hij al zijn leven lang kende. Hij woonde hier, maar hij voelde zich niet langer thuis. Hij hoorde zeshonderd kilometer verderop, bij de vrouw die van hem hield. De vrouw met wie hij al zijn vrije tijd wilde doorbrengen, die zijn favoriete persoon was om mee te praten.

Sebastian keek naar de straat onder zich. Hij vond Clare meer dan leuk. Het had geen zin om ertegen te vechten. Het was nutteloos; hij herkende de waarheid als hij er maar vaak genoeg mee om zijn oren werd geslagen. Hij hield van de manier waarop ze lachte en de kleur waarin ze haar teennagels lakte. Hij hield niet van al dat meisjesachtige kant dat ze in haar huis had, maar hij hield ervan dat ze een meisjesachtige vrouw was. Hij hield van haar, en zij hield van hem. Voor het eerst in zijn leven was de liefde van een vrouw niet iets waarvoor hij weg moest rennen.

Hij draaide zich om en ging met zijn rug tegen het raam staan. Hij hield van haar en hij had haar pijn gedaan. Hij herinnerde zich de uitdrukking op haar gezicht toen ze zich omdraaide, en hij dacht niet dat hij de telefoon kon pakken om gewoon te zeggen: 'Hallo Clare, ik heb erover nagedacht en ik hou van je.'

In plaats daarvan pakte hij de telefoon en belde zijn vader. Niet dat Leo een deskundige was op het gebied van vrouwen en liefde, maar misschien wist hij wat hij moest doen.

Clare zocht op haar moeders zolder naar een bedhemel. Ze was overal in de stad geweest om er een te kopen die ze mooi vond, maar ze had niets gevonden. Er moest iets geschikts zijn tussen de stapels beddengoed op de Wingate-zolder.

De dag nadat ze Sebastian had verteld dat ze hem niet meer kon zien, had ze haar Battenberg-kant van het bed gehaald. Hij had het gehaat, en het deed haar te veel aan hem denken. Ze kon er gewoon niet naar kijken als ze 's avonds naar bed ging.

Er waren drie weken voorbij sinds de dag dat ze Lonny in het winkelcentrum tegen het lijf was gelopen en ze zich had gerealiseerd dat ze opnieuw was gevallen voor een man die niet in staat was om van haar te houden. En dit keer kon ze niet eens zeggen dat het was omdat hij tegen haar had gelogen. Sebastian hield niet van haar en dat wist ze toen ze eraan begon. Ze wist alleen niet dat ze verliefd op hem zou worden.

Na de ruzie in haar moeders achtertuin was ze naar huis gegaan en had ze drie dagen in bed gelegen, met een overdosis films van John Hughes en Merchant-Ivory, tot haar vriendinnen tussenbeide kwamen.

Het goede nieuws was dat ze geen fles of warm lichaam nodig had gehad om zich beter te voelen. Ze had het niet eens gewild. Het slechte nieuws was dat ze niet dacht dat ze de pijn die haar gevoelens voor Sebastian Vaughan veroorzaakten ooit los zou kunnen laten. Hij zat te diep in haar ziel. Hij was te zeer in haar hart verankerd.

Clare deed een oude kledingkast open en zocht tussen het bedlinnen van haar voorouders. Het was allemaal heel kantachtig en meisjesachtig, en nadat ze een uur had gezocht en niets had gevonden, liep ze via de oude draaitrap de zolder af. Onder aan de trap hoorde ze een stem in de keuken. Ze bleef stokstijf staan.

'Waar is Clare?'

'Sebastian? Wanneer ben jij aangekomen?' vroeg Joyce.

'Clares auto staat buiten. Waar is ze?'

'Hemel. Ze is op zolder om naar kant te kijken.'

Er klonken zware voetstappen op de tegels en de hardhouten vloeren en Clares handen trilden. Ze hadden tegen haar gezegd dat ze hem niet verwachtten. Toen ze zich omdraaide, liep hij de hal in en haar greep op de leuning verstrakte. Ze kreeg dat imploderende gevoel weer, net zo sterk als de dag dat ze in Brookstone stond en vanbinnen stierf.

Sebastian liep door de hal alsof de duivel hem op zijn hielen zat, en voordat ze er zelfs maar aan kon denken om weg te lopen, stond hij voor haar en staarde met zijn groene ogen intens naar haar gezicht. Hij stond zo dichtbij dat de open panden van haar zwarte vest de voorkant van zijn blauwe overhemd raakten.

'Clare,' zei hij. Het klonk heel erg als een liefkozing, en daarna liet hij zijn mond zakken om haar te kussen.

Heel even was ze zo verbaasd dat ze hem zijn gang liet gaan. Haar ziel herinnerde het zich. Ze liet het gevoel door haar heen stromen en alle eenzame plekken verwarmen die alleen hij kon bereiken. Haar hart leek te huilen en was blij op hetzelfde moment, maar voordat hij nog meer van haar kon afpakken, bracht ze haar handen omhoog en duwde hem weg.

'Je bent zo mooi,' fluisterde hij terwijl zijn ogen over haar gezicht gingen. 'Ik heb voor het eerst in weken het gevoel dat ik leef.'

Hij vermoordde haar. Helemaal opnieuw. Ze keek weg voordat haar liefde voor hem haar overspoelde en ze begon te huilen. 'Wat doe je hier?' vroeg ze.

'De laatste keer dat ik je zag, zei ik tegen je dat ik je niet achterna zou komen als je wegliep. Maar hier ben ik.' Met de warme vingers van één hand trok hij haar kin omhoog, zodat ze naar hem moest kijken. 'Ik word over twee maanden zesendertig en ik ben voor het eerst van mijn leven verliefd. En omdat jij de vrouw bent van wie ik hou, dacht ik dat je het moest weten.'

Ze voelde dat alles in haar binnenste heel stil werd. 'Wat?'

'Ik ben verliefd op je.'

Ze schudde haar hoofd. Hij nam haar in de maling.

'Het is waar. De hartverscheurende, adembenemende, krankzinnige liefde voor één vrouw.'

Ze vertrouwde hem niet. 'Misschien denk je alleen dat het liefde is en groei je eroverheen.'

Nu was het zijn beurt om zijn hoofd te schudden. 'Ik heb mijn leven doorgebracht met wachten op een gevoel dat groter en sterker was dan ikzelf. Iets waartegen ik niet kon vechten, wat ik niet kon beheersen en waar ik niet van kon weglopen. Ik heb mijn hele leven gewacht...' Zijn stem trilde en hij stopte om adem te halen. 'Ik heb mijn hele leven op jou gewacht, Clare. Ik hou van je, en vertel me niet dat dat niet zo is.'

Clare knipperde het plotselinge brandende gevoel in haar ogen weg. Het was het mooiste wat iemand ooit tegen haar had gezegd. Beter dan ze zelf kon bedenken. 'Je kunt maar beter de waarheid spreken.'

'Het is de waarheid. Ik hou van je, Clare. Ik hou van je en ik wil mijn leven met je delen. Ik heb zelfs naar *Pretty in Pink* gekeken.'

'Echt?'

'Ja, en ik vond elke seconde vreselijk.' Hij pakte haar hand. 'Maar ik hou van je en als het je gelukkig maakt, kijk ik tien tienerfilms met je.'

'Je hoeft geen tienerfilms met me te kijken.'

'Godzijdank.' Hij tilde zijn vrije hand op en duwde haar haar achter haar oor. 'Ik heb buiten in de auto iets voor je. Ik dacht niet dat Joyce het in huis wilde hebben.'

'Wat is het?'

'Je zei dat je een man en kinderen en een hond wilde. Dus hier ben ik met een erg wagenzieke yorkshireterriër-pup en de wil om aan het kinderdeel te werken.'

Opnieuw had hij in haar eenzame hart gekeken en haar gegeven wat ze wilde. Plus een hond. 'Ik heb niets om aan jou te geven.'

'Ik wil alleen jou. Voor het eerst in een hele tijd heb ik het gevoel dat ik op de plek ben waar ik hoor te zijn.'

De tranen die ze niet eens wilde verbergen, stroomden over haar wangen. Ze ging op haar tenen staan en sloeg haar armen om zijn hals. 'Ik hou van je.'

'Niet huilen. Ik haat huilen.'

'Ik weet het. En winkelen. En de weg vragen.'

Hij sloeg zijn armen om haar heen en hield haar stevig vast. 'Ik heb mijn appartement verkocht en ik heb geen plek om te wonen. Daarom heeft het zo lang geduurd om hiernaartoe te komen toen ik eenmaal had besloten dat ik hier hoorde te zijn.'

'Ben je dakloos?' vroeg ze tegen de zijkant van zijn nek.

'Nee. Mijn plek is bij jou.' Hij duwde een kus op haar slaap. 'Ik heb nooit begrepen wat mijn moeder bedoelde toen ze zei dat ze eindelijk haar plek had gevonden. Ik begreep niet hoe de ene plek anders kon voelen dan de andere. Maar nu weet ik het. Jij bent mijn plek en ik wil er nooit meer weg.'

'Mooi.'

'Clare.' Hij liet haar los en hield een ring voor haar neus met een prinses geslepen, vierkaraats diamant.

'O mijn god!' hijgde ze. Ze keek van de ring naar zijn gezicht.

'Trouw met me. Alsjeblieft.'

Emotie verstopte haar keel en ze kon alleen maar knikken. Ze was een liefdesromanschrijfster, maar ze kon niets romantisch bedenken om te zeggen, behalve 'ik hou van je'.

'Betekent dat ja?'

'Ja.'

Hij liet zijn ingehouden ademhaling ontsnappen, alsof hij daar ooit aan had getwijfeld. 'Er is nog één ding,' zei hij terwijl hij de ring aan haar vinger schoof. 'Ik had een achterliggend motief om de hond te kopen.'

De ring was het mooiste wat ze ooit had gezien. Ze keek naar zijn gezicht en besloot dat hij het op een na mooiste was. 'Natuurlijk heb je dat.' Ze veegde onder haar ogen. 'Wat is het?'

'In ruil voor die meisjesachtige hond weiger ik om onder meisjesachtig kant te slapen,' zei hij terwijl zijn mondhoeken omhooggingen en er een glimlach op zijn gezicht verscheen.

Omdat ze haar kanten beddengoed al had weggedaan, was dat een gemakkelijk compromis. 'Voor jou doe ik alles.' Ze ging op haar tenen staan en kuste Sebastian Vaughan. Hij was haar minnaar, haar maatje en haar heel eigen romantische held, die bewees dat de ergste nachtmerrie van een vrouw soms kon veranderen in 'en ze leefden nog lang en gelukkig'.

Epiloog

Clare schonk een kop koffie in en keek uit het achterraam naar haar tuin. Sebastian stond midden op het gazon met alleen een beige cargobroek aan. De ochtendzon gaf zijn borstkas en gezicht een gouden gloed terwijl hij naar het gazon wees.

'Doe wat je moet doen,' zei hij tegen de yorkshireterriër die op zijn blote voet zat. De hond, Westley – vernoemd naar de held in *The Princess Bride* – stond op, liep een stukje op zijn korte kleine pootjes en plofte op Sebastians andere voet neer.

Westley hield van Sebastian. Hij volgde hem overal en verafgoodde hem. Sebastian deed alsof hij daar niets van moest hebben, maar als hij dacht dat er niemand in de buurt was, kriebelde hij de kleine buik van de hond en zei tegen hem dat hij een 'kleine dekhengst' was.

Sebastian was twee maanden geleden in Clares huis komen wonen en binnen een week was het antiek verdwenen. Clare had het prima gevonden. Zijn bank en stoelen waren comfortabeler dan de hare, en ze was niet bijzonder gehecht aan de voetenbank van haar overgrootvader. Maar de piëdestal met cherubijn bleef.

'Kom op,' zei Sebastian terwijl hij naar Westley keek. 'We kunnen niet naar binnen voordat je hebt gedaan wat je moet doen.'

In mei hadden ze een TE KOOP-bord in de voortuin gezet, en ze hoopten dat ze het huis hadden verkocht tegen de tijd dat ze in september trouwden. Een nieuw huis vinden bleek moeilijker dan het regelen van een huwelijk. Het was niet gemakkelijk om hun uiteenlopende smaken te combineren, maar ze waren vastbesloten om compromissen te sluiten en eruit te komen.

Lucy, Maddie en Adele waren blij voor Clare en dolenthousiast dat ze bruidsmeisjes mochten zijn, hoewel Adele en Maddie haar hadden laten beloven dat ze dit keer geen tule hoefden te dragen.

Sebastian liep een paar meter door de tuin en Westley volgde hem. Hij wees naar de grond. 'Dit is een goede plek.' Westley keek naar hem, blafte alsof hij het ermee eens was en ging op Sebastians voet zitten.

Clare glimlachte en bracht haar beker koffie naar haar lippen. Ze had gisteren geluncht met haar vriendinnen. Lucy dacht er nog steeds over om een gezin te stichten. Dwayne liet nog steeds willekeurige spullen voor Adeles deur achter, en Maddie was nog steeds van plan om de zomer in haar zomerhuis in Truly door te brengen. Toen ze het restaurant uit liepen, had Maddie iets gezegd wat nogal ongewoon was. Ongewoon voor Maddie in elk geval. Met een vreemde uitdrukking op haar gezicht had ze gezegd: 'Graven in het smoezelige verleden van een ander is heel wat gemakkelijker dan in dat van jezelf.'

Er waren dingen gebeurd in Maddies leven. Donkere geheimen die ze nooit had gedeeld. Als en wanneer ze dat deed, zouden haar vriendinnen er zijn om naar haar te luisteren.

Clare deed de glazen deur open en liep het zonlicht in. 'Ik zie dat je die hond helemaal de baas bent,' zei ze.

Sebastian zette zijn handen op zijn heupen en keek naar haar. 'Dat mormel is waardeloos.'

Ze bukte zich en pakte de hond. 'Nee, dat is hij niet. Hij kan erg goed tegen de postbode blaffen.'

Sebastian pakte de beker van haar aan en sloeg een arm om haar schouders. 'En denkbeeldige katten.' Hij nam een slok koffie. 'Pa en ik gaan zaterdag vissen. Wil je mee?'

'Nee, dank je,' antwoordde Clare. Eén keer was genoeg geweest. Wormen en ingewanden waren iets waarover ze het nooit eens zouden worden of aan zouden werken.

Een van de grootste verrassingen aan Sebastian was, naast zijn pogingen om romantisch te zijn, zijn relatie met haar moeder. Hij voelde zich niet aangevallen door Joyce' ijzige, dictatoriale karakter, hij pikte niets van haar en ze konden het uitstekend met elkaar vinden. Beter dan Clare ooit had kunnen denken.

'Zullen we gaan douchen als de hond zijn ding heeft gedaan?' Sebastian gaf haar de koffiebeker terug. 'Ik ben in de stemming om je in te zepen.'

Ze zette Westley op de grond en kwam overeind. 'Ik voel me inderdaad een beetje vies.' Ze drukte haar lippen op zijn naakte schouder en glimlachte. Hij was altijd in de stemming, wat prima uitkwam omdat zij altijd in de stemming was voor hem.